SÉRIE MUTATIONS N° 102

À QUOI PENSENT LES PHILOSOPHES

Dirigé par
JACQUES MESSAGE, JOËL ROMAN
et ÉTIENNE TASSIN
avec la collaboration de
BRIGITTE OUVRY-VIAL

D1373444

AUTREMENT : 17, RUE DU LOUVRE, 75001 PARIS.
TÉL. : (1) 40.26.06.06. FAX : 40.26.00.26

Directeur-rédacteur en chef : Henry Dougier.
Rédaction : Mohammad Ali Amir-Moezzi. Jean-Claude Béhar. Nicole Czechowski.
Peter Snowdon. *Fabrication/Secrétariat de rédaction :* Bernadette Mercier, *assistée
de* Hélène Dupont *et de* Alice Breuil. *Maquette :* Patricia Chapuis. *Service financier :*
Éric Moulette. *Gestion et administration :* Agnès André. Hassina Mérabet. Christian
Da Silva. *Service commercial :* Patrick Leimgruber. *Service de presse :* Agnès Biltgen.

3

La présence philosophique ne se mesure pas à l'aune des débats publics : mais il incombe au philosophe de penser la communauté qui le porte en tâchant que sa parole soit autre chose que profération visionnaire ou injonction militante.

ICONOGRAPHIE : CATHERINE CHEVALLIER

Remerciements à Alain Flageoliet, Dominique Lemaistre, Stéphane Ouvry, Daniel Richard, Ghislaine Glasson-Deschaumes.

UNE APPROCHE DU PAYSAGE PHILOSOPHIQUE FRANÇAIS

PAR JACQUES MESSAGE, JOËL ROMAN
ET ÉTIENNE TASSIN

Donner un aperçu des entreprises philosophiques sans les réduire à une seule perspective, fournir des points de repère pour s'orienter dans le paysage philosophique français en privilégiant des axes significatifs mais sans exclusives, tel est le pari d'une présentation qui ne prétend pas être une somme.

Trois soucis ont commandé notre démarche : d'abord donner la parole aux philosophes eux-mêmes, en leur proposant des problèmes, des questions, des thèmes de réflexion. On ne trouvera pas de présentations centrées sur des auteurs, mais des exemples de pensées à l'œuvre, qui se veulent autant d'invites à poursuivre des rencontres simplement amorcées. S'étonnera-t-on de quelques absences ? Elles ne sont pas toutes de notre fait. Si ce choix de questions nous a conduits à nous adresser aux auteurs ici rassemblés, d'autres auraient pu tout aussi bien intervenir. Leur pensée n'est pas pour autant ignorée. Qu'on n'y voie donc pas un palmarès, encore moins un tableau impartial des principaux courants de la philosophie française contemporaine, mais la nécessité de simplement s'en tenir à quelques enjeux dans la multiplicité des discours.

Ensuite éviter les démarches trop érudites ou trop techniques. Il est vrai qu'on refuse souvent à la philosophie une technicité que l'on passe sans problème à des disciplines dites positives. Rideau de fumée là, la technicité du langage se voit prisée comme rigueur conceptuelle ici. Un fond de vérité gît pourtant dans cette attitude, qui demande à la philosophie d'être accessible : les questions philosophiques sont bien pour une part les questions de tout le monde. Le philosophe n'a de ce point de vue aucun privilège, sinon qu'il sait l'histoire de ces questions, celle des réponses qu'on a pu y apporter, et des difficultés qu'elles soulèvent. Sa prudence à démêler cet écheveau est sa seule vertu. Il sait que les questions en appellent d'autres plutôt qu'elles n'attendent des réponses ; que le questionnement fait avancer la pensée quand les solutions l'arrêtent.

Enfin, nous souhaitions marquer la diversité et la vitalité de la philosophie française contemporaine. La libre discussion est l'élément de la philosophie. Qu'on ne cherche donc pas une unité problématique rigide, un « ordre des raisons » à l'agencement des parties et des articles. On y trouvera plutôt un jeu de correspondances, d'échos parfois inattendus d'une parole à l'autre, comme si la réflexion appelait un dialogue implicite entre des pensées dont les auteurs eux-mêmes ne débattent pas forcément les uns avec les autres.

*Au triomphe des sciences humaines des années 60-70 a succédé la revi-
viscence d'une interrogation sur le sens, à l'illusion objectiviste le souci
du juste et du possible, à l'oblitération du politique par l'économique
et le social l'idée d'une communauté de droit.*

Quatre axes *se sont ainsi dégagés, qui figurent quelques-uns des défis
adressés à la philosophie :* la pensée de la modernité *et de son statut,
qui commande largement la réflexion philosophique contemporaine
(l'effet médiatique de l'affaire Heidegger a été un signe de la force avec
laquelle cette interrogation s'impose au philosophe). Le conflit toujours
sensible entre* l'urgence éthique, *qui demande qu'on tranche dans les
intermittences morales, et la patience philosophique qui recherche la séré-
nité propice au jugement. Les questions que suscite* la science contemporaine, *confrontant la rigueur philosophique à ses méthodes et à ses
résultats, à son langage et à ses réalités, mais lui soumettant aussi les
dilemmes que l'exercice de l'exactitude laisse irrésolus. Le défi du politique enfin, car après avoir cru pouvoir s'affranchir des limites de la
pensée en la réalisant en engagement activiste, le philosophe a parfois
renoué avec la tentation du refus de la politique. Pourtant, loin de ces
attitudes extrêmes et symétriques, un autre rapport au domaine politique nous semble pouvoir s'instaurer.*

*Les philosophes n'ont certes pas, aujourd'hui plus que jadis, vocation
à synthétiser les thèmes et références d'une conjoncture qu'ils s'attachent
à penser. Mais c'est toujours du sein d'une communauté que la philosophie pense, et cela aussi est à penser. C'est du moins ce que nous avons
cru reconnaître dans l'aujourd'hui philosophique.*

*L'exposition d'ensemble n'opte pas pour une présentation ni une lec-
ture linéaires. On pourra lire suivant plusieurs voies, se fiant à des échos
différenciés selon ses propres intérêts, préférant telle résonance à tel ordre
de succession. Cela ne signifie pas qu'une cohérence est impossible ou
non souhaitable, mais qu'il n'y a de cohérence que construite dans une
lecture active qui choisit son chemin. Chaque partie dessine ainsi un
champ de questions que chacun des articles reprend pour son compte.*

De l'une à l'autre, donc, pas de transition, mais des passages : carrefours *et* contrepoints *qui veulent attester, sans plus, que la philosophie
nourrit son questionnement à ces deux sources toujours vives que sont
sa propre tradition et la diversité des pratiques. Contrepoints, en manière
d'exemples, de l'esthétique, des pratiques d'expérimentations humaines,
de l'enseignement, de la communication médiatique. Et carrefours des
traditions, mais qui ne prétendent pas décider de ceux qui, du passé,
seraient restés nos contemporains.*

*Simplement il nous a semblé que les débats actuels manifestaient un
changement de centre de gravité : s'il y a quarante ans, Platon, Descartes, Hegel étaient invoqués, et il y a vingt ans, Marx, Nietzsche, et Freud,
notre époque, moins ambitieuse mais plus attentive au réel, évoque plus
volontiers Aristote, Kant, ou la phénoménologie, héritée de Husserl. Wittgenstein aurait pu être leur compagnon.*

*Enfin cinq entretiens, indépendants des parties, ponctuent cet ensem-
ble de réflexions. Itinéraires des pensées, ils racontent aussi la vie de
l'esprit, et rappellent que la philosophie n'existerait pas sans l'insistance
à philosopher de quelques contemporains majeurs.*

HENRI GOUHIER

HISTOIRE PERSONNELLE DE LA PHILOSOPHIE

entretien avec
──────── *HENRI GOUHIER* ────────

Né en 1898, H. Gouhier est aujourd'hui le doyen des philosophes français. Son œuvre abondante l'a conduit de Descartes à Bergson. Mais cet historien de la philosophie est aussi un critique de théâtre averti. Il est membre de l'Académie française et de l'Académie des sciences morales et politiques. Principaux ouvrages : *La jeunesse d'Auguste Comte et la formation du positivisme* (1933-1938), *Antonin Artaud et l'errance du théâtre* (1974), *L'anti-humanisme au XVIIᵉ siècle* (1987), publiés chez Vrin.

Autrement - Quelle a été l'origine de votre intérêt pour la philosophie ?

Henri Gouhier. - Lorsque j'étais au collège, à Auxerre, je n'avais jamais pensé devenir professeur. Mon père, qui était clerc de notaire, souhaitait que je fasse du droit. Mais il y avait, en classe de 4ᵉ, puis de nouveau en 3ᵉ, un cours de morale fait par un professeur de français, latin, grec, et pour lequel j'obtins, pour la première fois, un prix. Rétrospectivement, je me suis dit que mon intérêt pour la philosophie s'était peut-être éveillé dans ce cours. En classe de philosophie, j'ai eu comme professeur un excellent homme qui m'aimait bien, mais confus. Le Principal du collège, disait : « si Gouhier s'intéresse à la philosophie avec un tel professeur... ». Il est donc allé trouver mon père pour le convaincre que je devais suivre des études de philosophie. J'ai alors suivi la filière classique : l'ENS, l'agrégation... J'ai d'abord fait quelques mois de classe préparatoire avant d'être mobilisé, en 1917. J'ai suivi ensuite ce qu'on appelait les khâgnes militaires ; tout de suite après l'armistice, en effet, on avait réuni à Nancy et à Stras-bourg (où j'étais) les khâgneux mobilisés. Pendant sept ou huit mois, nous sommes restés en caserne, sous l'uniforme, quels que fussent nos grades (j'étais seconde classe), et nous préparions le concours spécial de l'École, plus facile, il faut le dire, que le concours normal. J'ai ensuite bâclé une licence très rapidement. Et, sans que je me souvienne comment cela est venu, j'ai tout de suite été plongé dans l'histoire de la philosophie. J'ai consacré mon mémoire d'études supérieures à « la foi et la raison chez Descartes ». Rétrospectivement, je peux dire que j'ai eu alors le sentiment qu'il y avait une relation entre la philosophie et la religion. Ce sujet, bien que je ne me souvienne pas des raisons à l'origine de son choix, m'apparaît aujourd'hui comme le point de départ d'une sorte de postulat formulé beaucoup plus tard.

L'histoire de la philosophie et le rapport de la philosophie à la religion sont les deux aspects qui seront toujours maintenus dans votre œuvre.

Oui. Avec mon mémoire de diplôme, j'étais plongé dans le XVIIᵉ siècle religieux.

Quelques semaines après mon agrégation, Étienne Gilson est arrivé à Paris. J'avais lu ses travaux et j'ai été le premier étudiant parisien à venir le trouver en lui disant : je veux faire ma thèse avec vous. Ce fut le début d'une grande amitié. J'ai fait une thèse sur « la pensée religieuse de Descartes » avec Gilson pour l'École pratique des hautes études, et une thèse sur Malebranche pour la Sorbonne. Puis je me suis consacré, aussitôt après, à Auguste Comte.

Au travers de tout cela, j'ai compris que la philosophie n'avait pas sa source en elle-même, mais en dehors d'elle-même. Mon postulat est qu'elle a sa source de deux côtés : d'un côté, la philosophie étant une vision du monde, il faut bien qu'elle change par la science. D'un autre côté, des changements arrivent aussi dans le monde de l'esprit par une chose assez mystérieuse, que je ne sais pas comment nommer et que j'ai appelée l'inspiration religieuse. De là, les deux sources de la philosophie : les transformations de la science, et ces sortes d'inventions que le génie religieux introduit dans le monde.

Même si, parce que je m'intéressais à la pensée française, j'envisageais surtout le catholicisme, je devais aussi prendre au sérieux la religion naturelle de Jean-Jacques Rousseau ou la religion de l'humanité d'Auguste Comte. Les deux sources, d'ailleurs, peuvent agir en même temps. Chez Malebranche, par exemple, les inventions philosophiques résultaient d'une transformation de la science induite par Descartes, mais aussi d'une perspective religieuse qui ne doit rien à Descartes, ni à Aristote, ni à un autre auteur philosophique. De même, pour Auguste Comte : sous la Révolution française, l'esprit révolutionnaire, ou ceux qui faisaient une philosophie de la situa-tion, considéraient qu'avec les progrès des sciences, l'ère chrétienne était achevée, et établissaient un nouveau calendrier ; j'ai montré qu'Auguste Comte, avec un retard de trente ou quarante ans, faisait lui aussi une religion nouvelle, avec un nouveau calendrier. De même encore pour Bergson : la science avait pris modèle sur les mathématiques au XVIIᵉ siècle, elle devait, au XIXᵉ et au début du XXᵉ siècle, prendre modèle sur la biologie, comme Bergson le montrait. Mais il y avait, en même temps, une espèce de flamme, une intuition, qui permettait à Bergson d'insérer, en quelque sorte, les expériences mystiques à l'intérieur de la philosophie.

C'est ainsi que j'ai « systématisé » mon travail. J'eus l'idée, à un moment, de présenter tout cela sous le titre, inspiré de celui de Brémond, *Histoire littéraire du sentiment religieux* (qui était une histoire du sentiment religieux dans les Lettres) : « Histoire philosophique du sentiment religieux », entendant par là l'histoire du sentiment religieux à l'intérieur de ses métamorphoses philosophiques. Cela aurait pu être équivoque, je ne l'ai pas fait. Mais tel était le sens de cet ensemble de travaux.

La réflexion philosophique ne peut donc être totalement indépendante de l'inspiration religieuse, elle ne l'abandonne jamais ?

Je ne dirais pas cela. Il y a quelquefois deux sources, quelquefois une seule. Par exemple, on ne peut pas dire que Rousseau doive beaucoup à la science de son temps, alors qu'il doit beaucoup à cette espèce d'expérience intérieure de la conscience. Mais en général on trouve les deux, comme chez Malebranche.

Le cas le plus flagrant serait Pascal.

Avec ce fait qu'il n'y a plus, chez Pascal, de philosophie ! Pour Pascal, l'intérêt de la philosophie est de montrer qu'elle est l'histoire d'un échec. Je ne rejette pas les interprétations actuelles de Pascal qui veulent tirer une philosophie de Pascal. Ce n'est ni inutile ni inintéressant. Mais Pascal s'intéresse à la philosophie dans la mesure où la philosophie montre qu'elle ne peut rien.

Cette perspective sur la philosophie vous a conduit à rencontrer de grands auteurs, mais toujours comme individus.

Exactement. Je fais une histoire « personnelle », ou mieux, « personnaliste », de la philosophie. J'ai vécu à une époque où les historiens, habitués à une histoire commandée par les individus, ont réagi en faisant une histoire non-événementielle. Je me suis trouvé dans la situation inverse : les historiens de la philosophie proposaient une histoire la plus impersonnelle possible. On consacrait un chapitre à la biographie, et puis on passait à l'étude du système. J'ai, pour ma part, fait une histoire événementielle de la philosophie. A l'origine, il y a un paquet de feuilles blanches, un porte-plume et de l'encre ; et voilà que maintenant il y a le *Discours de la méthode. Evenit* : il est arrivé quelque chose. En ce sens-là, je suis pour une histoire de la philosophie dans laquelle la biographie est tout à fait capitale. Il ne s'agit pas d'anecdotes : quand on pose un individu, on pose le monde tel que le voit cet individu. Dans ma perspective, ce ne sont pas les questions de méthodes qui différencient les histoires de la philosophie, ce sont des questions de points de vue. Dans l'optique des méthodes, la bonne méthode discrédite toutes les autres. Si on part de points de vue, on peut prendre et accepter plusieurs points de vue.

La question est celle-ci : l'historien de la philosophie, de quoi fait-il l'histoire ?

Je crois qu'il n'en sait rien. Entendons-nous. Quand on fait l'histoire de la peinture, on sait qui est peintre. Quand on fait l'histoire de la chimie, on sait qui est chimiste, etc. Quand on fait l'histoire de la philosophie, sait-on qui est philosophe ? Nous évoquions tout à l'heure le cas de Pascal. Si on regarde les choses de près, on s'aperçoit de ceci : il n'y a pas une définition neutre de la philosophie, qu'on puisse mettre dans un dictionnaire, parce que la philosophie est elle-même une notion philosophique et que chaque philosophie postule une certaine idée de la philosophie. Cela étant posé, si je voulais dire exactement de quoi je crois faire l'histoire, ce serait : l'histoire des *visions du monde* ; en prenant les mots « visions du monde » non pas au sens hégelien ou marxiste, mais pour indiquer simplement comment chacun *voit* le monde. S'attacher à un philosophe, ce n'est pas s'attacher à une vie remplie d'anecdotes, mais s'attacher à saisir comment il voit le monde, à quel point de vue il se met pour voir le monde.

Prenons, pour bien préciser cela, l'idée banale de « milieu ». Avant d'être autour de lui, le milieu d'un philosophe est à l'intérieur de lui : c'est, en lui-même, le monde tel qu'il le voit. Et c'est pourquoi j'ai eu le sentiment très tôt, dès ma thèse, que l'étude des sources d'un philosophe ne consiste pas à aller, par exemple, de saint Augustin et Descartes à Malebranche, mais à se mettre à l'intérieur de Malebranche pour comprendre comment il voit Descartes ou Augustin, comment, si l'on peut dire, il « augustinise » Descartes et « cartésianise » Augustin. J'étudie ce retournement à l'intérieur du personnage. Sur Auguste Comte, qui médite sur son temps, sur la Révolution française, sur la révolution industrielle, j'ai essayé, bien entendu, de voir objectivement quels étaient les faits et les textes qu'il lisait, mais aussi de les voir « en » lui, pour savoir comment il voyait, lui, ces faits et ces textes.

Vous le faites en prenant en compte le point de vue singulier. Cela vous paraît-il s'opposer à la démarche d'un Guéroult, par exemple ?

Bien sûr, Guéroult vous l'aurait dit encore plus nettement que moi. Nous étions amis, mais nos perspectives sont tout à fait opposées. Disons en gros que je propose une histoire historique de la philosophie, tandis que Guéroult construit une histoire philosophique de la philosophie.

Votre « méthode des points de vue », si je puis dire, vaut-elle pour tous les philosophes ? N'y a-t-il pas un fil secret, des affinités qui se créent pour l'historien en général, et pour vous en particulier avec Pascal, Descartes, Comte... ? Car, à ma connaissance, vous n'avez jamais écrit sur Spinoza, ni sur Leibniz...

En effet, je n'ai jamais écrit sur Leibniz. J'ai fait des cours, que je crois convenables, sur Leibniz, mais il est très probable que je n'y comprenais rien (rire). Je veux dire ceci : je pouvais expliquer, mais je n'ai jamais eu l'impression, avec Leibniz, de toucher quelque chose de réel. Je sentais une sorte de fantasmagorie générale qui m'échappait. La pensée de Leibniz s'exprime en de multiples langages : ceux de la physique, de la mathématique, de la métaphysique... Mes lacunes dans l'histoire des sciences m'empêchaient de dominer cet ensemble. Leibniz était un grand génie, mais je n'aurais pas été capable de démêler dans son œuvre cette interpénétration de la science et de la philosophie.

N'y a-t-il pas une autre caractéristique ? Leibniz et Spinoza ne sont pas des auteurs français. Pourquoi avez-vous travaillé exclusivement sur des auteurs français ? Y a-t-il une philosophie spécifiquement française ?

D'abord, je ne suis pas doué pour les langues ! Et puis dans toutes les vies, il y a du hasard. J'ai commencé avec Descartes et le XVIIe siècle. Il y avait alors beaucoup à dire sur Malebranche : je m'y suis intéressé. Ensuite, Gilson m'a suggéré de travailler sur Auguste Comte qu'il aimait beaucoup et auquel peu de travaux avaient été consacrés. Cela m'a séduit parce que c'était une philosophie de l'histoire. Ici encore, il faut bien parler de hasard : parti pour écrire un livre, j'ai fini par en écrire trois. Ce livre, bien entendu, devait avoir un cadre biographique ; or j'ai trouvé beaucoup de documents dans les archives de l'École Polytechnique, beaucoup de renseignements sur les lectures du jeune Comte, et déjà quelques écrits inédits ou difficilement accessibles : ce que j'avais à faire était bien plus qu'un simple chapitre, mais un livre à part entière, qui s'intitule *Auguste Comte et la formation du positivisme*. Un tome II devait suivre : les rapports de Comte avec Saint-Simon, alors que je pensais ne consacrer qu'un chapitre à Saint-Simon. Mais je m'aperçois qu'il y a, sur Saint-Simon, quantité d'articles dans des revues historiques, beaucoup de documents dans les archives, énormément de textes inédits. Tout cela m'amena à écrire un livre sur Saint-Simon, que je publiai toujours sous le même titre alors qu'il n'y avait rien dedans sur Auguste Comte. Le tome I étudiait Comte jusqu'à la rencontre avec Saint-Simon : voici que le tome II présente Saint-Simon jusqu'à sa rencontre avec Auguste Comte. Cela faisait un gros livre, parce que j'apportais des thèses sur Saint-Simon relativement nouvelles : Saint-Simon avait été très en vogue dans l'Université, et j'essayais de montrer que c'était un hurluberlu qui avait commencé à écrire des choses sensées quand il eut des secrétaires. Restait alors à écrire un troisième tome sur les rapports d'A. Comte et de Saint-Simon. Voilà bien le hasard ! Trois gros volumes, quand j'avais prévu un seul. J'y ai consacré je ne sais pas combien d'années de ma vie !

J'étais, avec Auguste Comte, dans une période que j'avais beaucoup étudiée. J'y retrouvais quelqu'un que j'ai beaucoup aimé, de plus en plus, Maine de Biran. Là encore, le hasard a joué. Je me suis aperçu que nous n'avions, du fameux journal intime de Maine de Biran, qu'une édition extrêmement mal faite, par quelqu'un qui n'avait vu que des copies et pas le manuscrit. Or je me sentais très proche de Maine de Biran (peut-être est-il l'auteur dont je suis le plus proche), et j'ai pensé qu'il fallait maintenant publier le manuscrit intégral. Une patiente enquête m'a conduit jusqu'aux archives personnelles d'un professeur à la Faculté de médecine de Genève. Il fallut lui expliquer que les copies déposées à la Bibliothèque universitaire de Genève étaient tronquées et fautives. Il fallait surtout lui inspirer confiance. Et de nouveau, le hasard m'a servi. Je travaillais à la Bibliothèque de Genève où se trouvaient d'autres documents. J'expliquais au conservateur des manuscrits, le professeur Bernard Gagnebin, que les originaux de Maine de Biran se trouvaient chez le docteur François Naville. « Je suis le parrain d'une de ses petites filles », m'apprend-il. Nous y sommes allés ensemble, M. Naville a aussitôt mis à ma disposition tous les manuscrits.

Votre dernier livre est consacré à l'*Anti-humanisme au XVIIe siècle*. **Une note finale évoque les débats contemporains sur l'humanisme...**

J'avais été tellement frappé par le fait que sous le mot humanisme on mettait des choses vraiment différentes, que j'ai voulu reprendre cela de plus près. Il valait la peine de souligner deux idées : 1er) dans l'histoire de la spiritualité au XVIIe, en face des courants humanistes, se trouvait un courant d'opposition à cet humanisme ; 2e) les théologiens et les spirituels de Port-Royal ne sont pas les seuls représentants de la pensée anti-humaniste : j'y verrais même Bérulle et certains mystiques qui recommandent l'anéantissement. Lorsque j'avais parlé de l'anti-humanisme de Pascal à une séance de l'Académie des sciences morales et politiques, cela avait, amicalement, scandalisé. Un confrère m'avait dit : « Vous ne devriez pas appeler cela "anti-humanisme", on a tellement besoin d'humanisme aujourd'hui, d'une culture humaniste... » Il y a une espèce d'*aura* autour de ce mot. Mais on ne peut pas appeler l'anti-humanisme autrement quand il s'agit de s'opposer explicitement à l'humanisme.

J'ai écrit ensuite ce livre pour montrer que le XVIIe siècle n'était pas simple, que l'histoire religieuse ne tournait pas autour de Port-Royal comme dans l'admirable ouvrage de Sainte-Beuve, que Port-Royal est un sommet parmi d'autres. Pendant que je menais ce travail, de jeunes philosophes critiquaient l'humanisme, s'y opposaient. C'est pourquoi j'ai rédigé cette « note finale », en indiquant qu'il s'agissait d'autre chose. L'anti-humanisme du XVIIe siècle se déployait essentiellement à l'intérieur de la pensée religieuse. Je n'ai pas trouvé, cela reste un point d'interrogation, d'anti-humanistes libertins. Les libertins qui auraient pu être appelés anti-humanistes s'accommodaient en réalité de nos imperfections, de nos déficiences, du doute qui, comme le dit Montaigne, est un mol oreiller. Tandis que l'anti-humanisme actuel se pose dans une perspective qui n'a rien à voir, je crois, avec la pensée religieuse. Il s'agissait donc dans ma « note finale » d'éviter les confusions.

Y a-t-il dans l'actualité philosophique des choses qui vous intéressent plus particulièrement ?

J'ai arrêté mes travaux à Bergson. Mais je me suis beaucoup intéressé à Gabriel Marcel, à Gaston Bachelard... sans parler des vivants. Mais, étant donné ce que je fais, je ne crois pas qu'il puisse y avoir une histoire contemporaine. On ne sait pas qui va surnager. À chaque époque, la philosophie continue, grâce à certains philosophes, mais qui entrera dans l'histoire ? On ne peut faire l'histoire de ses contemporains.

Vous vous êtes beaucoup intéressé au théâtre. Est-ce lié à votre vie philosophique ?

Il y a la réalité telle qu'elle fut, et ensuite l'arrangement rétrospectif. La réalité est qu'étant enfant à Auxerre, j'étais passionné par le théâtre. Avant la Première Guerre, deux troupes installaient leur chapiteau sur la grande place pour un mois. Il y avait le soir du vaudeville, le soir du mélodrame et le soir des pièces du « grand théâtre » : *Le Monde où l'on s'ennuie* de Pailleron, *Le Cheminot* de Jean Richepin, qui se terminait par « Va ! Cheminot chemine »... J'habitais à côté. J'ai vu *La Porteuse de pain, Les Martyrs de Strasbourg*, etc. Dès que je fus à Paris, et surtout après l'agrégation, à la Fondation Thiers, j'allais très souvent au théâtre. À ce moment, mon ami Robert Garric

prit la direction de *La Revue des jeunes* : il m'a proposé de tenir une rubrique de théâtre. C'est ainsi que j'ai commencé une chronique qui, en dehors de la guerre, ne s'est jamais interrompue, d'abord à *La Revue des jeunes*, puis à *La Vie intellectuelle* et enfin à *La Table ronde* jusqu'à sa disparition.

Rétrospectivement, j'ai rationalisé, si je puis dire, cet intérêt. En définitive, il y avait quelque chose de profond : je sentais que je n'étais pas un créateur, ni en philosophie pure ni en théâtre, mais que j'étais assez doué pour exposer les créations des autres. J'aurais peut-être fait un metteur en scène convenable.

Ce qui vous a tout de même mené plus loin que la seule critique théâtrale : *Le Théâtre et l'existence*, **les livres sur Renan, Artaud...**

C'est une philosophie du théâtre. Le lien entre la philosophie et le théâtre tient dans le fait que j'ai trouvé à un moment une certaine parenté entre le travail du metteur en scène et le travail d'historien de la philosophie. Je crois que je parle quelquefois comme un historien, quelquefois comme un metteur en scène, et quand je parle de la façon dont un metteur en scène interprète une pièce, je parle un peu en utilisant mon expérience d'interprète des philosophes.

L'homme qui avait eu sur moi le plus d'influence avait été Gaston Baty, qui n'était pas seulement un metteur en scène, mais aussi un excellent écrivain qui avait beaucoup réfléchi sur le théâtre. La critique dramatique classique le considérait volontiers comme l'homme qui torpillait le théâtre, qui ne s'occupait que de la mise en scène, ne s'intéressait pas aux textes et qui donnait des interprétations très contestables des œuvres. Or, pour moi, au contraire, c'était l'homme qui avait admirablement su équilibrer la participation de la musique, du jeu des acteurs, des décors, des costumes, qui avait fait de tout le théâtre une unité autour du texte pris comme centre d'où tout part et où tout abouti.

Ce qui m'a intéressé, c'est de voir Gaston Baty entre deux abus : il avait combattu contre le privilège abusif de « Sire le Mot » faisant de la représentation une sorte de supplément facultatif ; avec Artaud, il aurait trouvé une suprématie de la mise en scène réduisant le texte à n'être qu'un élément à côté des autres. Tout ne tournait plus autour du texte. La pièce devenait une sorte de bande visuelle et sonore où les mots devenus paroles ne jouaient qu'un rôle, à côté du rôle de la musique, de la danse, etc. C'est cette comparaison entre un théâtre où le texte était au centre mais ne suffisait pas et la véritable décentration introduite par Artaud, que j'entrepris d'examiner. *(Propos recueillis par J.M. et E.T.).*

© CATHERINE CHEVALLIER

1

LA MODERNITÉ
EN PROBLÈME

*La modernité est moins un moment daté de l'histoire,
définissant notre époque, que le nom d'une rupture,
donc d'une crise par rapport à la tradition. C'est une
idée philosophique et un problème pour la philosophie.
L'idée d'un progrès nécessaire de la raison, de la
liberté et de l'émancipation a été ébranlée par les catastrophes du XXᵉ siècle, tandis que l'idéal d'universalité se repliait dans des savoirs positifs, éclatés.
Les convictions fondamentales sont remises en chan-
tier et font l'objet du débat actuel.
S'ouvre alors à l'interrogation un vaste champ de problèmes mais aussi de propositions, analyses, expérimentations qui toutes, malgré leurs divergences, ont
en commun de poursuivre la réflexion philosophique
en dépit de sa mort annoncée.*

MARC RICHIR

LIEU ET NON-LIEUX

DE LA PHILOSOPHIE

DÉTRÔNÉE CES DERNIÈRES ANNÉES PAR LE DÉVELOPPEMENT DES SCIENCES HUMAINES ET DES SCIENCES DE L'ESPRIT, LA PHILOSOPHIE SEMBLE S'ÊTRE DISSOUTE AU CONTACT DES SAVOIRS. MAIS SON LIEU EST DANS L'INTERROGATION, INDÉFINIMENT RECONDUITE, DU SENS DE LA RÉFLEXION.

Pour peu que l'on accepte de prendre une distance ou un recul, qui sont nécessaires à la critique, sur l'ensemble de l'activité philosophique d'aujourd'hui — telle qu'elle se développe le plus souvent dans les universités, en résonance parfois étrange avec les lieux médiatiques destinés à un plus large public —, on est conduit à ce sentiment que la philosophie est menacée de disparition, par éclatement ou dissémination de son discours au contact des « objets » sur lesquels elle prétend réfléchir : qu'il s'agisse de la science, de la technique ou de leurs objets, des discours philosophiques eux-mêmes, de la culture, de la société, de l'histoire, etc., chaque fois le sens de l'interrogation paraît capté par les contraintes apparentes de l'objet examiné. De la sorte, si l'on se réfère à ce qui a déjà eu lieu dans la tradition occidentale, la philosophie apparaît de plus en plus comme un *mode de discours* qui médiatise, de manière plus ou moins savante ou pédante, d'autres modes de discours ou de manifestations comme en une sorte d'élément aussi souple que neutre qui n'est rien d'autre qu'une nouvelle *rhétorique* — sorte de théorie implicite, mais censée être générale, de tous les discours et pratiques de culture. Comme si la philosophie, censée être, classiquement, dans ses modalités institutionnelles issues du XIXᵉ siècle, la science directrice des autres sciences, celle qui, seule, peut ouvrir à celles-ci leur accès à leur objet spécifique, avait éclaté en une sorte de méthodologie méta-théorique et méta-pratique, mais elle-même toujours théorique, plus ou moins critique et plus ou moins asservie à ce qu'elle prétend étudier.

LES NON-LIEUX
DE LA PHILOSOPHIE

Si je dis « comme si », c'est que ce jugement, très souvent prononcé sur le mode assertorique, sans la moindre modalisation, est en fait, pour parler comme Kant, un jugement téléologique réfléchissant, faisant de la contingence historique (la dispersion du sens et de sa question dans une multiplicité éparse de sens partiels et régionaux) une nécessité, qu'il n'y aurait plus lieu que d'admettre comme l'inéluctable nécessité de la modernité, coextensive de la mort, tant de fois proclamée depuis plus d'un siècle, de la « métaphysique ». Or, que faut-il constater, précisément, et en préjugeant le moins possible de son sens, comme l'état-de-fait régnant aujourd'hui de la culture ? Ce qui apparaît comme une « crise du sens », bien plus profonde encore que ne le soupçonnait Husserl dans la *Krisis*, c'est un éclatement et une dispersion du sens en divers sens, manifestes depuis la seconde moitié du XIXᵉ siècle, et que la philosophie scolaire, dans sa forme institutionnelle, a plus ou moins maladroitement tenté de conjurer par un encyclopédisme teinté d'éclectisme. Tentative manifestement vaine si l'on se souvient que la plupart des grandes inventions de notre temps se sont effectuées contre elle, ou lui sont demeurées étrangères : depuis les refontes de la mathématique (théorie de la relativité, mécanique quantique) jusqu'à l'élaboration de nouvelles disciplines anthropologiques, parfois abusivement traitées de « sciences » (psychanalyse, ethnologie), parfois plus proches d'un abord nouveau de la démarche scientifique (linguistique). Ces champs se donnent aujourd'hui avec une telle autonomie, au moins apparente, que les examiner tels qu'ils *prétendent se donner* à nous peut conduire la démarche philosophique, et donc critique, à s'y *dissoudre* purement et simplement.

Ces examens soi-disant philosophiques des diverses pratiques contemporaines conduisent à ce que je désigne comme autant de *non-lieux* de la philosophie. Non-lieux au sens courant puisque, dans cette sorte de rhétorique dont je parlais, le champ envisagé demeure finalement indifférent. Mais non-lieux, également et surtout, au sens juridique, puisque l'examen en question demeure le plus souvent *non concluant* eu égard au but poursuivi, qui est celui de comprendre davantage. Par exemple, une démarche épistémologique qui étudie une axiomatique sans s'interroger sur ses motivations, sur les problèmes et questions insolubles qu'elle vise à dissimuler sous le tapis, revient à l'accepter telle quelle et à transformer la démarche philosophique en démarche logico-mathématique.

De même, s'interroger à l'infini, comme les philosophes analytiques, sur les variations de sens d'une expression selon les contextes, revient à en faire l'inventaire, à sur-codifier l'exercice de la parole, et à en manquer l'énigme constitutive, qui est la mobilité des significations, non pas autour des pôles immuables fixés dans les dictionnaires, mais eu égard aux *sens* qui sont dits et sont à dire à travers et entre elles, et que rien ne peut codifier *a priori*, à moins d'un véritable hara-kiri de la pensée. Ce qui est ainsi péniblement inventorié n'est jamais qu'une faible part de ce que tout un chacun sait dans la pratique vivante et toujours relativement imprévisible, car *inventive*, de la parole : manière de reconnaître, ici, le non-lieu dont je parlais.

L'encyclopédisme éclectique de la philosophie institutionnelle n'est donc pas mort aujourd'hui : il n'a jamais été aussi florissant, n'a jamais autant proliféré, favorisé, sans doute, dans cette prolifération, par l'extension sociale prodigieuse d'une certaine culture « universitaire ». À la limite, on pourrait produire, et cela a peut-être déjà été fait, une « sociologie philosophique » des problèmes de la circulation routière. Il y aurait là un beau pastiche à faire de bien des « discours » contemporains, qui mettrait en jeu les catégories de dedans et de dehors, d'identité et de différence, de flux et de stabilité, de représentation et de réalité, de conscience et d'inconscient, de social local et de social global, de privé et de public, d'incommunicable et de communication, etc. La question n'est donc pas que ce type de discours soit impossible, loin s'en faut, mais de savoir jusqu'où et à partir de quand il est susceptible de pouvoir être reconnu comme *philosophique*.

Aujourd'hui comme au XIXᵉ et auparavant encore, la grande illusion de la philosophie institutionnelle a été de croire qu'avec une certaine modalité de discours, dite philosophique, les individus pourraient acquérir au moins une certaine *maîtrise* des autres types de discours. Alors que, le plus souvent, l'encyclopédisme éclectique n'aboutit qu'à donner le pouvoir de parler plus ou moins habilement d'à peu près n'importe quoi. Il est toujours possible, et ce serait aussi drôle, accompli, que redoutable à accomplir, d'écrire le fameux chapitre de *Bouvard et Pécuchet* consacré à la philosophie. C'est aussi ce pédantisme philosophique toujours régnant qui a sans doute motivé, chez beaucoup de nos contemporains, jusqu'à un excès regrettable, mais dont nous sommes responsables en grande partie, une véritable haine de la philosophie qui est une autre expression de la « crise » du sens dont je parlais. Si les scientifiques, aujourd'hui, éprouvent une méfiance instinctive à l'égard des philosophes, c'est sans doute que, par leur sens commun, ils sentent qu'on ne les paie qu'en « monnaie de singe » — je parle de ceux, rares il est vrai, qui ne sont pas enfermés dans un dogmatisme lui-même très métaphysique.

LA PHILOSOPHIE COMME CHEMIN ET COMME FOYER

La grande découverte grecque de la philosophie définit son lieu véritable (qui n'est pas un territoire ou une chasse gardée) en ce que le chemin qui est tracé par la pensée pour *dévoiler* la chose fait déjà partie de la chose, ou que la chose envisagée ne se révélera telle ou telle que selon la démarche, le plus souvent *déjà* telle ou telle, que l'on entreprend de suivre pour l'étudier. Il n'y a

donc pas de philosophie sans mise en question du tracement du chemin, sans l'épreuve *concrète* que penser, c'est toujours aussi être
pris *par avance* par des pas sur les traces desquels on va marcher
pour accéder à la chose, donc sans la réflexion corrélative que le
chemin suivi s'est déjà tracé comme à notre insu, et que ce n'est
pas pour autant qu'il est le meilleur ou le plus approprié à la chose.
Ou encore, sans la question de la justesse de ce que nous faisons
par rapport à ce qui s'est déjà décidé, et de ce que nous avons à
faire quant à cette décision qui nous précède et qui doit nous interroger, au moins autant que la chose même.

En ce sens, la philosophie est nécessairement *réflexive* et *critique*, non pas qu'elle ait à se fixer en une ou des méthodes, ce qui
reviendrait à acquiescer sans critique aux pas déjà posés, et à se
donner par là l'illusion d'une maîtrise qui n'est en fait que autolo-
gique dans l'adéquation de soi à soi, mais qu'elle ait à être habitée
par la hantise que le chemin de la pensée est nécessairement chemin qui revient sur ses pas, qui rétrograde dans sa progression, à
moins de s'évanouir dans la positivité insensée de tels ou tels *résultats*, qui étaient précisément ceux qu'on visait d'avance à mettre en
évidence en emboîtant le pas déjà tracé.

Le lieu de la philosophie est celui d'une pensée *non tautologique*,
car il réside dans cette exigence *de droit*, impossible à satisfaire en
fait, de s'abstenir de toute présupposition, de refuser d'acquiescer
tout simplement au donné, de remonter incessamment vers ce lieu
critique où la pensée peut au moins se surprendre en suspendant
son accomplissement, qui ne serait que tautologie. Certes, ce lieu
critique est impossible à « occuper », mais dans son inaccessibilité
même, il demeure le *foyer* critique qui donne sens à toute authentique interrogation, à toute question qui ne comporte pas d'avance,
en elle-même, sa réponse.

L'ÉNIGME DU SENS AUJOURD'HUI

Le développement des sciences contemporaines a libéré la
philosophie de la lourde tâche de la connaissance adéquate.
C'est le côté positif de la « crise du sens », puisque, *sur leur terrain
propre*, les sciences positives sont effectivement indiscutables. Reste
dès lors, et quel que soit le champ envisagé de la pratique, le lieu
philosophique comme lieu d'interrogation aporétique, où le sens,
revenant sur lui-même, est pour ainsi dire *au travail*. Retourner sur
ses pas, et y découvrir, par la même occasion, d'autres traces qu'il
ne s'agit dès lors plus de suivre aveuglément, c'est découvrir l'irréductible dimension de *réflexivité intrinsèque* du *sens*, ou plutôt, c'est
faire du sens en le réinterrogeant, car c'est découvrir que *du sens
ne se fait que dans son inadéquation à soi, dans son porte-à-faux de*

soi avec soi, dans ce qui fait tout à la fois sa temporalité et sa spatialité intrinsèques, c'est-à-dire son *incarnation au monde*.

Le sens n'est pas dans l'identité de la signification ou la béatitude (apparente) de la contemplation narcissique, mais dans l'*inquiétude*, le mouvement irréductible par quoi il se cherche et par quoi il se perd. Le sens n'est pas concept, manipulable comme un boulon ou un levier, car il n'est jamais que partiellement déterminé. Philosopher, c'est donc interroger le sens et ce, non pas pour l'hypostasier en significations, mais *en vue de lui-même, en vue de sa propre énigme*. Travail in-fini, qui ne peut se faire qu'en commun, dans un esprit d'ouverture à l'indéterminité au moins relative du sens comme à la question qui nous anime, qui fait sens et histoire. Que cette in-quiétude ait à rencontrer la *passion de la déterminité* qui anime tant d'hommes, souvent jusqu'à la pathologie, qu'elle ait à lutter contre une sorte de peur panique de l'indéterminé pris pour « destructeur » ou « ravageur », nul doute. Cette entreprise n'est pas de tout repos : toujours cet esprit a été, est, et sera menacé. Car, selon le vieil adage : « qui n'est pas avec nous est contre nous », ces hommes nous sentiront toujours comme des étrangers, ayant un pied au-dehors de la foi qui les anime et pour laquelle ils ont énigmatiquement besoin de l'unanimité.

Voilà donc, peut-être, non pas tant le lieu de la philosophie que le lieu des philosophes : par rapport aux ordres établis, par rapport aux « establishments » de tous genres, avoir un pied dedans et un pied dehors, être en porte-à-faux. Voilà, en tout cas, ce qui, par principe, doit échapper à toute tentative univoque d'institutionnaliser la philosophie, de lui donner un ou des territoires socialement reconnus ou déniés. Car, tel est le miracle, jamais aucune forme institutionnelle de la philosophie — que ce soit celle des « grands systèmes » ou celle, actuelle, de la dispersion — ne l'a arrêtée ou mise à mort. Pas plus aujourd'hui qu'autrefois. Son lieu, tel que j'ai tenté de le caractériser est mobile et fluent, en perpétuelle dissidence, pour peu qu'on regarde l'Histoire avec assez de recul, et non pas, comme c'est trop fréquent aujourd'hui, les yeux rivés sur l'actualité.

MARC RICHIR

Chargé de cours titulaire à l'Université libre de Bruxelles, FNRS, auteur notamment de *Phénomènes, temps et êtres*, J. Millon, 1987 et *Phénoménologie et institution symbolique*, J. Millon, 1988.

ÊTRE RÉSOLUMENT MODERNE

DANS *LE DISCOURS PHILOSOPHIQUE DE LA MODERNITÉ*, JÜRGEN HABERMAS A PRIS À PARTIE LES PENSEURS FRANÇAIS CONTEMPORAINS QUI, À DIVERS TITRES, REMETTENT EN CAUSE UNE CERTAINE IDÉE DU RATIONALISME. IL PLAIDE POUR UNE RELANCE VIGOUREUSE DE L'UNIVERSALISME CRITIQUE.

Autrement. - **Votre projet de retrouver l'esprit de la modernité et de reconstruire une théorie unitaire de la raison vous a conduit à critiquer ceux que l'on a appelés post-modernes, et qui pensent qu'il n'est plus possible d'être « moderne » aujourd'hui (Lyotard, Derrida, Foucault... en gros ce qu'on peut appeler la « philosophie française »). Pourriez-vous préciser ce qui vous sépare de ces penseurs ?**

Jürgen Habermas. - Je n'aime pas mettre des gens différents dans la même « boîte », comme celle de la post-modernité, qui est au demeurant plutôt une boîte noire. J'ai seulement essayé, dans le *Discours philosophique de la modernité*[1], de raconter une histoire : comment les philosophes (et particulièrement les philosophes allemands) ont pris position depuis la fin du XVIIIe siècle sur ce qu'ils ont *eux-mêmes* perçu comme modernité. Ce mouvement a démarré, d'une certaine manière, avec Kant, puis s'est particulièrement affirmé avec Hegel et les jeunes hégeliens, Marx compris. Nietzsche est venu s'inscrire dans cette histoire par sa critique radicale de la rationalité. Depuis Nietzsche, deux lignes de critiques se sont développées au XXe siècle : l'une est une théorie du pouvoir aboutissant, via Bataille, à Foucault ; l'autre, une critique de la métaphysique, avec Heidegger et Derrida.

Mon intention a été de rappeler à ceux qui sont maintenant engagés dans une critique totalisante de la raison les racines de ce discours sur la modernité. On trouve en effet, dès la distinction entre la raison *(Vernunft)* et l'entendement *(Verstand)*, une critique d'une conception purement subjective de la raison, une critique de la raison instrumentale, comme de la raison objectivante. C'est dire la précocité de la critique des figures répressives de la raison quand elle est resserrée dans une seule dimension, celle d'une objectivation, d'une manipulation instrumentale de la nature et de nous-mêmes. Cette auto-critique de la raison, cette critique de la subjectivité, regardée depuis Nietzsche comme quelque chose de tout à fait nouveau, était présente dès ce début kantien. Hegel a essayé d'atteindre un but fondamental : critiquer ce qu'il a appelé la pensée d'entendement *(Verstandesdenken)* — c'est-à-dire un type de raisonnement discursif qui n'est pas conscient de ses propres limites. Il reprochait à la pensée d'entendement *(Reflexionsphilosophie)* caractérisée par Descartes, Kant (sans doute le plus représentatif de ce courant) et Fichte, de prendre quelque chose de très relatif (l'entendement) pour un absolu (la raison). La théorie critique, avec

Horkheimer, Adorno, Benjamin, est restée tributaire de ce thème hégelien, quoique ces penseurs aient le plus souvent critiqué l'absolutisme hégelien. Leur notion de la « raison instrumentale » fut encore pensée comme l'usurpation de la place qu'occupait une raison englobante, par un seul de ses éléments mis en avant comme quelque chose d'absolu. Aussi l'usage de la notion de raison instrumentale était-il ironique, dans la mesure où ils pensaient (et particulièrement Adorno) que la raison instrumentale n'est en aucune manière une raison, mais un entendement qui se trompe lui-même en se prenant pour la raison.

Dans *La Dialectique négative*[2], Adorno était en outre fortement influencé par Nietzsche. Il avait déjà perdu toute confiance dans une notion affirmative de la raison. Qu'il ait pu penser que la raison soit quelque chose qui a été perdu, mais aussi qu'il ait été parfaitement conscient du fait de ne pouvoir poursuivre sa propre critique de la raison instrumentale (et de ses implications au sein d'une société complètement bureaucratisée), suppose qu'il ait au moins gardé la mémoire de ce qui avait été visé par Hegel sous la notion de « raison ». Il savait bien que nous ne pouvons plus disposer d'une dialectique positive qui permettrait de parler de tout. Nous pouvons seulement parler indirectement (comme le pensait Kierkegaard, dont Adorno s'inspira parfois), ou négativement, (comme la théologie négative parle de Dieu) pour invoquer ce qui a été une fois, pensé sous cette notion enveloppante de la raison.

UNE CONTRADICTION PERFORMATIVE

Foucault comme Derrida ont poursuivi tous deux le projet nietzschéen, d'une manière encore plus radicale qu'Adorno.

Ils dénient même, quoiqu'indirectement, la possibilité de délimiter un espace de la raison dans lequel la raison instrumentale, le pouvoir, ou la subjectivité, pourraient être critiqués — possibilité qu'Adorno conservait encore dans l'idée d'une dialectique négative. Pour cette raison, ils se sont, en un sens, empêtrés dans ce que j'appellerais une « contradiction performative » dans la mesure où ils ont développé leur projet (celui d'une analyse des structures de pouvoir pour Foucault, celui d'une critique de la métaphysique conduite après Heidegger pour Derrida) dans une attitude critique incompréhensible puisqu'elle visait la totalité négative de la période présente, de la modernité, de la subjectivité des individus, du régime de pouvoir et de son impérialisme, alors même que cette attitude critique ne peut pas rendre compte de ses propres critères, ou de ses propres normes. Pour eux la raison est définitivement enserrée dans une dimension juste à l'opposé de leur propre pensée. Ils inventent (et là je parle davantage de Derrida, ou encore de Heidegger) tout simplement de nouveaux termes pour leur propre mode de raisonnement. Par exemple, Heidegger substitue *Andenken* à *Denken*, mais ce n'est qu'un mot nouveau. Cette invention de nouveaux termes a, selon moi, pour fonction de voiler le tour par lequel, dans cette totalisation de la critique de la raison, ils tournent leur propre critique contre la possibilité même des prémisses sur lesquelles elle repose.

Ainsi, je raconte seulement une histoire qui, si on l'écoute en entier, montre que la critique de la métaphysique de la subjectivité est une très vieille figure, qui a travaillé le premier débat sur la modernité et qui, depuis Nietzsche, est sans cesse hantée et menacée par cette contradiction performative.

LA TÂCHE
CONTEMPORAINE

Quoi que puissent penser ceux qui écrivent sur la modernité, ils pensent que nous sommes aujourd'hui radicalement coupés des Anciens. D'autres comme Leo Strauss, ont essayé de penser comment on pourrait retrouver les Anciens contre la modernité. Que pensez-vous de la possibilité d'aller chercher des armes pour penser dans l'œuvre l'Aristote, par exemple, ou dans la vieille métaphysique ? Si le fossé entre la modernité et les Anciens est tel qu'il ne puisse jamais plus être franchi, comment échapper au reproche d'historicisme ?

Des gens comme Leo Strauss ont cherché à revitaliser le moment de la pensée métaphysique. L'œuvre de Leo Strauss n'exprime que l'art d'un grand interprète qui, d'une manière suggestive mais non argumentative, a contribué à la renaissance des textes classiques, d'Aristote et de Platon. Je crois que les problèmes posés par les Anciens sont d'une certaine manière éternels, mais il ne me semble pas qu'après Hegel, nous puissions encore penser à partir des prémisses de Platon, d'Aristote ou de leurs successeurs.

La métaphysique repose sur des concepts fondamentaux comme *cosmos, physis, telos, entelecheia,* etc. qui se sont désintégrés depuis Descartes, Leibniz et Hume, c'est-à-dire depuis que nous ne pouvons plus ne pas discriminer entre les concepts descriptifs, normatifs et évaluatifs. Ces concepts fondamentaux de la métaphysique ne permettent pas de faire ces distinctions que, pourtant, nous ne pouvons pas ne pas faire. Nous ne pouvons pas simplement réinvestir un mode métaphysique

d'explication qui renvoie à une téléologie objective, à une totalité, à un absolu etc. D'un autre côté, je ne crois pas aux continuités que propose Heidegger dans ses cours sur la tradition métaphysique, comme si, de Platon à Nietzsche, ce n'était que la même manière réifiante de mettre l'étant *(das Seiende)* à la place de l'Être *(das Sein)*.

Je ne plaide pas plus pour un penser primordial que je ne plaide pour une continuité forcée entre la pensée métaphysique proprement dite et la pensée moderne. Celle-ci peut être décrite comme un type de philosophie de la subjectivité. Je ne pense pas qu'il y ait là quelque nécessité de concéder quoi que ce soit à l'historicisme. Nous tous, y compris les penseurs français (Bachelard, Bataille, Foucault ou Derrida), ou Adorno, ou moi-même, pensons à partir de prémisses post-hégeliennes, c'est-à-dire postmétaphysiques. Cela ne veut pas dire que nous soyons enfermés dans un contexte historique, changeant, contingent, épocal, local ou provincial. Pourquoi devrions-nous l'être ? Nous n'avons plus de sol métaphysique depuis que ces concepts métaphysiques se sont effondrés, nous n'avons pas de méthode philosophique privilégiée comme l'ont été la dialectique ou l'intuition phénoménologique, mais nous avons la chance de pouvoir prendre une attitude réflexive à l'égard de toutes les formes de raisonnement discursif. Nous ne pouvons tout simplement pas faire un pas de côté et abandonner ce raisonnement discursif. Nous aussi, comme philosophes, nous sommes membres de la communauté scientifique comme les autres savants. Nous avons à nous maintenir vis-à-vis des autres disciplines, sans avoir la chance ou le droit de réclamer quelque privilège que ce soit à atteindre seuls *la vérité*, quelle que soit la manière dont nous l'entendons. Les savants ont besoin d'une certaine objectivité comme aussi d'un certain oubli des prémisses, sinon ils ne feraient pas de progrès ; pourquoi ne devrions-nous pas, nous, avec peut-être le seul privilège de pousser la réflexivité un peu plus que les savants n'en ont usuellement besoin, continuer l'enquête moderne sur les figures et les conditions les plus générales du parler, de l'agir et du penser ?

QUELLE LECTURE DES ANCIENS ?

Comment comprendre alors la relation que nous entretenons avec la philosophie classique ? Ne pouvons-nous pas « réinvestir » les catégories d'Aristote quand il s'agit non d'une explication métaphysique du monde, mais de la pensée de la politique, de l'éthique, des questions de l'action... ?

Si vous lisez Hannah Arendt et Leo Strauss et que vous empruntez le chemin qui reconduit à l'*Éthique à Nicomaque* par exemple, et donc aux notions de politique, de *praxis*, de *techné* etc. vous le ferez, si vous êtes honnête, sous des prémisses différentes des prémisses propres d'Aristote. Lui savait ce qu'est la structure de la *polis*, ce qu'est l'*ethos* ; il tenait pour établi qu'il pouvait expliquer à quiconque et pour tous les temps ce qu'est la seule force de vie sociale ou politique dans laquelle tout individu qui proclame vouloir devenir un être humain pourrait se développer comme tel. Vous ne pouvez plus faire cela. Et une fois que vous avez rompu avec la prétention à connaître la seule forme de *polis* ou d'*éthos*, alors vous devez vous forger une représentation différente des concepts aristotéliciens. Par exemple, dans les *Leçons sur la philosophie politique de Kant*[3], Hannah Arendt propose la *phronésis* comme un mode de raisonnement dans les questions pratiques. Elle le définit comme le fait d'épouser tour à tour la perspective de chacun de ceux qui, non seulement sont, mais pourraient être affectés par les connexions pratiques d'une action. C'est tout simplement une manière différente d'expliquer l'interprétation moderne de la moralité. Ce n'est plus Aristote. Avoir recours à Aristote ou à Platon ne veut pas dire se les réapproprier tels quels. Nous avons à le faire, en un sens gadamérien, depuis *notre* situation herméneutique, en sachant que nos prémisses sont très différentes de celles de ces philosophes.

Mais est-il juste, à vos yeux, de se réapproprier Aristote, fût-ce au sens que vous venez de préciser ?

Dans mon premier livre sur l'espace public[4] je me suis référé à Hannah Arendt, qui a beaucoup compté pour moi : mon premier intérêt, au début des années soixante, a été de savoir comment nous pouvions sauver la perspective aristotélicienne sur la nature pratique d'un contexte interpersonnel et social, puis la porter au niveau du discours politique moderne, celui de Machiavel, Hobbes et Rousseau. Comment réconcilier, non seulement la manière scientifique moderne de penser, mais aussi la réalité sociale contemporaine (qui pour la modernité s'inscrit dans le marché autant que dans le système juridique et contractuel moderne), avec les vues classiques sur la nature pratique des affaires humaines ? Je ne suis pas aveugle à l'égard de l'interprétation mais je ne pense pas que nous soyons autorisés à être naïfs, et à sauter par-dessus notre condition moderne pour nous retrouver de plain-pied avec les Anciens. Nous avons à être honnêtes, nous ne pouvons pas faire mine d'adopter des prémisses que nous ne pouvons ni croire ni vivre.

Hannah Arendt était entre deux : d'un côté elle avait tendance à vouloir revenir à la théorie politique traditionnelle, mais d'un autre côté elle était aussi très consciente des problèmes modernes. À mon avis, dans son livre sur les deux révolutions, elle était un peu unilatéralement préoccupée par sa préférence pour la politique des Anciens, et opposée à la société moderne. Elle a fait là un choix qui, en fait, n'était pas à sa disposition : nous ne pouvons tout simplement pas sortir de la société moderne, que nous l'aimions ou pas. Nous ne pouvons pas nier les vues de l'économie politique classique depuis Adam Smith, l'idée selon laquelle les sociétés modernes tiennent ensemble (partiellement et fondamentalement, quoique non exclusivement) par des relations pour ainsi dire systémiques, marché, administration et situations juridiquement organisées. Il n'est pas possible de lire dans cette structure moderne une forme idéalisée de la *polis*. C'est, pourtant, ce que Hannah Arendt a partiellement fait lorsqu'elle a comparé la Révolution américaine avec la Révolution française. Après tout, la révolution américaine a eu lieu dans un pays de petits fermiers capitalistes et de commerce à échelle restreinte, qui ne peut facilement être réconcilié avec le modèle de la Cité antique. Je pense qu'elle a sous-estimé ce point. Hegel avait été plus clair : sa notion de la société civile est plus moderne que la compréhension qu'en donne Hannah Arendt.

Avoir une bonne théorie est aussi avoir une théorie qui est descriptivement « au courant ». Il n'y a pas beaucoup de sens à élaborer une théorie normative et à la confronter à une réalité totalement différente. Nous avons à relier les orientations normatives avec ce qui ressort de cette réalité elle-même sans présumer non plus qu'il y a une seule matière de l'histoire. Nous pouvons analyser les tendances contradictoires dans la situation présente et dans les sociétés contemporaines, de manière à promouvoir pratiquement celles que nous pensons pouvoir et devoir être promues, sans arbitraire. Nous pouvons, en effet, le justifier : contre une plus grande bureaucratisation, contre une plus grande unification et massification de la vie, contre les impératifs systémiques de l'économie capitaliste, il faut promouvoir, pour le dire dans mes propres termes, une forte *défense des mondes de la vie qui sont structurés communicativement*.

L'USAGE PROPRE DU LANGAGE

Entre l'attitude normative et l'attitude descriptive, vous avez cherché, dans la théorie de l'action communicationnelle, à prendre appui sur une structure anthropologique (en vous référant à Piaget, Durkheim) ; comment peut-on engendrer une théorie normative à partir d'une description ?

N'y a-t-il pas là un sophisme *(fallacy)* naturaliste ? Cette difficulté est précisément la raison pour laquelle je cherche à continuer, quoique d'une manière quelque peu différente, une analyse transcendantale : non pas une analyse des conditions de possibilité de la connaissance au sens de Kant ou de Husserl, mais une analyse des conditions nécessaires de la compréhension. Si nous regardons d'un peu près aux conditions qui sont nécessaires pour nous comprendre mutuellement sur quelque chose dans le monde, nous découvrons alors une chose très curieuse : *des présuppositions pragmatiques inévitables ayant un contenu normatif*. Avant même d'entrer dans quelque forme d'argumentation que ce soit, donc aussi dans le discours quotidien, dès qu'on accepte de parler, nous avons à présupposer mutuellement que nous sommes responsables : pour n'en donner qu'un seul exemple, si vous dites quelque chose d'obscur ou si vous agissez d'une façon tant soit peu mystérieuse, je suis en droit de vous demander : « qu'avez-vous fait » ou « qu'avez-vous dit là ? », en présupposant que vous pourriez donner une explication sincère, que j'aie tort ou raison. Cette présupposition que vous n'êtes ni un tricheur, ni un psychotique, ni un ivrogne, vous ne pouvez pas ne pas la prendre en compte. Vous avez là la confirmation que je ne vais pas vous traiter comme un objet, comme quelque chose qui doit être manipulé, que je ne suis pas un psychologue qui va faire une observation, mais que je vous considère comme une personne responsable. Certes, je peux changer d'attitude et prendre une autre attitude, plus soupçonnante, stratégique, de matière latente ou manifeste. Mais la première attitude est plus fondamentale, elle correspond à un usage propre du langage. Pourquoi est-ce là l'usage propre du langage ? Parce que le moyen du langage et la fin *(telos)* de la compréhension sont liés intérieurement, qu'on ne peut les séparer comme nous séparons usuellement les moyens et les fins. Vous ne pouvez pas expliquer ce qu'est le langage sans avoir recours à l'idée de compréhension. Cet argument a été mis en évidence par Wittgenstein. Il y a là une nécessité transcendantale faible : vous ne pouvez pas refuser de partir de certaines présuppositions.

L'action communicationnelle consiste à lier les plans d'action de différents acteurs en utilisant la force rationnellement motivante impliquée dans les actes de langage illocutionnaires.

De plus, l'action communication-

nelle ne peut être remplacée par des pratiques d'un autre genre quel que soit le contexte. La compréhension langagière ne peut être remplacée à volonté par d'autres mécanismes de coordination des actions. Si par exemple nous éduquons nos enfants, enseignons à nos étudiants, si nous essayons de revitaliser les liens sociaux de façon commune, nous ne pouvons pas refuser d'entrer dans cette pratique même. Ce qui veut dire que c'est seulement au travers de l'action communicationnelle que s'accomplissent le procès d'intégration sociale, la transmission culturelle et la socialisation de l'individu.

LE POUVOIR DE DIRE NON ET L'UNIVERSEL

Accorderiez-vous que les démocraties contemporaines ont besoin d'un minimum de dissensus (et pas seulement d'un consensus) et que la marque de la démocratie se trouve autant dans l'assomption du dissensus que dans la réussite du consensus ?

Bien sûr. S'il y a un monopole anthropologique, c'est de pouvoir dire non. Herder, Hegel, Freud, pour ne parler que de l'Allemagne ont montré que ce n'est qu'en fonction de cette capacité de dire non qu'un consensus peut être obtenu. Un consensus n'est pas quelque chose d'affirmatif, mais une double négation. Nous devons seulement présupposer que les mondes vécus dans lesquels nous nous mouvons se chevauchent, au moins partiellement, de manière que nous puissions partir de présuppositions implicites intersubjectivement partagées. L'action communicationnelle ne peut pas se mouvoir à l'air libre, dans le vide : elle a besoin d'un monde vécu qui lui serve d'arrière-fond (ce que j'ai développé dans le second volume de la *Théorie de l'agir communicationnel*[5]). Si cet implicite était totalement absent, nous ne pourrions que rencontrer des actions stratégiques. Mais, dans les sociétés modernes, et de mon point de vue c'est heureux, nous avons une multitude de mondes vécus différents, chaque existence individuelle est unique dans son projet. Individualisme et universalisme sont les deux faces d'une même pièce de monnaie, chacun le sait depuis Hegel. Vous ne pouvez avoir d'individualisme sans un universalisme normatif, à condition de ne pas confondre l'universalisme normatif avec un processus de normalisation, au sens de Foucault. Il ne faut pas mettre la vérité de l'universalisme moral dans le même sac que l'impérialisme, car l'impérialisme ou l'ethnocentrisme désignent le refus ou l'incapacité de prendre un point de vue moral. Il n'y a jamais trop d'universalisme mais pas assez. *(Propos recueillis par J.R., E.T.).*

1. J. HABERMAS *Le discours philosophique de la modernité*, trad. R. Rochlitz et C. Bouchindhomme, éd. Gallimard, Paris, 1988.
2. THÉODOR ADORNO, *La dialectique négative*, trad. : Coffin et *alii*, Paris, éd. Payot, 1978.
3. HANNAH ARENDT, *Lectures on Kant's Political Philosophy*, éd. R. Beiner, Chicago, The University of Chicago Press, 1982.
4. J. HABERMAS, *L'espace public*, trad. Marc de Launay, Paris, éd. Payot, 1971.
5. J. HABERMAS, *Théorie de l'agir communicationnel*, trad. Jean-Marc Ferry et Jean-Louis Schlegel, 2 vol., Paris, éd. Fayard, 1987.

© PASCAL DOLEMIEUX/VU

JÜRGEN HABERMAS

Professeur à l'Université Goethe de Francfort (RFA). Auteur de nombreux ouvrages, parmi lesquels l'*Espace public*, Payot, 1978, *Théorie de l'agir communicationnel*, 2 vol., Fayard, 1987, *Le Discours philosophique de la modernité*, Gallimard, 1988.

Y A-T-IL UNE LANGUE PHILOSOPHIQUE ?

À REPENSER LES TEXTES QUI L'ONT CONSTITUÉE EN TRADITION, LA PHI-
LOSOPHIE SE DÉCOUVRE SOLIDAIRE D'UNE ÉCRITURE. QU'EN EST-IL DES
LIMITES, DE LA CLÔTURE DU DISCOURS PHILOSOPHIQUE ? JACQUES DER-
RIDA A ÉCRIT QUATRE RÉPONSES.

1. - Vous avez à plusieurs reprises suggéré que le texte philosophique devait être pris comme tel, avant d'être dépassé vers la pensée qui le porte. Vous avez été ainsi conduit à lire les textes philosophiques du même œil que des textes généralement considérés comme « littéraires », et à reprendre ces derniers dans des problématiques philosophiques. Y a-t-il une écriture spécifiquement philosophique, et en quoi se distingue-t-elle d'autres formes d'écriture ? Le souci de la littéralité ne nous détourne-t-il pas de la fonction démonstrative du discours philosophique ? Ne risque-t-on pas ainsi de gommer la spécificité des genres, et de soumettre tous les textes à une même mesure ?

Jacques Derrida. - Tous les textes sont différents. Il faut essayer de ne jamais les soumettre à « une même mesure ». Ne jamais les lire « du même œil ». Chaque texte appelle, si on peut dire, un autre « œil ». Certes, dans une certaine mesure, il répond aussi à une attente codée, déterminée, à un œil et à une oreille qui le précèdent et le dictent, en quelque sorte, ou l'orientent. Mais pour certains textes rares, l'écriture tend aussi, pourrait-on dire, à dessiner la structure et la physiologie d'un œil qui n'existe pas encore et auquel l'événement du texte se destine, pour lequel il invente parfois sa destination, autant qu'il se règle sur elle. À qui un texte s'adresse-t-il ? Jusqu'à quel point cela peut-il se déterminer, du côté de l'« auteur » ou du côté des « lecteurs » » ? Pourquoi un certain « jeu » reste-t-il irréductible et même indispensable dans cette détermination même ? Questions aussi historiques, sociales, institutionnelles, politiques.

Pour m'en tenir aux *types* que vous évoquez, je n'ai jamais assimilé un texte dit philosophique à un texte dit littéraire. Les deux types me paraissent irréductiblement différents. Encore faut-il savoir que les limites entre les deux sont plus complexes (par exemple je ne crois pas que ce sont des *genres*, comme vous le suggérez) et surtout moins naturelles, anhistoriques ou données qu'on ne le dit ou le croit. Les deux types peuvent s'entrelacer dans un même corpus selon des lois et des formes dont l'étude est non seulement intéressante et nouvelle mais indispensable si on veut encore se référer à l'identité de quelque chose comme un « discours philosophique » en sachant de quoi l'on parle. Ne faut-il pas s'intéresser aux conventions, aux institutions, aux interprétations qui produisent ou maintiennent cet appareil de limitations, avec toutes les normes et donc toutes les exclusions qu'elles induisent ? On ne peut aborder cet ensemble de questions sans se demander à un moment ou à un autre : « Qu'est-ce que la philosophie ? » et « Qu'est-ce que la littérature ? » Difficiles et plus ouvertes que jamais, ces questions ne sont en elles-mêmes, par définition et si du moins on les poursuit de façon effective, ni simplement philosophiques ni simplement littéraires. J'en dirai de même, en dernière instance, pour les textes que j'écris, du moins dans la mesure où ils sont travaillés ou dictés par la turbulence de ces questions. Ce qui ne veut pas dire, du moins je l'espère, qu'ils renoncent à la nécessité de *démontrer*, aussi rigoureusement que possible, même si les règles de la démonstration n'y sont plus tout à fait, ni surtout constamment, les mêmes que dans ce que vous appelez un « discours philosophique ». Même à l'intérieur de celui-ci, vous le savez, les régimes de démonstrativité sont problématiques, multiples, mobiles. Ils forment eux-mêmes l'objet constant de toute l'histoire de la philosophie. Le débat qui s'est développé à leur sujet se confond avec la philosophie même. Pensez-vous que pour Platon, Aristote, Descartes, Hegel, Marx, Nietzsche, Bergson, Heidegger ou Merleau-Ponty les règles de la démonstrativité devaient être les mêmes ? Et la langue, la logique, la rhétorique ?

Ce n'est pas réduire le « discours philosophique » à la littérature que de l'analyser dans sa forme, ses modes de composition, sa rhétorique, ses métaphores, sa langue, ses fictions, tout ce qui résiste à la traduction, etc. C'est même une tâche encore largement philosophique (même si elle ne reste pas philosophique de part en part) que d'étudier ces « formes » qui sont plus que des formes, ainsi que les modalités selon lesquelles, interprétant la poésie et la littérature, assignant à ces dernières un statut social et politique, cherchant à les exclure de son propre corps, l'institution académique de la philosophie a revendiqué sa propre autonomie, pratiqué la dénégation par rapport à sa propre langue, à ce que vous appelez la « littéralité » et à l'écriture en général, méconnaissant les normes de son propre discours, les rapports entre la parole et l'écriture, les procédures de canonisation des textes majeurs ou exemplaires, etc. Ceux qui protestent contre toutes ces questions entendent protéger une certaine autorité institutionnelle de la philosophie, telle qu'elle s'est immobilisée à un moment donné. En se protégeant contre ces questions, et contre les transformations qu'elles appellent ou supposent, c'est aussi contre la philosophie qu'ils protègent l'institution. De ce point de vue, il m'a paru intéressant d'étudier certains discours, ceux de Nietzsche ou de Valéry par exemple, qui tendent à considérer la philosophie comme une espèce de littérature. Mais je n'y ai jamais souscrit et je m'en suis expliqué. Ceux qui m'accusent de réduire la philosophie à la littérature ou la logique à la rhétorique (voyez par exemple le dernier livre d'Habermas, *Le Discours philosophique de la modernité*, tr. fr. Gallimard, 1988) ont visiblement et soigneusement évité de me lire.

Inversement, je ne crois pas que le mode « démonstratif » ni même la philosophie en général soient étrangers à la littérature. De même qu'il y a des dimensions « littéraires » et fictionnelles » dans tout discours philosophique (et toute une « politique » de la langue, une politique tout court s'y abrite en général), de même, il y a des philosophèmes à l'œuvre dans tout texte défini comme « littéraire », et déjà dans le concept somme toute moderne de « littérature ».

Cette explication entre « philosophie » et « littérature » n'est pas seulement un problème difficile que je tente d'élaborer comme tel, c'est aussi ce qui prend dans mes textes la forme d'une écriture qui, pour n'être ni purement littéraire

31

ni purement philosophique, tente de ne sacrifier ni l'attention à la démonstration ou aux thèses ni la fictionnalité ou la poétique de la langue.

En un mot, pour répondre à la lettre même de votre question, je ne crois pas qu'il y ait « une écriture spécifiquement philosophique », une seule écriture philosophique dont la pureté soit toujours la même et à l'abri de toute sorte de contaminations. Et d'abord pour cette raison massive : la philosophie se parle et s'écrit dans une langue naturelle, non dans une langue absolument formalisable et universelle. Cela dit, à l'intérieur de cette langue naturelle et dans ses usages, certains modes se sont imposés avec force (et il y a là un rapport de force) comme philosophiques. Ces modes sont multiples, conflictuels, inséparables du contenu même et des « thèses » philosophiques. Un débat philosophique est aussi un combat pour imposer des modes discursifs, des procédures démonstratives, des techniques rhétoriques et pédagogiques. Chaque fois qu'on s'est opposé à une philosophie, ce fut non seulement mais aussi en contestant le caractère proprement, authentiquement philosophique du discours de l'autre.

2. Vos travaux récents semblent marqués d'un souci grandissant pour la question de la signature, du nom propre. En quoi cette question pèse-t-elle dans le champ de la philosophie, où on a longtemps considéré les problématiques comme impersonnelles, et les noms propres de la philosophie comme les emblèmes de ces problématiques ?

Dès le départ, une nouvelle problématique de l'écriture ou de la trace devait communiquer, de façon étroite et strictement nécessaire, avec une problématique du nom propre (elle est déjà thématique et centrale dans *De la Grammatologie)* et de la signature (surtout depuis *Marges...*). C'est

d'autant plus indispensable que cette nouvelle problématique de la trace passe par la déconstruction de certains discours métaphysiques sur le sujet constituant avec tous les traits qui le caractérisent traditionnellement : identité à soi, conscience, intention, présence ou proximité à soi, autonomie, rapport à l'objet. Il s'agissait donc de re-situer ou de ré-inscrire la fonction dite du sujet, ou, si vous voulez, de ré-élaborer une pensée du sujet qui ne fût ni dogmatique ou empiriste, ni critique (au sens kantien) ou phénoménologique (cartésiano-husserlienne). Mais simultanément, tout en prenant en compte les questions que Heidegger adresse à la métaphysique du *subjectum* comme support de représentations, etc., il m'a semblé que ce geste de Heidegger appelait de nouvelles questions.

D'autant plus que, malgré bien des complications dont j'ai essayé de tenir compte, Heidegger reproduit en fait le plus souvent (par exemple dans son « Nietzsche ») le geste classique et académique qui consiste à dissocier une lecture « interne » du texte ou de la « pensée », voire une lecture immanente du système d'une part, et une « biographie » qui reste au fond accessoire et externe d'autre part. C'est ainsi qu'en général, dans l'université, on juxtapose une sorte de récit classique, parfois « romancé », de la « vie des grands philosophes » à une lecture philosophique systématique, voire structurale, qu'on organise soit autour d'une intuition unique et géniale (motif en somme commun à Bergson et à Heidegger), soit autour d'une « évolution » — en deux ou trois temps.

J'ai essayé d'analyser les présuppositions de ce geste et d'engager des analyses autour des bordures, des limites, des cadrages et des marginalisations de toute sorte dont s'autorisaient en général ces dissociations. Les questions de la signature et du nom propre me paraissent en effet propices à cette réélaboration. La signature en général n'est ni *simplement* intérieure à l'immanence du texte signé (ici, par exemple, le corpus philosophique), ni *simplement* détachable et extérieure. Dans chacune de ces deux hypothèses, elle disparaîtrait comme signature. Si votre signature n'appartient pas d'une certaine manière à l'espace même que vous signez et qui est défini par un système symbolique de conventions (la lettre, la carte postale, le chèque ou toute autre attestation), elle n'a aucune valeur d'engagement. Si, en revanche, votre signature était simplement immanente au texte signé, inscrite en lui comme une de ses parties, elle n'aurait pas davantage la force performative d'une signature. Dans les deux cas (dehors ou dedans), vous vous contenteriez d'indiquer ou de mentionner votre nom, ce qui n'est pas signer. La signature n'est ni dedans ni dehors. Elle se situe sur une limite qui se définit par un système et une histoire de conventions ; je me sers encore pour faire vite de ces trois mots, système, histoire et convention, mais on ne saurait les accréditer sans question dans la problématique dont je parle.

Il fallait donc s'intéresser à ces problèmes : « convention » et « histoire » d'une topologie, des bordures, des cadrages, mais aussi responsabilité et force performative. Il fallait aussi les soustraire aux oppositions ou aux alternatives dont je viens de parler. Comment opère une signature ? La chose est compliquée, toujours différente, justement, d'une signature et d'un idiome à l'autre, mais c'était la condition indispensable pour préparer un accès rigoureux aux rapports entre un texte et son « auteur », un texte et ses conditions de production, qu'elles soient, comme on disait, psycho-biographiques, ou socio-historico-politiques. Ceci vaut en général pour tout texte et tout « auteur », mais demande ensuite bien des spécifications selon les types de textes considérés. Les distinctions ne passent pas seulement entre textes philosophiques et littéraires mais aussi à l'intérieur de ces types et, à la limite — la limite de l'idiome —, entre tous les textes, qui peuvent aussi être juridiques, politiques, scientifiques (et différemment selon les différentes « régions », etc.). En esquissant cette analyse par exemple du côté de Hegel ou de Nietzsche, de Genet, de Blanchot, d'Artaud, de Ponge, j'ai proposé un certain nombre d'axiomes généraux tout en m'efforçant de tenir compte de l'idiome ou du désir d'idiome dans chacun des cas. Je cite ici ces exemples parce que le travail concernant la signature y passe aussi par le nom propre au sens courant, je veux dire le patronyme dans la forme où je viens de le citer. Mais sans pouvoir reconstituer ici ce travail, je voudrais préciser quelques points et rappeler quelques précautions.

a. Même quand le signifiant du nom propre, sous sa forme publique et légale, s'expose à cette analyse de la signature, celle-ci ne s'y réduit pas. Elle n'a jamais consisté à écrire, simplement, son propre. C'est pourquoi, dans mes textes, les références au signifiant du nom propre, même si elles paraissent occuper le devant de la scène, restent préliminaires, d'une importance au fond limitée : aussi souvent que possible, je marque ma méfiance à l'égard des jeux faciles, abusifs ou complaisants auxquels cela peut donner lieu.

b. Le « nom propre » ne se confond pas nécessairement avec ce que nous désignons couramment ainsi, à savoir le patronyme officiel et inscrit à l'état civil. Si l'on appelle « nom propre » l'ensemble singulier des marques, traits, appellations à l'aide desquels quelqu'un peut s'identifier, s'appeler lui-même ou encore être appelé, sans les avoir totalement choisis ou déterminés lui-même, vous voyez bien la difficulté. Il n'est jamais sûr que cet ensemble se rassemble, qu'il n'y en ait qu'un, qu'il ne reste pas secret pour certains, voire pour la « conscience » du porteur, etc. Cela ouvre à l'analyse un champ formidable.

c. Une possibilité reste donc ouverte : que le nom propre n'existe pas en toute pureté et que la signature demeure finalement impossible en toute rigueur, si du moins on suppose encore qu'un nom propre doit être absolument propre, une signature absolument autonome (libre) et purement idiomatique. Si, pour des raisons que j'essaie d'analyser, il n'y a jamais d'idiome pur, en tous cas d'idiome que je puisse *me* donner ou inventer dans sa pureté, alors il s'ensuit que les concepts de signature et de nom propre, sans être pour autant ruinés, doivent être réélaborés. Cette réélaboration, me semble-t-il, peut donner lieu à de nouvelles règles, à de nouvelles procédures de lecture, notamment en ce qui concerne les rapports de l'« auteur » philosophe avec son texte, la société, les institutions d'enseignement et de publication, les traditions, les héritages, mais je ne suis pas sûr que cela puisse donner lieu à une théorie générale de la signature et du nom propre, sur le modèle classique de la théorie ou de la philosophie (métalangage formalisable, constatif et objectif). Car, pour les raisons mêmes que je viens de rappeler, ce nouveau discours sur la signature et le nom propre doit être à nouveau signé et comporter *en lui-même* une marque de l'opération performative qu'on ne peut pas soustraire simplement et totalement de l'ensemble considéré. Cela ne conduit pas au relativisme mais imprime une autre courbure au discours théorique.

3. Vous avez inscrit vos travaux sous le titre de la « déconstruction », en opposant explicitement cette thématique à la thématique heideggerienne de la destruction. Du « retrait » au « pas », de « la carte postale » à « l'envoi », des « marges » aux « parages », la déconstruction tisse un réseau de plus en plus serré de noms qui ne sont ni des concepts, ni des métaphores, mais semblent plutôt des points de repère, ou des balises. L'activité déconstructrice s'apparente-t-elle à celle de l'arpenteur, ou du géomètre ? Cette « spatialisation » du rapport à la tradition ne renforce-t-elle pas l'idée d'une « clôture » de cette tradition, au détriment d'une perception plus différenciée de la pluralité des filiations ?

Oui, le rapport de la « déconstruction » à la « destruction » heideggerienne a toujours été marqué, depuis plus de 20 ans, par des questions, des déplacements, voire, comme on dit parfois, des critiques. Je l'ai encore rappelé au début de *De l'esprit* (Galilée, 1987) mais c'était déjà le cas depuis *De la grammatologie* (1967). La pensée de Heidegger reste néanmoins pour moi l'une des plus rigoureuses, provocantes et nécessaires de ce temps. Je me permets de rappeler ces deux choses pour dire à quel point je trouve choquantes et ridicules toutes les classifications simplistes, les homogénéisations hâtives auxquelles certains se sont livrés au cours des derniers mois (je ne parle pas seulement des journaux). Ces abus et cette grossièreté sont aussi menaçants que l'obscurantisme même, et cette menace est aussi morale que politique, pour ne rien dire de la philosophie elle-même.

Pour reprendre vos mots, si le « réseau » que vous évoquez ne se réduit ni à un tissu de concepts ni à un tissu de métaphores, je ne sais pas s'il consiste seulement en « points de repère » ou « balises ». J'aurais été tenté de vous demander ce que vous entendez par là. La phrase suivante, dans votre question, semble indiquer que vous privilégiez par ces mots le rapport à l'espace et, dans l'espace, à l'expérience du « géomètre » ou de l'« arpenteur ». Mais vous savez bien que le géomètre n'est plus un « arpenteur » (cf. *L'origine de la géométrie*, de Husserl, traduction et introduction, PUF 1962) et qu'il y a beaucoup d'autres expériences de l'espace que ces deux là.

Mais je voudrais auparavant revenir sur cette question du concept et de la métaphore, à laquelle vous venez de faire allusion. Deux précisions : je n'ai jamais réduit le concept à la métaphore ou, comme m'en accuse encore récemment Habermas, la logique à la rhétorique (pas plus, nous le disions plus haut, que la philosophie à la littérature). Ceci est clairement dit en de nombreux lieux, en particulier dans *La mythologie blanche* (in *Marges*, Minuit, 1972) qui propose une tout autre « logique » des rapports entre concept et métaphore. Je dois me contenter d'y renvoyer ici. Quelle que soit en effet mon attention aux questions et à l'expérience de l'espace — qu'il s'agisse de *L'origine de la géométrie*, de l'écriture, de la peinture, du dessin (cf. *La vérité en peinture*, Flammarion, 1978) —, je ne crois pas que l'« espacement » dont je parle soit simplement « spatial » ou « spatialisant ». Il permet sans doute de réhabiliter, si on peut dire, la spatialité que certaines traditions philosophiques avaient subordonnée, secondarisée, voire ignorée. Mais, d'une part, l'« espacement » dit aussi le devenir-espace du temps lui-même ; il intervient, avec la différance, dans le mouvement de la temporalisation elle-même ; l'espacement est aussi le temps, pourrait-on dire. D'autre part, irréductible en tant qu'intervalle différentiel, il rompt la présence, l'identité à soi de toute présence, avec toutes les conséquences que cela peut avoir. On peut les suivre dans les champs les plus différents.

J'avoue maintenant que je ne vois pas très bien en quoi ce geste, qui n'est certainement pas une « spatialisation », pourrait marquer la « clôture » de la « tradition ». L'espacement différentiel indique au contraire l'impossibilité de *toute* clôture. Quant à la « pluralité des filiations », et à la nécessité d'une « perception plus différenciée », cela aura toujours été mon « thème » en quelque sorte, en particulier sous le nom de dissémination. Si on prend l'expression « pluralité des filiations » dans sa lettre familiale, c'est quasiment le « sujet » même de *La dissémination*, de *La pharmacie de Platon* et surtout de *Glas* et de *La carte postale*. Si on prend les choses de plus haut ou de plus loin (j'essaie de comprendre l'arrière-pensée de votre question), j'ai toujours distingué la « clôture » de la fin (cf. *De la grammatologie)* et souvent rappelé que la tradition n'était pas homogène (d'où mon intérêt pour tous les textes non canoniques et qui déstabilisent la représentation qu'une certaine tradition dominante se donnait d'elle-même). J'ai souvent dit combien me paraît problématique l'idée de LA métaphysique et le schème heideggerien de l'épochalité de l'être, ou de l'unité rassemblée d'une histoire de l'être, même s'il faut prendre en compte cette « auto »-interprétation dans sa prétention, son désir, sa limite ou son échec. Je mets « auto » entre guillemets parce que c'est toujours cette identité et surtout cette identité à soi, ce pouvoir de réflexivité transparente, exhaustive ou totalisante qui se trouvent ici en question.

4. Vos recherches récentes portent sur la « nationalité philosophique ». En quoi la langue vous paraît-elle constitutive d'une identité ? Y a-t-il une philosophie française ?

Tout dépend évidemment de ce

qu'on entend par langue. Et aussi, pardonnez-moi, par « identité » et par « constitution ». Si, comme je crois le comprendre, par identité vous entendez identité d'une « nationalité philosophique » ou plus largement d'une tradition philosophique, je dirais que la langue, bien entendu, y joue un rôle fort important. La philosophie trouve son élément dans la langue dite naturelle. Elle n'a jamais pu se formaliser intégralement dans une langue artificielle malgré quelques tentatives passionnantes dans l'histoire de la philosophie. Il est vrai aussi que cette formalisation (selon des codes artificiels constitués au cours d'une histoire) est toujours, jusqu'à un certain point, à l'œuvre. Ce qui fait de la langue ou des langues philosophiques des sous-ensembles plus ou moins bien délimitables et cohérents dans les langues ou plutôt les usages des langues naturelles. Et on peut trouver des équivalents et des traductions réglées entre ces sous-ensembles d'une langue naturelle à l'autre. Des philosophes allemands et français peuvent ainsi se référer à des conventions plus ou moins anciennes et stables pour traduire leurs usages respectifs de certains mots à grande teneur philosophique. Mais vous savez tous les problèmes que cela soulève et ils ne se distinguent pas du débat philosophique lui-même.

Si d'autre part, on ne pense pas simplement en dehors de tout langage et de toute langue (proposition qu'il faudrait néanmoins accompagner de nombreuses précautions mais je ne peux le faire ici), alors, bien sûr, une identité, et surtout une identité nationale en philosophie ne se constitue pas hors de l'élément de la langue.

Cela dit, je ne crois pas qu'on puisse établir une correspondance simple entre une tradition philosophique nationale et une langue, au sens courant de ce terme. Les traditions dites « continentales » et

anglo-saxonnes (ou de philosophie analytique), pour me servir d'appellations massives et grossières, se partagent aussi bien, et de façon très inégale, l'anglais, l'allemand, l'italien, l'espagnol, etc. La « langue » (je veux dire le sous-code) de la philosophie analytique ou de telle ou telle tradition (anglo-américaine : Austin ; austro-anglo-américaine : Wittgenstein) est engagée dans un rapport de surdétermination par rapport à la langue dite nationale, elle-même parlée par les citoyens de pays différents (l'anglais des Américains, la franco-phonie non française). Cela explique que parfois se développe hors de la langue dite d'origine (du texte original) une tradition de lecture qui reste difficile à réassimiler par ceux-là même qui parlent ou croient parler cette langue d'origine. C'est vrai de façon très différente pour Wittgenstein et pour Heidegger. Les « lectures » ou les « réceptions » françaises de Heidegger rencontrent une grande résistance (comme Heidegger lui-même, et pour des raisons qui ne sont pas seulement politiques) en Allemagne. Quant aux spécialistes français de Wittgenstein, ni les germanophones ni les anglophones ne s'y intéressent beaucoup, sans qu'on puisse même dire qu'ils y résistent.

Alors, y a-t-il une philosophie française ? Non, moins que jamais si l'on considère l'hétérogénéité, la conflictualité aussi, qui marque toutes les manifestations dites philosophiques : les publications, les enseignements, les formes et les normes discursives, les liens aux institutions, au champ socio-politique, au pouvoir médiatique. On aurait même du mal à établir une typologie ; et tout essai de typologie supposerait justement une interprétation qui prendrait parti dans le conflit. Elle rencontrerait aussitôt une hostilité prévisible à peu près de tous côtés. Aussi, bien que j'aie ma petite idée là-dessus, je ne prendrai pas ce risque ici, maintenant. En revanche, malgré tous les débats et combats sur des « positions » ou sur des « pratiques » philosophiques, qui peut nier qu'il y a une configuration de la philosophie française, et que dans son histoire, malgré la succession des hégémonies, la mobilité des courants dominants, cette configuration constitue une tradition, à savoir un élément relativement identifiable de transmission, de mémoire, d'héritage ? Pour l'analyser, il faudrait prendre en compte un très grand nombre de données toujours surdéterminables, historiques, linguistiques, sociales, à travers des institutions très spécifiques (qui ne sont pas seulement celles de l'enseignement et de la recherche), mais sans jamais oublier cette surdétermination plutôt capitale, ce qu'on appelle la philosophie, s'il y en a ! C'est trop difficile et trop brûlant pour que je m'y risque ici en quelques phrases. Je crois que l'identité de la philosophie française n'a jamais été mise à aussi rude épreuve qu'aujourd'hui. Les signes de crispation du pouvoir universitaire dans ses instances officielles le manifestent aussi bien et souvent dans le même sens qu'une certaine agressivité journalistique. Pour ne prendre qu'un exemple actuel, je citerai l'interdiction faite encore récemment (par le CNU) à Lacoue-Labarthe et à Nancy, c'est-à-dire à des philosophes dont l'œuvre est reconnue et respectée en France et à l'étranger depuis de longues années, de devenir professeurs d'université. À travers ces signes de guerre parfois dérisoires et qui finalement ne paralysent rien que ce qui est déjà inerte et paralysé, la « rude épreuve » dont je parlais à l'instant confère sa singularité même à cette chose qu'on appelle la « philosophie française ». Elle appartient à un idiome qu'il est, comme toujours, plus difficile de percevoir de l'intérieur qu'à l'étranger. L'idiome, s'il y en a, n'est jamais pur, choisi ou manifeste de son propre côté, justement. L'idiome est toujours et seulement pour l'autre, d'avance exproprié (ex-approprié).

© CATHERINE CHEVALLIER

JACQUES DERRIDA

Directeur d'Études à l'École des Hautes Études en Sciences Sociales. Auteur notamment de : *De la grammatologie*, Minuit, 1967 ; *Glas*, Galilée, 1974 ; *Eperons*, Flammarion, 1978 ; *Otobiographie*, Galilée, 1984 ; *L'Écriture et la Différence*, Seuil, 1967 ; *La Carte Postale*, Flammarion, 1980 ; *Signéponge*, Seuil, 1988.

OLIVIER MONGIN

RENOUER LE FIL

DE LA PEINTURE

L'INTÉRÊT RÉCENT DES PHILOSOPHES POUR LA PEINTURE RENOUE AVEC
UNE TRADITION PLUS ANCIENNE, QUI CHERCHAIT DANS LA PEINTURE UN
ÉTAT PREMIER DE LA PERCEPTION. MAIS IL INFLÉCHIT CETTE TRADITION
VERS UNE MISE EN SCÈNE DU « SUBLIME » IRRÉDUCTIBLE À TOUTE
REPRÉSENTATION.

En dépit des apparences, le fil de la peinture n'a pas été rompu
durant les décennies marquées par les sciences humaines et la vague
structuraliste, et malgré le privilège accordé à la musique, dont
témoignent par exemple ces propos célèbres de Lévi-Strauss :

« La peinture organise intellectuellement, au moyen de la culture,
une nature qui lui était déjà présente comme organisation sensible.
La musique parcourt un trajet exactement inverse : car la culture
lui était déjà présente, mais sous forme sensible, avant qu'au moyen
de la nature elle l'organise intellectuellement. Que l'ensemble sur
lequel elle opère soit d'ordre culturel, explique que la musique naisse
entièrement libre des liens représentatifs, qui maintiennent la peinture sous la dépendance du monde sensible et de son organisation
en objets[1]. »

Les nombreux auteurs formés à l'école de la phénoménologie, par
la lecture de Husserl puis de Heidegger, ont maintenu — et cela sans
discontinuer — le « fil de la peinture ». Merleau-Ponty bien sûr, pour
qui la question de la perception renvoyait à celle de l'œil et de la
peinture, à l'image du premier dessin aux murs des cavernes de Lascaux, qui « ne fondait une tradition que parce qu'il en recueillait
une autre : celle de la perception[2] » ; mais d'autres aussi, à commencer par Mikel Dufrenne dont les publications et la collection qu'il
a animée chez Klincksieck ont joué un rôle décisif, comme en témoigne le *Discours, Figure* de Jean-François Lyotard dont l'ambition était
de dépasser à la fois le mouvement phénoménologique et le courant
structuraliste grâce à une méditation sur la Figure et la peinture.
Mais pourquoi la peinture est-elle au centre de la réflexion de ces
auteurs ? Lyotard esquisse une réponse, à propos de Dufrenne justement : « La peinture produit une chose qui est un sens. Ainsi elle
donne la solution pratique de quelques oppositions philosophiques :
sujet/objet, singulier/universel, âme/corps... Cette solution pratique
a beau fournir matière à de nouvelles questions, l'expérience esthétique être une énigme, il reste que si un chemin peut être trouvé

entre l'esprit et le silence, c'est du côté de l'œuvre d'art qu'il peut paraître le mieux ouvert, mieux que du côté des œuvres de science ou de politique (...). Le tableau *présente* le contact du sensé et du sensible, il ne signifie pas (dans un discours sensé et insensible, séparé). Il étonne autant que l'homme lui-même, union d'âme et de corps ; il devrait étonner davantage parce qu'il n'est pas une créature simple comme lui, mais une créature de créature, qui montre la création. « Il se montre comme le pouvoir de montrer ce qui se montre », est-il dit du langage du poète (*Pour l'homme*, p. 175)[3] ».

Faut-il alors s'étonner de la pléthore d'essais consacrés à la peinture par des philosophes issus ou non du courant phénoménologique : Deleuze publie un Bacon, Lyotard un triptyque (Adami/Arakawa/Buren), Michel Henry un Kandinsky, Jean-Luc Marion un Lacalmontie... Mais il faudrait également citer Marc Richir, Claude Lefort — dont on oublie qu'il a rédigé un essai sur Bitran — Michel Serres, Éliane Escoubas[4]... À n'en juger que par le contexte éditorial, les sentiers de la création picturale suscitent un intérêt manifeste chez les philosophes ; un intérêt qu'il faut interroger pour lui-même si l'on ne veut pas se contenter d'y voir un prolongement de la tradition merleau-pontienne, voire une concession au marché éditorial[5]. Dans cette brève mise au point, je mettrai l'accent sur deux perspectives, l'une qui s'inscrit dans la suite de Merleau-Ponty et se polarise sur la question du geste, l'autre qui rompt avec toute réflexion sur la perception en épousant les analyses kantiennes consacrées au sublime dans la troisième *Critique*. On observe dès lors une tension entre une réflexion post-husserlienne sur la peinture et Kant, mais le Kant du sublime et non pas celui du sens commun.

LE GESTE
DE PEINDRE

*L*évi-Strauss reprochait à la peinture d'être encore prise dans les lianes du sensible et les apories de la représentation, mais la réflexion contemporaine sur la peinture porte moins sur la capacité de monstration de celle-ci, sur ses vertus référentielles, que sur les implications du geste de peindre lui-même. Sans bien connaître l'expressionnisme abstrait américain, en limitant son champ de vision à Cézanne et à l'École de Paris (Nicolas de Staël essentiellement), Merleau-Ponty avait anticipé cet intérêt pour le gestuel de la peinture au point de voir dans celui-ci la mise en forme de l'humanité par elle-même, *i.e.* une prose du monde. Dans ses analyses des *Lavandières* de Renoir par exemple, Merleau-Ponty décrit encore le geste de peindre comme un prolongement du travail de la perception puisque « déjà donc la perception stylise...[6] ». Mais cette phénoménologie du geste de peindre pourra se dissocier à l'occasion de la réflexion sur la perception et favoriser une méditation sur l'historicité primordiale qui caractérise l'acte même de peindre. Le geste de peindre devient alors gestation du temps et gestuel de l'humanité : la conscience d'humanité est présente dans tout geste de peindre « depuis Lascaux », dans cette gestation où l'humanité se rappelle à elle-même.

La peinture invite à penser une histoire-événement qui se distingue d'une histoire cumulative et intégratrice — *i.e.* d'une histoire-avènement —, mais aussi de l'histoire passive du musée. « Chaque peinture nouvelle prend place dans le monde inauguré par la première peinture, elle accomplit le vœu du passé, elle agit en son nom, mais elle ne le contient pas à l'état manifeste, elle est mémoire pour nous si nous connaissons par ailleurs l'histoire de la peinture, elle n'est pas mémoire pour soi, elle ne prétend pas totaliser ce qui l'a rendue possible[7] ». Ainsi le geste du peintre est celui qui humanise le temps, ou plutôt reporte indéfiniment l'invention de l'humanité par elle-même dans le temps. « La vision seule nous apprend que des êtres différents, "extérieurs", étrangers l'un à l'autre, sont pourtant absolument ensemble[8] ».

Tendant à se distinguer plus radicalement de son ancrage perceptif, la réflexion sur le geste de peindre devait cependant s'orienter différemment, selon deux directions principales. Une première direction est celle d'une description de l'expérience originaire qui rend possible le geste lui-même, à l'image des propos de Michel Henry consacrés à l'art abstrait de Kandinsky : « Dans la perception ordinaire, dans l'art figuratif qui en reproduit les limitations, nous avons "l'expérience du spirituel dans les choses matérielles" — ce sont des résonances étouffées, inaudibles à force d'avoir été entendues. Lui succède l'expérience "du spirituel dans les choses abstraites". Alors s'avancent vers nous des configurations imprévues, édifices renversés, arborescences prises dans des perspectives irreprésentables, cônes métalliques en état de lévitation, rayons éclatés comme les fusées d'un feu d'artifice, angles accouplés, grilles énigmatiques, diagonales montant à l'assaut — toutes ces formes armées d'un plus, assurées d'elles-mêmes, indifférentes à tout ce qui est, venues d'ailleurs. D'où viennent-elles ? De ce lieu d'avant le monde qui n'a l'aspect d'aucun monde, dont aucun regard n'a pris la mesure[9] ». La seconde perspective qui s'esquisse prend la forme d'une interrogation sur la donation qui est à l'origine de la mise en forme du visible. « L'œil apprend à voir, sans rien devoir à l'objectivité, un visible sans trêve dérangé par la distance, donc dérangeant toute maîtrise. Si rien n'apparaît dans ce visible tableau, que faut-il apprendre à y voir ? L'apparition elle-même, l'invu en train d'apparaître (...). Voir est déjà voir un don — ou, selon l'usage, "voir ce que cela donne" »[10].

Ou bien encore, plutôt que de voir dans le geste de peindre la mise en forme d'un originaire ou une donation — *i.e.* deux types de relation à une Altérité qui s'exprime par une altération du temps —, la réflexion cherchera à voir dans la peinture le travail même du chiasme, le redoublement de l'altérité, le travail de dédoublement sans lesquels l'image n'est plus qu'une copie d'un Autre. Or dans le dédoublement il n'y a pas représentation d'un Autre mais altération du temps, création, qui est le temps « fulgurant » de la peinture. Comme chez Bacon vu par Deleuze, mais aussi comme Michel-Ange : « C'est là que la peinture découvre au fond d'elle-même et à sa façon le problème d'une logique pure : passer de la possibilité de fait au fait. Car le diagramme n'était qu'une possibilité de fait, tandis que le tableau existe en rendant présent un fait très particulier, qu'on appellera *le fait pictural*. Peut-être dans l'histoire de l'art Michel-Ange est-il le plus apte à nous faire saisir en toute évidence l'existence d'un tel fait. Ce qu'on appellera « fait », c'est d'abord que plusieurs formes soient effectivement saisies dans une seule et même Figure, indissolublement, prises dans une sorte de serpentin, comme autant d'accidents d'autant plus nécessaires, et qui monteraient les uns sur la tête ou sur l'épaule des autres [11] ». Il y aurait ici un premier paradoxe à prendre en considération : si la tradition merleau-pontienne consacre une réflexion qui porte sur l'acte de peindre, celle-ci tend à se retourner contre l'ancrage perceptif lui-même. De celui-ci on retient l'idée de division originaire, d'une relation indissoluble entre l'un et l'autre, entre l'intérieur et l'extérieur, mais le *chiasme* n'est plus de ce monde, il renvoie à un Autre qui peut prendre une valeur théologique (Marion), correspondre à un vitalisme (Henry), ou bien traduire le flux de la temporalité (Deleuze). Un Autre qui ne craint pas d'être inhumain.

DU SUBLIME

Mais le désaveu infligé à la perception intervient-il par hasard dans la réflexion qui porte sur la peinture ? Celle-ci est-elle dissociable des interrogations sur le statut et la valeur de l'image, ne doit-elle pas trouver son énergie et sa légitimité en favorisant la création d'images qui ne soient pas celles de la banalité et de la mass-médiatisation ? Si l'image n'est plus qu'une mauvaise photographie, une copie de copie qui ne rappelle plus rien du monde, l'art du peintre consiste à créer des images qui se distinguent de simulacres décorant un monde qui n'en est plus un. La perception est faussée d'avance puisqu'il n'y a plus de monde commun, mais seulement un sol sillonné de simulacres ; la réflexion post-phénoménologique est donc invalidée au profit d'une interrogation sur l'*événement* même qui préside à la naissance du tableau et de toute surface peinte. Le geste de peindre renvoie à l'*événement* de la peinture, à ce qui fait figure. « Une œuvre d'art contemporaine dit : vous ne me connaîtrez pas vite ; c'est un aspect de l'altération qu'elle fait subir à la forme du temps [12]. » Le tableau est l'image qui rompt avec l'équivalence généralisée des simulacres, il altère un champ de visibles qui ne compose plus un monde où des individus communiquent.

Dès lors la spéculation s'engage en deux temps : une réflexion sur le Sublime kantien qui permet de ressaisir conceptuellement le fait de la peinture, l'événement de peindre ; et une interrogation sur les conditions de la communication. Car si l'œuvre d'art doit permettre de croire à nouveau dans ce monde, pourtant, comme le dit Deleuze, « C'est le lien de l'homme et du monde qui se trouve rompu. Dès lors, c'est ce lien qui doit devenir objet de croyance : il est l'impossible qui ne peut être redonné que dans une foi. La croyance ne s'adresse plus à un monde autre ou transformé. L'homme est dans le monde comme dans une situation optique et sonore pure. La réaction dont l'homme est dépossédé ne peut être remplacée que par la croyance [13]. » Toutefois, selon Lyotard, l'œuvre d'art ne communique pas : non pas « Comment communiquer, mais plutôt l'inverse : comment on peut croire communiquer [14] ». Le politique rejoint ainsi l'esthétique sans qu'il y ait subordination de l'un à l'autre.

Dans cette perspective, le projet arendtien [15] de penser le sens commun à partir du jugement réfléchissant et de l'analyse du goût qui orchestre la troisième *Critique* de Kant, est déconsidéré au profit de la réflexion kantienne sur le sublime : « Dans le sublime, l'imagination se livre à une tout autre activité que la réflexion formelle. Le sentiment du sublime est éprouvé devant l'informe ou le difforme (immensité ou puissance). Tout se passe alors comme si l'imagination était confrontée avec sa propre limite, forcée d'atteindre à son maximum, subissant une violence qui la mène à l'extrémité de son pouvoir. » Et Deleuze poursuit en montrant que « l'accord imagination/raison n'est pas simplement présumé mais engendré dans le désaccord [16]. » La polarisation de la pensée contemporaine sur le sublime kantien s'inscrit contre la perspective d'un sens commun qu'il faudrait réactiver et représenter, ce qui conduit à privilégier l'idée d'engendrement, de désaccord, de différend. La peinture intervient dans ce contexte d'une réflexion qui s'interroge sur les conditions de la communication et du vivre ensemble. « Vers quelle communauté se retire Adami ? Le *nous* sentimental qu'exige et promet l'esthétique est une Idée. On ne le montre pas. Il est l'horizon d'une anamnèse du visible, du sensible. Si l'on peut imaginer sa consistance, elle est du moins celle de la chair, du champ (...). Le consensus des sentiments, le consentement, est en attente, mais il est là en attente [17]. »

Cette interrogation centrée sur le sublime kantien [18] opère un triple déplacement : d'une part la question de la beauté est reléguée dans la mesure où elle exige la préexistence toujours présumée du sens commun ; d'autre part elle rompt avec une phénoménologie de la perception où s'enracinait la pensée merleau-pontienne de la peinture ; enfin elle invite à reprendre autrement la question du politique, à travers la relation de l'esthétique et du politique. S'il n'y a pas un sol, une orthodoxie du sensible, si la perception ne fait plus suffisamment croire, le tableau et la figure inventent un nouveau rapport au temps, d'autres images de la croyance, *i.e.* une autre version de la communauté. Dès lors la troisième *Critique* n'est pas ponctuée par une alternative : le Sublime ou le sens commun permettant de croire à un Beau. La prise en compte du Sublime oblige à reconsidérer et notre relation à l'esthétique et notre relation au politique.

Le fil de la peinture ne pouvait pas être rompu ! Effectivement, il permet de coudre les questions nodales qui rythment la pensée contemporaine. En s'interrogeant patiemment sur notre voir, un voir qui s'est désenchanté depuis Merleau-Ponty, un voir plein de simulacres... Un voir qui exige plus que jamais de penser le visible et l'invisible. Un voir dont le peintre est plus que jamais l'alchimiste, ce prêtre du visible dont parle Deleuze à propos de Bacon.

1. LEVI-STRAUSS, *Le cru et le cuit*, Plon, 1964, p. 30.
2. MERLEAU-PONTY, *La Prose du monde*, Gallimard, 1969, p. 117. Sur Merleau-Ponty, voir *Esprit*, juin 1982, et Claude Lefort, *Sur une colonne absente*, Gallimard, 1978.
3. Cf. JEAN-FRANÇOIS LYOTARD, « À la place de l'homme, l'expression », *in Esprit*, juillet-août 1969. Texte repris dans *Traversées du XXᵉ siècle*, La découverte, 1988.
4. MICHEL SERRES, *Esthétiques sur Carpaccio*, Hermann. *Statues*, François Bourin, 1987. GILLES DELEUZE, *Francis Bacon, Logique de la sensation*, Éditions de la Différence, 1981. J.-F. LYOTARD, *Que peindre ? Adami/Arakawa/Buren*, Éditions de la Différence, 1988. MICHEL HENRY, *Voir l'invisible*, Éd. François Bourin, 1988. JEAN-LUC MARION, *Jean-François Lacalmontie*, « la parole donnée », Éditions de la Différence, 1986. CLAUDE LEFORT, « Bitran ou la question de l'œil », *in Sur une colonne absente, op. cit.* ÉLIANE ESCOUBAS, *Imago mundi. Topologie de l'art*, Galilée, 1986. MARC RICHIR, *in Esprit, Parler peinture*, février 1986.
5. Voir le succès du *Matisse* de P. Schneider, Flammarion.
6. *La Prose du monde, op. cit.*, p. 84.
7. *Id.*, p. 142.
8. M. MERLEAU-PONTY, *L'œil et l'esprit*, Gallimard, 1964.
9. M. HENRY, *op. cit.*, p. 241.
10. J.-L. MARION, *op. cit.*, pp. 35 et 38.
11. G. DELEUZE, *op. cit.*, p. 102.
12. J.-F. LYOTARD, *op. cit.*, p. 110.
13. G. DELEUZE, *L'image-temps*, Minuit, 1986, p. 223.
14. J.-F. LYOTARD, *op. cit.*
15. Cf. « La crise de la culture », *in La crise de la culture*, Gallimard, coll. Idées, 1972.
16. G. DELEUZE, *La philosophie critique de Kant*, PUF, 1963, pp. 69 et 71.
17. J.-F. LYOTARD, *op. cit.*, p. 65.
18. Cette réflexion est le nerf de la pensée contemporaine. On la retrouve dans la mouvance nietzschéenne de Deleuze et Lyotard, chez un phénoménologue comme Marc Richir, et chez des auteurs proches du courant de la déconstruction qui a privilégié la littérature (cf. J.-L. Nancy, P. Lacoue-Labarthe, etc. et le recueil collectif, *Du Sublime*, Berlin, 1988).

OLIVIER MONGIN
Rédacteur en chef de la revue *Esprit*.

CONTREPOINT

GARDIENS DE L'ART ?

> « Si nous voulions juger des objets, même des objets d'usage courant, uniquement sur leur valeur d'usage et non aussi sur leur façon d'apparaître — c'est-à-dire sur ce qu'ils sont beaux ou laids ou entre les deux —, il faudrait nous arracher les yeux. »
> Hannah Arendt.

Le goût pour l'œuvre d'art appelle une rupture vis-à-vis de l'utile : nous devons être capables de quitter la sphère du besoin immédiat ; H. Arendt reprend à cet égard les mots kantiens de disposition à une joie désintéressée. Ce thème de l'émancipation ne paraît jamais aussi juste que quand l'art lui-même, affranchi de la représentation d'une nature, peut ne retenir que sa « nécessité intérieure » pour loi. Kandinsky a été le chantre le plus déterminé de ce mouvement, mais l'ensemble de l'Art Moderne s'est institué en Europe sous l'égide d'une telle « libération », dont le corollaire fut le retour à un sens primitif, dévoilement d'une origine oubliée de l'humain. Merleau-Ponty a par exemple montré la portée ontologique de l'innovation cézannienne : « la peinture réveille, porte à sa dernière puissance, un délire qui est la vision même, puisque voir c'est avoir à distance, *et que la peinture étend cette bizarre possession à tous les aspects de l'Être, qui doivent de quelque façon se faire visibles pour entrer en elle »[1] . Émancipation de la consommation à visée utilitaire, émergence d'un visible au-delà de l'information sensorielle : ces deux aspects de la saisie esthétique ont paru liés, et leur sort commun scellé par la modernité.*

Cette convergence, devenue critère, autorisait, semblait-il, admissions et révocations ; une avancée majeure venait de s'opérer, qui donnait au contenu de l'Art une fonction primordiale : les œuvres qui témoignaient en leur fond d'une présence sacrée avaient vocation à être rigoureusement analysées et fervemment contemplées. Point là de contradiction : la norme était également philosophique et esthétique ; on pouvait même anticiper d'une affinité sourde entre la réflexion philosophique et l'activité artistique, un peu hâtivement, sans doute : par des moyens distincts, mais concourants, le penseur et le créateur semblaient œuvrer à dire des vérités semblables.

Pourquoi ce passé ? Vient-il au nom d'une obsolescence contemporaine des formes de l'Art, qui, réalisant la proposition de Hegel, auraient cessé de satisfaire le besoin le plus élevé de l'esprit ? Ou bien en raison de l'impuissance présente des philosophes à dégager des visions du monde dignes de s'incarner dans l'imaginaire de la société ? Notre temps connaît une crise (à laquelle il est possible, encore que périlleux, de trouver des antécédents) qu'aucun de ces deux décrets n'explique clairement. Avançons prudemment une hypothèse : c'est le rapport de la philosophie et de l'art qui est mis en question. Pas moins aujourd'hui qu'hier, certes, les œuvres diffèrent en valeur. Mais à trop se donner comme sachant la vérité de l'Art (et même, et surtout, de ses « crises ») le philosophe risque de se retrouver en position d'extériorité, de produire l'illusion d'une philosophie de l'art dégagée de la production effective de son temps. Hegel, tout le premier, ne se montra-t-il pas parfaitement indifférent à Beethoven, son contemporain ?

Les artistes contemporains, justement, ont été conduits à prendre certaine liberté avec la volonté interprétative des philosophes. Pierre Soulages, par exemple, disait en substance que, si beaucoup de peintures appelées abstraites (mauvaise appellation d'ailleurs) ne renvoient à rien, n'appellent aucun déchiffrement, aucune imposition de sens, elles incitent celui qui regarde à se constituer lui-même comme sens. C'est que l'habitude de nous fier à des formes attendues est mise en déroute dans la contemplation esthétique ; la restitution d'une signification doit nécessairement passer par « l'entrée en résonance » du spectateur et de l'œuvre. Dans tous les cas, le but visé est la transformation de l'apparence et l'exaltation d'une tonalité d'origine. Il s'agit de retrouver une essence sensible nue, voilée par les finalités objectives[2]. Pour n'être pas arbitraire, la subjectivité qui s'emploie à cette tâche ne peut que procéder par une voie originale, la mise au jour d'un perçu originaire, localisé au point d'émergence de l'œuvre — et irréductible au concept. Rappelons-le : ce problème n'est pas nouveau en philosophie ; il est à l'horizon de toute la méditation de la phénoménologie française sur le regard, déplaçant le geste de l'art d'une signification normalement recevable par une communauté raisonnable à une présence singulièrement saisie ; sa pertinence a même pu être étendue, au-delà de Cézanne, à Masaccio ou Chardin, et, à partir du refus schoenbergien du dodécaphonisme comme système, à J.-S. Bach[3].

La modernité, en art, a formulé ce principe ; Kandinsky notamment, en énonçant le thème non-paradoxal d'une équivalence, du point de vue de la signification, du « Réalisme » et de l'« Abstraction »[4] a bien établi l'horizon de la philosophie de l'art, donné les clés d'une synthèse. Pourtant il n'est pas certain que la pensée esthétique rejoigne aujourd'hui le mouvement de l'art. La difficulté nous semble à venir ; nous voyons, à l'impossibilité d'inscrire sans aporie les produits d'aujourd'hui dans la profondeur de cette pensée, deux causes essentielles :

La première est que la communauté des amateurs d'art, loin de s'être dissoute, s'est recomposée selon de nouvelles règles. S'il ne s'agissait que d'une démocratisation de la distinction, d'une généralisation des signes élitaires qu'une sociologie du goût a pu mettre à jour, on ne pourrait que s'en réjouir. Il est permis d'être moins optimiste : les œuvres reconnues sont l'objet d'une consommation plutôt que d'un culte. Ce problème appelle des solutions, possibles autant d'un point de vue juridique (quid de la protection des œuvres, dans le domaine audio-visuel, notamment ?) *que pédagogique :* il ne suffit pas, *dit ainsi Louis Erlo*[5], de permettre l'éclosion d'aptitudes à la performance, il faut aussi former des artistes. *Le créateur dans la Cité, en attendant, s'il ne cède pas aux « attentes » (en se risquant dans l'anecdotique, l'alibi, le décorum) perdure en butte à l'énigme d'une communauté en fuite.*

La seconde est la raison de la première : c'est l'effacement d'une dimension sacrée de l'art, qui avait cours, de Lascaux à Braque ou Chirico. « La religion de ceux qui n'en ont plus » est désormais dévolue à d'autres objets. Il s'agit là du problème de la perte de l'aura de l'œuvre, pensée capitale, quelles que soient les réserves et les modulations que l'on peut aujourd'hui lui apporter, léguée par Benjamin[6].

L'issue de cette crise n'est pas décidée. Si peu que ce soit le philosophe est en retard : le poète a déjà lancé les dés ou le peintre déployé ses signes irréversibles. Il est vrai que le cœfficient de probabilité d'une authentique œuvre d'art est à raison inverse de la plénitude de son sens. Il faut donc condamner l'arbitraire gratuit, cette convention, aux antipodes de l'aléatoire vrai. Mais cela n'autorise pas le philosophe à gémir devant son époque indigente, et pas davantage à dissoudre sa capacité critique dans l'enthousiasme. Qu'il se promène courageusement dans les allées de l'Art, pour relever ce défi sans précédent — ou qu'il s'aveugle.

1. MAURICE MERLEAU-PONTY, *L'œil et l'esprit*, Gallimard, Paris, 1964, p. 26-27.
2. Cf MICHEL HENRY, *Voir l'invisible (Sur Kandinsky)*, François Bourin, Paris, 1988.
3. RAYMOND COURT, *Adorno et la nouvelle musique (Art et modernité)*, Klincksieck, Paris, 1981, pp. 93 et 124.
4. M. HENRY, *op. cit.*, p. 163-172 et 231-237.
5. Responsable des Chorégies d'Orange, directeur de l'opéra de Lyon.
6. Sur les facteurs de cette analyse, et sur son actualité, on pourra lire les pages magistrales de RAYMOND COURT, *Sagesse de l'Art (arts plastiques, musique, philosophie)*, Méridiens Klincksieck, Paris, 1987, p. 141 *sq.*

JACQUES MESSAGE

CARREFOUR

PHÉNOMÉNOLOGIE

EDIMEDIA

« Le problème d'autrui est posé de manière très abrupte, par l'irruption d'une objection dans le cours d'une méditation menée par le moi sur lui-même. Cette objection nous est bien connue : c'est celle du solipsisme. (...)

« L'objection du solipsisme a toujours été celle du sens commun contre les philosophes idéalistes : les autres *ego*, dit le sens commun, ne se réduisent pas à la représentation qu'on en a ; ce ne sont même pas des objets représentés, des unités de sens, que l'on puisse vérifier par un cours concordant d'expériences : les autres sont autres que moi, ce sont des autres moi.

« Cette objection, la phénoménologie transcendantale doit la reconnaître comme une aporie qui la mine du dedans. Elle est la suite logique de la réduction, plus précisément de la réduction telle qu'elle a été comprise dans la IVᵉ *Méditation* : non seulement tout y est réduit à un sens d'être, mais tout sens est en outre incorporé à la vie intentionnelle de l'*ego* concret. Il résulte donc de la IVᵉ *Méditation* que le sens du monde est seulement l'explicitation de l'*ego*, l'exégèse de sa vie concrète ; c'est ce monadisme qui fait du solipsisme une aporie interne, dans la mesure où le monadisme résorbe toute altérité, tout être autre, en moi-même ; il faut désormais que tout sens naisse *dans (in)* et *à partir de (aus)* moi.

« Face à cette difficulté la phénoménologie husserlienne va être soumise à deux exigences en apparence opposées : d'une part, il lui faut aller jusqu'au bout de la réduction et tenir la gageure de constituer le sens de l'*alter ego* "dans" et "à partir de" moi ; d'autre part, il lui faut rendre compte de l'originalité, de la spécificité de l'expérience d'autrui, en tant précisément qu'elle est l'expérience d'un autre que moi. Toute la Vᵉ *Méditation* va subir la traction la plus extrême entre ces deux exigences : constituer l'autre en moi, le constituer comme *autre*. »

Paul Ricœur, « Edmund Husserl — La cinquième Méditation cartésienne »,
in À l'école de la phénoménologie, Vrin, 1986, pp. 197-199.

« Le second *ego* n'est pas tout simplement là, ni, à proprement parler, donné en personne ; il est constitué à titre d'*"alter ego"* et l'*ego* que cette expression désigne comme un de ses moments, c'est moi-même dans mon être propre. "L'autre" renvoie, de par son sens constitutif, à moi-même, "l'autre" est un "reflet" de moi-même, et pourtant, à proprement parler, ce n'est pas un reflet ; il est mon *analogon* et, pourtant, ce n'est pas un *analogon* au sens habituel du terme. Si, en premier lieu, on délimite l'*ego* dans son être propre, et si on embrasse d'un regard d'ensemble son contenu et ses articulations — et cela, non seulement quant à ses états vécus, mais aussi quant aux unités de signification valables pour lui et inséparables de son être concret —, la question suivante se pose nécessairement : *comment* se fait-il que mon *ego*, à l'intérieur de son être propre, puisse, en quelque sorte, constituer "l'autre" "justement comme lui étant étranger", c'est-à-dire lui conférer un sens existentiel qui le met hors du contenu concret du "moi-même" concret qui le constitue. Cela concerne, d'abord, n'importe quel *alter ego*, mais ensuite tout ce qui, de par son sens existentiel, implique un *alter ego* ; bref, le monde objectif, au sens plein et propre du terme. (...)

« En ayant l'expérience d'autrui nous disons, en général, qu'il est lui-même, "en chair et en os" devant nous. D'autre part, ce caractère d'"en chair et en os" ne nous empêche pas d'accorder, sans difficultés, que ce n'est pas l'autre "moi" qui nous est donné en original, non pas sa vie, ses phénomènes eux-mêmes, rien de ce qui appartient à son être propre. Car si c'était le cas, si ce qui appartient à l'être propre d'autrui m'était accessible d'une manière directe, ce ne serait qu'un moment de mon être à moi, et en fin de compte, moi-même et lui-même, nous serions le même. Il en serait de même de son organisme s'il n'était rien d'autre qu'un "corps" physique, unité se constituant dans mon expérience réelle et possible, et qui appartînt à ma sphère primordiale comme formée exclusivement par *ma* "sensibilité". Il doit y avoir ici *une certaine intentionnalité médiate*, partant de la couche profonde du "monde primordial" qui, en tout cas, reste toujours fondamentale. Cette intentionnalité représente une *"co-existence"* qui n'est jamais et ne peut jamais être là "en personne". Il s'agit donc d'une espèce d'*acte qui rend "co-présent"*, d'une espèce d'aperception par analogie que nous allons désigner par le terme d'"*appréprésentation*". »

Edmund Husserl, *Médiations cartésiennes*, trad. par Mlle Pfeiffer et E. Levinas, Vrin, 1969 (1re éd., 1931), p. 78 et pp. 91-92.

« Cherche-t-on à caractériser la rencontre des *autres*, c'est pourtant bel et bien sur le Dasein qui m'est chaque fois *propre* qu'on s'oriente encore. Ne commence-t-on pas aussi par distinguer et isoler le "je" pour, de là, se mettre alors en devoir de chercher depuis ce sujet isolé un passage vers les autres ? Pour éviter cette méprise, il faut faire observer en quel sens il est parlé ici "des autres". "Les autres", cela ne désigne pas simplement tous ceux qui restent en dehors de moi, dont s'extrait le je ; les autres, ce sont plutôt ceux dont la plupart du temps on *ne* se distingue *pas*, parmi lesquels on est aussi. Cet être-là-aussi avec eux n'a pas le caractère ontologique d'un être-là-devant-"avec" au sein d'un monde. "Avec" va de pair avec Dasein, "aussi" veut dire à égalité d'être, c'est-à-dire d'être-au-monde discernant et préoccupé. "Avec" et "aussi" sont à entendre comme des *existentiaux*, non comme des catégories. Sur la base de cet être-au-monde affecté d'un *"avec"*, le monde est chaque fois toujours déjà celui que je partage avec les autres. Le monde du Dasein est *monde commun*. L'être-au est *être-avec* en commun dans d'autres. L'être-en-soi de ceux-ci à l'intérieur du monde est *coexistence.* (...)

« Le Dasein se tient, en tant qu'être en compagnie quotidien, sous l'*emprise* des autres. Il n'*est* pas lui-même ; les autres lui ont confisqué l'être. Le bon plaisir des autres dispose des possibilités d'être quotidiennes du Dasein. Par là ces autres ne sont pas des autres *déterminés*. Au contraire, chaque autre peut en tenir lieu. (...) "Les autres", comme on les appelle pour camoufler l'essentielle appartenance à eux qui nous est propre, sont ceux qui, dans l'Être-en-compagnie quotidien, d'abord et le plus souvent *"sont là"*. Le qui, ce n'est ni celui-ci, ni celui-là, ni nous autres, ni quelques-uns, ni la somme de tous . Le "qui" est le neutre, *le on*. »

Martin Heidegger, *Être et temps* (1927), trad. F. Vezin modifiée, Gallimard, 1986, pp. 160-161 et p. 169.

« Autrui, c'est d'abord la fuite permanente des choses vers un terme que je saisis à la fois comme objet à une certaine distance de moi, et qui m'échappe en tant qu'il déplie autour de lui ses propres distances. Mais cette désagrégation gagne de proche en proche ; (...) c'est un regroupement auquel j'assiste et qui m'échappe, de tous les objets qui peuplent mon univers. (...) Ainsi tout à coup un objet est apparu qui m'a volé le monde. Tout est en place, tout existe toujours pour moi, mais tout est parcouru par une fuite invisible et figée vers un objet nouveau. L'apparition d'autrui dans le monde correspond donc à un glissement figé de tout l'univers, à une décentration du monde qui mine par en dessous la centralisation que j'opère dans le même temps. (...)

« Tout cela ne nous fait nullement quitter le terrain où autrui est *objet*. (...) Autrui est, sur ce plan, un objet du monde qui se laisse définir par le monde. Mais cette relation de fuite et d'absence du monde par rapport à moi n'est que probable. Si c'est elle qui définit l'objectivité d'autrui, à quelle présence originelle d'autrui se réfère-t-elle ? Nous pouvons répondre à présent : si autrui-objet se définit en liaison avec le monde comme l'objet qui *voit* ce que je vois, ma liaison fondamentale avec autrui-sujet doit pouvoir se ramener à ma possibilité permanente d'*être vu* par autrui. C'est dans et par la révélation de mon être-objet pour autrui que je dois pouvoir saisir la présence de son être-sujet. (...) L'"être-vu-par-autrui" est la *vérité* du "voir-autrui". Ainsi, la notion d'autrui ne saurait, en aucun cas, viser une conscience solitaire

et extra-mondaine que je ne puis même pas penser : l'homme se définit par rapport au monde et par rapport à moi-même : il est cet objet
du monde qui détermine un écoulement interne de l'univers, une hémor-
ragie interne ; il est le sujet qui se découvre à moi dans cette fuite
de moi-même vers l'objectivation. Mais la relation originelle de moi-
même à autrui n'est pas seulement une vérité absente visée à travers
la présence concrète d'un objet dans mon univers ; elle est aussi un
rapport concret et quotidien dont je fais à chaque instant l'expérience :
à chaque instant autrui *me regarde* ; (...) si autrui est, par principe, *celui
qui me regarde, nous devons pouvoir expliciter le sens du regard
d'autrui.* »

Jean-Paul Sartre, *L'Être et le Néant*, Gallimard, 1943, coll. TEL, pp. 301-303.

« Autrui ou moi, il faut choisir, dit-on. Mais on choisit l'un *contre*
l'autre, et ainsi on affirme les deux. Autrui me transforme en objet et
me nie, je transforme autrui en objet et le nie, dit-on. En réalité le
regard d'autrui ne me transforme en objet, et mon regard ne le transforme en objet, que si l'un et l'autre nous nous retirons dans le fond
de notre nature pensante, si nous nous faisons l'un et l'autre regard
inhumain, si chacun sent ses actions, non pas reprises et comprises,
mais observées comme celles d'un insecte. C'est par exemple ce qui
arrive quand je subis le regard d'un inconnu. Mais, même alors, l'objectivation de chacun par le regard de l'autre n'est ressentie comme péni-
ble que parce qu'elle prend la place d'une communication possible. (...)
Si j'ai affaire à un inconnu qui n'a pas encore dit un seul mot, je peux
croire qu'il vit dans un autre monde où mes actions et mes pensées
ne sont pas dignes de figurer. Mais qu'il dise un mot, ou seulement qu'il
ait un geste d'impatience, et déjà il cesse de me transcender : c'est donc
là sa voix, ce sont là ses pensées, voilà donc le domaine que je croyais
inaccessible. (...) Le solipsisme ne serait rigoureusement vrai que de
quelqu'un qui réussirait à constater tacitement son existence sans être
rien et sans rien faire, ce qui est bien impossible, puisque exister c'est
être au monde. (...) La subjectivité transcendantale est une subjectivité
révélée, savoir à elle-même et à autrui, et à ce titre elle est une inter-
subjectivité. Dès que l'existence se rassemble et s'engage dans une conduite, elle tombe sous la perception. Comme toute autre perception,
celle-ci affirme plus de choses qu'elle n'en saisit : quand je dis que je
vois le cendrier et qu'il est là, je suppose achevé un développement de
l'expérience qui irait à l'infini, j'engage tout un avenir perceptif. De
même quand je dis que je connais quelqu'un ou que je l'aime, je vise
au-delà de ses qualités un fond inépuisable qui peut faire éclater un
jour l'image que je me faisais de lui. C'est à ce prix qu'il y a pour nous
des choses et des « autres », non par une illusion, mais par un acte vio-
lent qui est la perception même. »

Maurice Merleau-Ponty, *Phénoménologie de la perception*,
Gallimard, 1945, coll. TEL, pp. 414-415.

« Le visage se refuse à la possession, à mes pouvoirs. Dans son épiphanie, dans l'expression, le sensible, encore saisissable, se mue en résistance totale à la prise. Cette mutation ne se peut que par l'ouverture d'une dimension nouvelle. En effet, la résistance à la prise ne se produit pas comme une résistance insurmontable, comme dureté du rocher contre lequel l'effort de la main se brise, comme éloignement d'une étoile dans l'immensité de l'espace. L'expression que le visage introduit dans le monde ne défie pas la faiblesse de mes pouvoirs, mais mon pouvoir de pouvoir. Le visage, encore chose parmi les choses, perce la forme qui cependant le délimite. Ce qui veut dire concrètement : le visage me parle et par là m'invite à une relation sans commune mesure avec un pouvoir qui s'exerce, fût-il jouissance ou connaissance. (...)

« L'altérité qui s'exprime dans le visage fournit l'unique "matière" possible à la négation totale. Je ne peux vouloir tuer qu'un étant absolument indépendant, celui qui dépasse infiniment mes pouvoirs et qui par là ne s'y oppose pas, mais paralyse le pouvoir même de pouvoir. Autrui est le seul être que je peux vouloir tuer. (...)

« Il serait inutile d'insister sur la banalité du meurtre qui révèle la résistance quasi-nulle de l'obstacle. (...) Mais autrui peut m'opposer (...) l'*imprévisibilité* même de sa réaction. Il m'oppose ainsi non pas une force plus grande — une énergie évaluable et se présentant par conséquent comme si elle faisait partie d'un tout — mais la transcendance même de son être par rapport à ce tout ; non pas un superlatif quelconque de puissance, mais précisément l'infini de sa transcendance. Cet infini, plus fort que le meurtre, nous résiste déjà dans son visage, est son visage, est l'*expression* originelle, est le premier mot : "tu ne commettras pas de meurtre". L'infini paralyse le pouvoir par sa résistance infinie au meurtre, qui, dure et insurmontable, luit dans le visage d'autrui, dans la nudité totale de ses yeux, sans défense, dans la nudité de l'ouverture absolue du Transcendant. Il y a là une relation non pas avec une résistance très grande, mais avec quelque chose d'absolument *Autre* : la résistance de ce qui n'a pas de résistance — la résistance éthique. »

Emmanuel Levinas, *Totalité et Infini*, Martinus Nijhoff (La Haye), 1980, (1ʳᵉ éd., 1961), pp. 172-173.

Photo : Maurice Merleau-Ponty

ITINÉRAIRE

EMMANUEL LÉVINAS

L'AUTRE, UTOPIE
ET JUSTICE

entretien avec
──────── *EMMANUEL LEVINAS* ────────

Né en Lithuanie en 1905, E. Levinas a développé une pensée éthique originale à la double source de la tradition juive et de la phénoménologie inspirée de Husserl. Il a enseigné à Poitiers, puis aux Universités de Paris-X et Paris-IV. Son inspiration philosophique pourrait se résumer par le titre d'un de ses livres : *Humanisme de l'autre homme.* (1973, Fata Morgana). Principaux ouvrages : *De l'existence à l'existant* (1947, Vrin), *Difficile liberté* (1963, Albin-Michel), *Totalité et infini* (1961, Nijhoff), *Autrement qu'être, ou au-delà de l'essence* (1973, Nijhoff), *Hors sujet*, (1987, Fata Morgana).

« La longueur, c'est le temps après la mort. »
Brodsky

Autrement. - Vos premiers travaux philosophiques portent sur la phénoménologie. Votre réflexion s'est-elle formée exclusivement au contact de cette tradition ?

Emmanuel Lévinas - J'ai publié l'un des premiers livres sur la phénoménologie parus en France[1] et écrit, un peu plus tard, l'un des premiers articles sur Heidegger[2]. C'est une vérité purement chronologique ; mais je m'amuse à la rappeler. J'ai raconté ailleurs[3] ma rencontre avec la phénoménologie au cours de ma formation à Strasbourg, à l'excellent Institut de philosophie, lieu sacré où les professeurs s'appelaient Pradines, Carteron, Charles Blondel et Halbwachs — Maurice Halbwachs, résistant, qui n'est pas revenu de déportation. J'ai, en revanche, peu souligné l'importance — capitale pour moi — de la référence — arrière-fond de l'enseignement de ces maîtres, à Bergson[4].

On cite peu Bergson maintenant. On a oublié l'événement philosophique majeur qu'il fut pour l'université française et qu'il reste pour la philosophie mondiale, et la part qui lui revient dans la constitution de la problématique de la modernité. La thématisation ontologique par Heidegger de l'*être* dans sa distinction de l'*étant*, la recherche de l'être sous sa signification verbale, n'est-elle pas déjà agissante dans la notion bergsonienne de durée, irréductible à la substantialité de l'être ou à la substantivité de l'étant ? Peut-on continuer à présenter Bergson selon l'alternative que suggère la formule banale où la philosophie du devenir est opposée aux philosophies de l'être ? Ne trouve-t-on pas, d'autre part, dans les dernières œuvres de Bergson, la critique du rationalisme technique, si importante dans l'œuvre de Heidegger ? *L'Évolution créatrice* est un plaidoyer pour une spiritualité se libérant de l'humanisme machiniste. Et dans *Les deux Sources de la morale et de la religion*, l'intuition, c'est-à-dire le *vivre* même ou le vécu du « temps profond », conscience et savoir de la durée, s'interprètent comme relation avec autrui et avec Dieu.

Affection et amour, concrets dans ces relations ! Je me sens proche de certains thèmes bergsoniens :

53

de la durée où le spirituel ne se réduit plus à un événement de pur « savoir », où il serait la transcendance de la relation avec quelqu'un, avec un autre : amour, amitié, sympathie. Proximité irréductible aux catégories spatiales ou à des modes d'objectivation et de thématisation. Il y aurait dans le refus de quérir le sens de la réalité selon la persistance des solides, il y aurait dans la remontée bergsonienne au *devenir* des choses, comme l'énoncé de l'*être-verbe*, de l'*être-événement*. Bergson est à l'origine de toute une trame de notions philosophiques contemporaines ; je lui dois sans doute mes modestes initiatives spéculatives. On doit beaucoup à l'empreinte laissée par le bergsonisme dans l'enseignement et les lectures des années vingt.

Revenons à la phénoménologie. C'est aussi au cours de votre formation à Strasbourg que vous l'avez rencontrée. De Mlle Pfeiffer, qui lisait les *Recherches logiques* non encore traduites à cette époque, vous avez appris le nom de Husserl. Par la suite, vous avez traduit avec elle les *Méditations cartésiennes*[5]. Votre premier article dans la « Revue philosophique », en 1929, portait sur les *Idées* d'Edmond Husserl (son œuvre de 1913). C'est ainsi que vous avez suivi, en 1928, à Fribourg, le dernier semestre d'enseignement de Husserl, et le premier de Heidegger. Comment, aujourd'hui, interprétez-vous le passage du fondateur de la méthode phénoménologique à son disciple réputé le plus original ?

Qu'entendez-vous par ce passage ? Est-ce le fait que l'*un* et l'*autre* parlent de phénoménologie ou le fait que les lecteurs de Husserl se trouvaient préparés à la lecture de Heidegger ? Il y eut en effet, pour les husserliens lisant en 1927 *Sein und Zeit*[6] qui venait de paraître, à la fois le sentiment d'une nouveauté du questionnement et de ses horizons et la certitude qu'à cette merveille des analyses et des projets, on arri-

vait brillamment préparé par l'œuvre phénoménologique de Husserl.

Les critiques de Husserl lui-même ne sont pas venues vite. Dès le début, le maître devait être ébloui par la richesse des analyses phénoménologiques de *Sein und Zeit* encore accordables aux gestes, aux possibilités et aux démarches caractéristiques de la méthode husserlienne, malgré ce que, d'une manière géniale, ils ouvrent d'inattendu, fût-il déjà inspiré d'ailleurs. Ce n'est que plus tard, à la relecture du livre, que Husserl comprit ou perçut ces éloignements. On dispose, semble-t-il, d'annotations marginales qui témoignent de cette lecture critique. Husserl demeurait convaincu que Heidegger avait été son disciple le plus doué, mais restait toujours sensible aux désaccords. De celui qu'il avait délibérément choisi comme successeur, il disait au professeur Max Muller : « J'ai toujours été fortement impressionné par Heidegger, mais jamais influencé. »

Après le livre de Victor Farias[7], une discussion a occupé le devant de la scène médiatique en France au sujet du nazisme de Heidegger. Quoi qu'on puisse penser de la fécondité de cette polémique, la question qu'il est tentant de vous poser est : pouvait-on l'anticiper, depuis la découverte précoce de l'œuvre de Heidegger ?

On savait à peu près tout ce que dit Farias. En France, on connaissait les positions politiques de Heidegger dès avant 1933. Il y eut, au lendemain de la guerre à Paris, des discussions qui se sont assouplies ou assoupies et que Farias aura réveillées. En 1930, il était difficile de prévoir les tentations que le national-socialisme pouvait représenter pour un Heidegger ! Dans mon intervention, toute récente, au colloque organisé par le *Collège international de philosophie*[8] — mais encore antérieure au livre de Farias — je rappelais, malgré mon admiration pour *Sein und Zeit*, ce problème moral. Après Farias, quelques détails se précisent, mais rien n'y est essentiellement inédit.

L'essentiel c'est l'œuvre même ou, du moins, *Sein und Zeit* qui reste un des plus grands livres de l'Histoire de la philosophie, même pour ceux qui le refusent ou le contestent. Il n'y a, certes, dans ses pages, aucune formule expressément référable aux thèses du national-socialisme, mais la construction comporte des coins ambigus où elles peuvent se poser. J'évoquerais, pour ma part, la notion, primordiale dans ce système, celle de l'authenticité, de l'*Eigenthlichkeit* — pensée à partir du mien, du tout propre, à partir de la *Jemeinigkeit*, contraction originelle du moi dans la mienneté (*Sein und Zeit*, § 9), à partir d'un *à soi* et *pour soi* dans leur auto-appartenance inaliénable. On peut en effet s'étonner que dans l'anthropologie de *Sein und Zeit* où toutes les articulations caractéristiques de la concrétude humaine, par delà les traditionnels attributs de l'« animal raisonnable », sont ramenées, sous le titre d'*existentiaux*, à un niveau ontologique, manque la philosophie de l'échange commercial où les désirs et soucis des hommes se confrontent et où l'argent — serait-il simple *Zuhandenheit ?* — est un mode de la mesure rendant possibles égalité, paix et « juste prix » dans cette confrontation, malgré et avant son *Verfallen* en capitalisme esclavagiste et en Mammon. Pensée à partir de la mienneté, l'authenticité doit rester pure de toute influence subie, sans mélange, sans aucune redevance, en dehors de tout ce qui compromettrait la non-interchangeabilité, l'unicité de ce moi de la « mienneté ». Moi à préserver par dessus tout de la banalité vulgaire du pronom indé-

fini « on » où le moi risque de se dégrader, même si le véhément mépris qu'inspire sa banalité médiocre peut vite s'étendre à la part juste du commun dans l'universel de la démocratie.

J'appris tout récemment que le philosophe Adorno dénonçait déjà ce jargon de l'authenticité. Ce jargon exprime pourtant une « noblesse », celle de sang et d'épée. Elle comporte ainsi d'autres menaces dans une philosophie sans vulgarité. L'unicité du moi humain, que rien ne devrait aliéner, est ici pensée à partir de la mort : que chacun meurt pour soi. Inaliénable identité dans le mourir ! Se sacrifier pour un autre, ne rend pas l'autre immortel. Le moi se tient au monde en relation avec les autres, certes, mais où personne ne saurait en vérité mourir pour personne d'autre. Et dans cet exister-à-mourir, dans cet *être-à-la-mort*, la lucidité de l'angoisse accède au néant sans s'en évader vainement dans la peur. Authenticité originaire, mais sans plus, où, pour Heidegger, se dissolvent ou « sautent » tous les « rapports aux autres » et où s'interrompt le sensé de l'*être-là*. Redoutable authenticité ! Vous voyez ce que je refuserais.

Serais-je, dès lors, ami de l'inauthentique ? Mais l'authenticité du moi, son unicité, tient-elle à cette possessive « mienneté » sans mélange, de soi à soi, fière virilité « plus précieuse que la vie », plus authentique que l'amour ou que le souci pour autrui. Unicité qui ne s'obtient pas sous la différence que manifeste *untel* ou *untel* distinct des individus appartenant à l'extension du même genre logique car, membres de cette extension, ils ne sont pas précisément uniques dans leur genre.

L'unicité me semble prendre sens à partir de l'impermutabilité qui vient ou qui revient au moi dans la concrétude d'une responsabilité pour autrui : responsabilité qui d'emblée lui incomberait dans la perception même d'autrui, mais comme si dans cette représentation, dans cette présence, elle précédait déjà cette perception, comme si déjà elle y était plus vieille que le présent et, dès lors, responsabilité indéclinable, d'un ordre étranger au savoir ; comme si de toute éternité le moi était le premier appelé à cette responsabilité ; impermutable et ainsi, unique, ainsi moi, otage élu, l'élu. Éthique de la rencontre, socialité. De toute éternité un homme répond d'un autre. D'unique à unique. Qu'il me regarde ou non, « il me regarde » ; j'ai à répondre de lui. J'appelle visage ce qui, ainsi, en autrui, regarde le moi — me regarde — en rappelant, de derrière la contenance qu'il se donne dans son portrait, son abandon, son sans-défense et sa mortalité, et son appel à mon antique responsabilité, comme s'il était unique au monde — aimé. Appel du visage du prochain qui, dans son urgence éthique, ajourne ou efface les obligations que le « moi interpellé » se doit à lui-même et où le souci de la mort d'autrui peut pourtant importer au moi avant son souci de moi pour soi. L'authenticité du moi, ce serait cette écoute de premier appelé, cette attention à l'autre sans subrogation et, ainsi, déjà, la fidélité aux valeurs en dépit de sa propre mortalité. Possibilité du sacrifice comme sens de l'aventure humaine ! Du sensé, malgré la mort, fût-elle sans résurrection ! Sens ultime de l'amour sans concupiscence et d'un moi qui n'est plus haïssable.

J'use apparemment d'une terminologie religieuse : je parle de l'unicité du moi à partir de l'*élection* à laquelle il lui serait difficile de se dérober, car elle le constitue d'une dette dans le moi, plus vieille que tout emprunt. Cette façon d'aborder une notion en faisant valoir la concrétude d'une situation où originellement elle prend sens, me semble essentielle à la phénoménologie. Elle est présupposée dans tout ce que je viens de dire.

Dans toutes ces réflexions se profile le valoir de la sainteté comme le bouleversement le plus profond de l'être et de la pensée à travers l'avènement de l'homme. À l'interessement de l'être, à son essence primordiale qui est *conatus essendi*[9], persévérance envers et contre tout et tous, obstination à être-là — l'humain, amour de l'autre, responsabilité pour le prochain, éventuel mourir-pour-l'autre, le sacrifice jusqu'à la folle pensée où le mourir de l'autre peut me soucier bien avant — et plus que ma propre mort — l'humain signifie le commencement d'une rationalité nouvelle et d'au-delà de l'être. Rationalité du Bien plus haute que toute essence. Intelligibilité de la bonté. Cette possibilité de prêter, dans le sacrifice, un sens à l'autre et au monde qui, sans moi, compte pour moi, et dont je réponds (malgré la grande dissolution dans le mourir des relations avec tout autre que Heidegger annonce au § 50 de *Sein und Zeit*) n'est certes pas le survivre. C'est une extase vers un futur qui *compte* pour le moi et dont il a à répondre, un sans-*moi*, futur sensé et qui n'est plus l'à-venir d'un présent protenu.

Ces analyses réduites à leurs primordiales données n'épuisent pas la phénoménologie de l'altérité. Je ne peux que mentionner la problématique que j'avais entrevue, il y a quarante ans, dans un petit livre intitulé *Le Temps et l'Autre*[10], à travers la réflexion sur l'érotisme et la paternité et où la méditation sur l'ambiguïté de la sexualité et de l'amour sans concupiscence de la sainteté ouvre des perspectives à explorer.

Cette définition de la sainteté nous place dans l'absolu. On comprend bien qu'il s'agisse là d'exigence éthique, via l'insistance sur la notion de gratuité et non sur celle de récompense. Pourtant, en mettant l'accent sur cet aspect, en retenant vous-même le caractère d'impossibilité, ne craignez-vous pas qu'on reproche à votre conception d'être utopique, et au philosophe que vous êtes de négliger l'inscription politique de cette exigence ? Sans doute est-ce là qu'intervient l'idée d'un « tiers » ?

Ce que j'appelle responsabilité pour autrui, ou amour sans concupiscence, le moi ne peut en trouver l'exigence qu'en lui-même ; elle est dans son « me voici » de je, dans son unicité non-interchangeable d'élu. Elle est originellement sans réciprocité qui risquerait de compromettre sa gratuité ou grâce, ou charité inconditionnelle. Mais l'ordre de la justice des individus responsables les uns envers les autres surgit non pas pour rétablir entre le moi et son autre cette réciprocité, mais du fait du tiers qui, à côté de celui qui m'est un autre, m'est « encore un autre ».

Le moi, précisément en tant que responsable envers l'autre et le tiers, ne peut pas rester indifférent à leurs interactions et, dans la charité pour l'un, ne peut se dégager de son amour pour l'autre. Le moi, le je, ne peut s'en tenir à l'unicité incomparable de chacun que le visage de chacun exprime. Derrière les singularités uniques, il faut entrevoir des individus du *genre*, il faut les comparer, juger et condamner. Subtile ambiguïté d'individuel et d'unique, de personnel et d'absolu, du masque et du visage. Voici l'heure de la justice inévitable qu'exige pourtant la charité elle-même.

L'heure de la Justice, de la comparaison des incomparables se « rassemblant » en espèces et genre humains. Et l'heure des institutions habilitées à juger et l'heure des États où les institutions se consolident et l'heure de la Loi universelle qui est toujours la *dura lex* et l'heure des citoyens égaux devant la loi.

Il faut que ces élus, au-dessus du commun, se trouvent, comme toutes choses, une place dans la hiérarchie des concepts, il faut la réciprocité des devoirs et des droits. Il faut qu'à la Bible — qui enseignait, la première, l'inimitable singularité, l'unicité « semelfactive » de chaque âme — se joignent les écrits grecs, experts en espèces et en genres. C'est l'heure de l'Occident ! Heure de la justice qu'exigea pourtant la charité. Je l'ai dit. C'est au nom de la responsabilité pour autrui, de la miséricorde, de la bonté auxquelles appelle le visage de l'autre homme que tout le discours de la justice se met en mouvement, quelles que soient les limitations et les rigueurs de la *dura lex* qu'il aura apportées à l'infinie bienveillance envers autrui. Infini inoubliable, rigueurs toujours à adoucir. Justice toujours à se rendre plus savante au nom, en souvenir de la bonté originelle de l'homme envers son autre où, dans un dés-inter-essement éthique — parole de Dieu ! — s'interrompit l'effort inter-essé de l'être brut persévérant à être. Justice toujours à parfaire contre ses propres duretés.

C'est peut-être là l'excellence même de la démocratie dont le foncier libéralisme correspond à l'incessant remords profond de la justice : législation toujours inachevée, toujours reprise, législation ouverte au mieux. Elle atteste une excellence éthique et son origine dans la bonté dont l'éloignent pourtant — toujours un peu moins peut-être — les nécessaires calculs qu'impose une socialité multiple, calculs qui recommencent sans cesse. Il y aurait ainsi — dans le vécu du bien sous la liberté des révisions — progrès de la Raison. Mauvaise conscience de la Justice ! Elle sait qu'elle n'est pas juste autant que la bonté qui la suscite est bonne. Pourtant quand elle l'oublie, elle risque de sombrer dans un régime totalitaire et stalinien et de perdre, dans les déductions idéologiques, le don de l'invention des formes neuves d'humaine coexistence.

Vassilij Grossmann[11], dans *Vie et Destin* — livre si impressionnant au lendemain des crises majeures de notre siècle — va plus loin encore. Il pense que la « petite bonté » allant d'un homme à son prochain, se perd et se déforme dès qu'elle se cherche organisation et universalité et système, dès qu'elle se veut doctrine, traité de politique et de théologie, Parti, État et même Église. Elle resterait pourtant le seul refuge du Bien dans l'Être. Invaincue, elle subit la violence du Mal que, petite bonté, elle ne saurait ni vaincre, ni chasser. Petite bonté n'allant que d'homme à homme, sans traverser les lieux et les espaces où se déroulent événements et forces ! Remarquable utopie du Bien ou le secret de son au-delà.

Utopie, transcendance. Inspirée par l'amour du prochain, la justice raisonnable est astreinte aux dossiers et ne peut égaler la bonté qui l'appelle et l'anime. Mais surgie des ressources infinies du moi singulier, la bonté répondant sans raisons ni réserves à l'appel du visage, sait trouver des sentiers vers cet autre qui souffre sans pourtant démentir le verdict. J'ai toujours admiré l'apologue talmudique du Traité « Roche-Hachanah » (p. 17b et 18a) : n'y aurait-il pas contradiction entre *Deutéronome* 10, 17 et *Nombres* 6, 25 ? Le premier texte enseigne que Dieu ne fait acception de personne, ou, selon la version hébraïque littérale, que jamais Il ne favorise le visage ; sens contraire dans le deuxième texte : Dieu y tourne précisément « son visage vers toi ». Réponse de Rabbi Aquiba : le premier texte concerne la justice d'avant le verdict, le deuxième dit l'après-verdict, Charité et pitié ! Que dans un procès rigoureux on puisse deviner et comprendre cette voix extérieure que la Cour ne saurait entendre, signifierait que cet après-verdict fait partie de l'œuvre de la justice. À condition pourtant que la peine de mort n'appartienne plus à la justice !

Toute la vie d'une nation, par-delà la formelle addition d'individus se posant *pour soi*, c'est-à-dire habitant et luttant pour leur terre, pour leur lieu, pour leur Da-Sein — dissimule ou révèle — ou, du moins, laisse entrevoir des hommes qui, avant tout emprunt, ont des dettes, se devant au prochain, c'est-à-dire responsables élus et uniques, et dans cette responsabilité, veulent la paix, la justice, la raison. Utopie ! Ma manière de comprendre le sens de l'humain — le dés-intér-essement même de leur être — ne commence pas par penser au souci que les hommes prennent des lieux où ils tiennent à être-pour-être. Je pense avant tout au *pour-l'autre* en eux où l'humain interrompt, dans l'aventure d'une sainteté possible, la pure obstination à être et ses guerres. Je ne peux oublier la pensée de Pascal : « Ma place au soleil. Voilà le commencement et l'image de l'usurpation de toute la terre[12]. »

« L'éthique serait le rappel de cette fameuse dette que je n'ai jamais contractée. » Vous avez développé cette idée que ma responsabilité m'est rappelée dans le visage de l'autre homme. Mais tout homme est-il cet « autre » homme ? N'y a-t-il pas, parfois, défection du sens, des visages de brutes ?

Jean-Toussaint Desanti demandait à un jeune Japonais qui commentait mes travaux au cours d'une soutenance de thèse, si un SS a ce que j'appelle un visage. Question bien troublante qui appelle, à mon sens, une réponse affirmative. Réponse affirmative chaque fois douleureuse ! J'ai pu dire, lors de l'affaire Barbie : Honneur à l'Occident ! Même à l'égard de ceux dont la « cruauté » n'a jamais passé par le tribunal, la justice continue d'être exercée. Le prévenu considéré comme innocent a droit à une défense, à des égards. Il est admirable que la justice ait fonctionné de cette manière-là, malgré l'atmophère apocalyptique (*Les Dossiers du Globe*, p. 21).

Il faut dire aussi que dans ma façon de m'exprimer, le mot *visage* ne doit pas être entendu d'une manière étroite. Cette possibilité pour l'humain de signifier dans son unicité, dans l'humilité de ses dénuement et mortalité, la seigneurie de son rappel — parole de Dieu — de ma responsabilité pour lui, et de mon élection d'unique à cette responsabilité, peut venir de la nudité d'un bras sculpté par Rodin.

Grossmann raconte dans *Vie et Destin* comment à la *Loubianka*, à Moscou, devant le fameux guichet où l'on pouvait transmettre lettres ou colis aux parents et amis arrêtés pour « délits politiques » ou prendre de leurs nouvelles, les personnes faisaient la queue — en lisant, chacun sur la nuque de la personne qui le précédait, les sentiments et les espoirs de sa misère.

Et la nuque est un visage...

Grossmann ne dit pas que la nuque soit un visage, mais que sur elle se lit toute la faiblesse, toute la mortalité, toute la mortalité nue et désarmée de l'autre. Il ne dit pas cela ainsi, mais le visage peut prendre sens sur ce qui est le « contraire » du visage ! Le visage n'est donc pas couleur des yeux, forme du nez, fraîcheur des joues, etc.

Une dernière question : quelle est votre préoccupation primordiale aujourd'hui dans votre travail ?

Mon thème de recherche essentiel est celui de la dé-formalisation de la notion du temps. Kant le dit forme de toute expérience. Toute expérience humaine revêt en effet la forme temporelle. La philosophie transcendantale issue de Kant emplissait cette forme de contenu sensible venant de l'expérience ou, depuis Hegel, conduisait dialectiquement cette forme vers un contenu. Ces philosophes n'ont jamais exigé pour la constitution de cette forme même de la temporalité une *condition* dans une certaine *conjoncture* de « matière » ou d'événements, dans un contenu sensé en quelque façon préalable à la forme. La constitution du temps chez Husserl est encore une constitution du temps à partir d'une conscience déjà effective de la présence dans son évanouissement et dans sa « rétention » et dans son imminence et son anticipation — évanouissement et imminence qui déjà impliquent ce qu'on veut bâtir, sans même que soit fournie aucune indication sur la situation empirique privilégiée à laquelle ces modes d'évanouissement dans le passé et de l'imminence dans le futur seraient attachés.

Ce qui paraît dès lors remarquable chez Heidegger, c'est précisément le fait de poser la question de savoir quelles sont les situations ou les circonstances caractéristiques de l'existence concrète auxquelles la passation du passé, la « présentification » du présent et la futurition du futur — appelées *extases* — sont essentiellement et originellement attachées. Le fait d'être sans avoir eu à le choisir, d'avoir affaire à des possibles toujours déjà entamés, sans nous — extase du « d'ores et déjà » ; le fait d'une emprise sur les choses, auprès d'elles dans la représentation ou le connaître —

extase du présent ; le fait d'exister-à-la-mort — extase du futur. Voilà, à peu près, car la philosophie est plus sage, l'ouverture heideggerienne.

Franz Rosenzweig[13], de son côté, et sans recourir à la même terminologie ni se référer aux mêmes situations, a également cherché ces « circonstances privilégiées » du vécu où se constitue la temporalité. Il pensera le passé à partir de l'idée et de la conscience religieuse, de la création ; le présent à partir de l'écoute et de l'accueil de la révélation, et l'avenir à partir de l'espérance de la rédemption, élevant ainsi ces références bibliques de la pensée au rang des conditions de la temporalité elle-même. Les références bibliques sont revendiquées comme modes de la conscience humaine originelle, communes à une immense part de l'humanité. L'audace philosophique de Rosenzweig consiste précisément à référer le passé à la création et non pas la création au passé, le présent à la Révélation et non pas la Révélation au présent, le futur à la Rédemption et non pas la Rédemption au futur.

Peut-être, mon discours sur ce que je vous ai dit de l'obligation envers autrui antérieure à tout contrat — référence à un passé qui n'a jamais été présent ! — sur le mourir pour l'autre — référence à un futur qui ne sera jamais mon présent — vous paraîtra-t-il, après cette ultime évocation de Heidegger et de Rosenzweig, comme une préface à des recherches possibles. *(Propos recueillis par J.M. et J.R.)*

1. *Théorie de l'intuition dans la phénoménologie de Husserl*, Paris, Vrin, 1930 (5e édition 1984).
2. « Martin Heidegger et l'ontologie », *Revue Philosophique*, 1932.
3. Cf. F. POIRIÉ, *Emmanuel Levinas*, La Manufacture, 1987.
4. Cf. cependant, la conférence donnée au colloque consacré à Heidegger par le Collège international de philosophie en mars 1987. *Heidegger, questions ouvertes*, Éd. Osiris, Paris 1988, p. 256.
5. HUSSERL, *Méditations cartésiennes*, Paris, Vrin, 1931 (réédition 1969).
6. HEIDEGGER, *Être et Temps*, trad. fr. E. Martineau, 1985, ou trad. fr. F. Vezin, Paris, Gallimard, 1986.
7. V. Farias, *Heidegger et le nazisme*, Paris, Verdier, 1987.
8. « Mourir pour », in *Heidegger, questions ouvertes*, op. cit.
9. Il s'agit de la tendance naturelle d'un individu à persévérer dans son être en vertu de son essence, tendance notamment définie par Spinoza.
10. *Le Temps et l'Autre*, 1947, Fata Morgana, Montpellier, 1979. Republié aux PUF, coll. « Quadrige ».
11. V. GROSSMANN, *Vie et Destin*, Paris, Fayard.
12. PASCAL, *Pensées*, Éd. Lafuma, § 65.
13. Cf. FRANZ ROSENZWEIG, *L'Étoile de la Rédemption*, trad. J.L. Schlegel, Seuil.

© CATHERINE CHEVALLIER

© CATHERINE CHEVALLIER

2

L'URGENCE ÉTHIQUE ET LA PATIENCE PHILOSOPHIQUE

*L'urgence éthique a pour l'essentiel deux sources :
l'émergence de problèmes dont l'éclaircissement est inséparable d'une décision (pouvoir sur le vivant, défection des hiérarchies de valeur) et la problématisation
des formes de la conscience éthique elle-même.*

*Le philosophe n'a ni dans l'un ni dans l'autre cas
privilège pour choisir, ordonner, conclure : d'autres que
lui œuvrent sur ce terrain sensible.*

*Patience philosophique : ni une force stoïque ni une
confiance aveugle dans la puissance des interprétations,
mais une attention à ce qu'est parler et agir.*

*Sans prétendre légiférer a priori sur tout, le philoso-
phe ne peut se dérober à l'événement, et se doit de
répondre aux sollicitations des contemporains.*

PATRICE CANIVEZ

LA QUESTION ÉTHIQUE

ÉTHIQUE OU MORALE, ART DE VIVRE OU SCIENCE DES MŒURS ? LA QUESTION ÉTHIQUE EST CELLE DU DEVOIR UNIVERSEL, MAIS QU'IL FAUT RAPPORTER À LA FOIS À LA SPONTANÉITÉ DE L'INDIVIDU ET À L'ALTÉRITÉ D'UNE COMMUNAUTÉ. ELLE CONDUIT AINSI À LA QUESTION POLITIQUE.

Faut-il dire *éthique* ou *morale* ? La morale nous rappelle l'existence du devoir et des interdits, elle nous fournit une doctrine d'action, nous invite à nous juger nous-mêmes, à nous surveiller et à nous transformer par respect pour la règle. D'où la possibilité du *moralisme* : attitude qui consiste à se faire une spécialité de rappeler leurs devoirs aux autres, d'entretenir subtilement en eux le sentiment de la culpabilité, pour en définitive les manipuler. L'éthique, par contraste, renvoie à une sorte de *spontanéité*. Qu'il s'agisse des habitudes et des mœurs d'un peuple, devenues une « seconde nature », ou qu'il s'agisse de la spontanéité de l'individu lui-même (des valeurs qu'il pose en s'affirmant lui-même), l'éthique véhicule l'idée ou la nostalgie d'une vie qui serait bonne mais sans problèmes, d'une vie qui ne serait pas constamment en conflit avec elle-même, d'une responsabilité qui n'excluerait pas l'innocence. En un mot : d'une vie morale sans *la* morale.

De ce point de vue, l'éthique est plutôt la recherche du bonheur, bonheur de l'individu qui fait le choix d'une existence, bonheur de la relation interhumaine dont il s'agit de retrouver l'authenticité. Il serait bien sûr exagéré de figer les choses en distinguant radicalement éthique et morale. La plupart du temps, ces mots sont employés l'un pour l'autre. Mais le renvoi de l'un à l'autre indique qu'on balance entre bonheur et devoir.

UNE THÉORIE

L'origine de la question éthique est la recherche du bonheur par l'individu. Aristote commence son *Éthique à Nicomaque* par un passage en revue des différentes opinions sur la nature du bonheur[1]. Spinoza, qui donne à son ouvrage majeur le nom d'*Éthique*, indique ainsi le sens de son entreprise : la recherche « d'une joie suprême et incessante »[2]. On pourrait accumuler les exemples et les citations. L'important est que cette recherche du bonheur est éminemment théorique. Elle est réflexive, elle donne lieu à un discours et, pour reprendre le cas de Spinoza, l'*Éthique* est un système complet de la réalité.

À cette recherche purement « théorique » du bonheur, on pourrait opposer une remarque de bon sens : l'essentiel est de savoir ce qu'on veut et de s'appliquer à l'obtenir. Le bonheur, en un mot, est une question technique, ou du moins d'art et de bricolage personnel. La remarque est vraie. D'autant plus qu'elle permet de mieux comprendre la question éthique. Tout d'abord, l'individu n'est pas seul. Son « bricolage » ne doit pas l'amener à considérer autrui comme un simple matériau. L'éthique est une théorie : elle n'est pas la décision purement individuelle d'un homme résolu à parvenir à ses fins, quelles qu'elles puissent être et quoi qu'il arrive. Ce qu'elle propose a la prétention d'être vrai, donc de valoir pour tout un chacun. C'est la démarche d'un individu qui se met à la place de tout autre individu, et c'est pour cela qu'il communique et qu'il écrit[3]. Elle est recherche du bonheur, mais cette recherche est fondée, comme discours ou parole, sur le refus de la violence, sur un certain souci de la communauté.

Par ailleurs, les désirs de l'individu ne lui sont pas purement particuliers : la manière dont ils s'expriment, les objets qu'ils se donnent, dépendent de la communauté restreinte (familiale) ou élargie (sociale) dans laquelle vit cet individu. Ses désirs se coulent dans les habitudes de la communauté, ils sont déterminés par les traditions qui les orientent dans un sens ou dans un autre. Nous trouvons donc nos objectifs et la matière de nos projets dans les valeurs de la communauté : savoir ce qu'on veut, c'est alors vivre dans une société dont les valeurs sont suffisamment évidentes pour que l'individu ne se pose pas (trop) de problèmes. Dans ce cas, sa propre existence est pour ainsi dire toute tracée et les choses vont de soi.

On se pose donc la question éthique quand le cours normal de l'existence, les orientations traditionnelles de la vie ne vont plus de soi. Ce qui suppose l'expérience du doute, quand ces orientations sont contradictoires ou suspectes. Comment croire encore à la justice des lois et des dieux quand la cité est perpétuellement en guerre et que chaque jour, chaque catastrophe ou chaque victoire démontre que la seule loi est celle du plus fort ? Pourquoi serais-je désintéressé dans mes rapports avec mes concitoyens, quand l'État dans lequel je vis exploite le plus tranquillement du monde ses propres alliés ? Si l'État ne tient ses engagements que pour autant qu'ils lui sont utiles, pourquoi respecterai-je les lois, si je peux les tourner à mon avantage ? Et l'État n'est-il pas responsable de mon cynisme, dès lors qu'il me donne le pire des exemples[4] ? La religion, la justice traditionnelle, l'ordre moral, qui imposaient une limite aux égoïsmes particuliers, sont ainsi remis en cause.

La question éthique est par conséquent la question de l'*éthos*, des mœurs et des coutumes dans lesquelles s'incarnent des valeurs, c'est-à-dire une morale. La question surgit quand cette morale est dépassée par de nouvelles conditions d'existence, que ces conditions soient dues à des événements militaires, à une modification des rapports sociaux et de la manière de travailler (comme il est manifeste pour l'évolution de la morale familiale), à l'apparition de technologies révolutionnaires qui rendent possibles toutes sortes de projets, etc. Et elle se pose, pour l'individu, comme la nécessité de choisir. Dans une période de transition, de transformation ou de décomposition, tout paraît possible. En particulier dans les démocraties où, pour parler comme Platon, on n'a que l'embarras du choix dans l'extraordinaire variété des existences individuelles et des styles de vie[5]. Il faut choisir, non pas d'une manière absolue, mais dans le cadre des possibilités et de la liberté que donne la société. Or, d'un côté, les valeurs de la communauté sont contradictoires. Notre société, par exemple, insiste sur l'égalité de tous les individus en tant que personnes dignes de respect, ou en tant que citoyens. Et pourtant cette société ne peut fonctionner qu'en créant des inégalités, parce qu'elle repose sur la compétition et sur l'espoir d'acquérir toujours davantage. N'est-ce pas se payer de mots que de considérer autrui comme un égal quand on a du pouvoir sur lui, ou s'il en a sur nous ? Comment considérer autrui comme un sujet respectable en tant que tel, si la science — toute science, mais la biologie et les sciences humaines en particulier — m'apprend à me considérer moi-même comme un pur objet ? D'un autre côté, plusieurs possibilités s'offrent à l'individu. Le bonheur est dans le plaisir, la richesse, les honneurs, le pouvoir, etc. Il n'est pas évident qu'il n'y ait qu'une seule solution qui s'impose au détriment de toutes les autres. On peut, par exemple, montrer que les satisfactions les plus profondes sont liées à la compréhension et à l'activité de la pensée, que le bonheur réside donc dans l'activité théorétique. Faut-il cependant abandonner tout le reste : famille, amis, bonheur de l'action en commun ? Comment concilier une existence qui devrait être à la fois solitaire et politique, active et contemplative ?

UNE SCIENCE CRITIQUE
ET POSITIVE

*I*l faut alors concevoir une hiérarchie des biens, reconstruire le système des valeurs, garder ce qui est cohérent avec le système, rejeter ce qui est impensable parce qu'inconciliable avec les principes, indiquer dans quelle mesure les différentes activités sont conciliables avec une vie équilibrée. Il faut fonder en raison, c'est-à-dire sur une philosophie vraie, la communauté et ses valeurs. Ce qui a conduit le plus souvent à rationaliser la religion — et à l'époque moderne à la « laïciser ». Mais cela suppose une théorie de l'homme, une anthropologie philosophique et, en définitive, une conception totale du monde qui indique à l'homme, en même temps que sa place, quelle est sa véritable nature.

66

Si l'on prend un peu de recul par rapport à cette première perspective, la question prend un tout autre aspect. En effet, si l'on compare les institutions et les mœurs des différentes communautés, dispersées dans l'espace et l'histoire, on ne peut que constater la pluralité et la relativité des systèmes de valeurs et des philosophies qui les ont justifiés. Dès lors le point de vue se renverse. Tous ces systèmes de valeurs se valent : celui des Grecs avec l'esclavage et le sens de la communauté vaut bien le nôtre avec son confort et la menace atomique. Tous ces systèmes ont leur cohérence et leur équilibre, il n'y a pas lieu de juger. Même constatation pour les sociétés contemporaines. Les Occidentaux proclament, par exemple, l'égalité des sexes ; mais pour telle communauté, cette égalité n'a aucun sens. Cela ne nous donne pas pour autant le droit de juger. Bien plus, tout jugement est suspect. J'appartiens à une société historiquement et géographiquement déterminée ; mes appréciations ne font que refléter les valeurs de ma propre société. En approuvant ou réprouvant tel style de vie ou telle pratique, je ne fais qu'exprimer mon attachement à des pratiques ou un type d'existence particuliers, qui ne valent ni plus ni moins que les autres. Tout jugement moral ne fait donc qu'exprimer, en leur donnant une valeur universelle, les habitudes et les intérêts de celui qui le prononce.

En définitive, n'est-ce pas là la vérité de ces systèmes de valeurs ? S'ils valent tous autant les uns que les autres, cela signifie qu'ils ne valent rien en eux-mêmes. Et pourtant ils ont une fonction et une utilité. Comme systèmes de normes, de règles, d'interdits, ils permettent de réprimer la nature, les revendications, les désirs des faibles au profit des forts (c'est la thèse de Thrasymaque dans la *République* de Platon), ou les désirs des forts au profit des faibles (c'est celle de Calliclès dans le *Gorgias*).

C'est ici que la question *éthique* disparaît pour laisser la place à une critique et à une analyse scientifique de la *morale*. Ce qu'on vise alors, ce ne sont plus les institutions et les pratiques où s'expriment le génie, l'originalité ou l'esprit d'un peuple, mais les règles et les interdits imposés à ce peuple par ceux qui y trouvent leur intérêt. On montrera comment les interdits religieux ont été inventés par les puissants pour que les gens du peuple continuent, dans le secret de leur vie privée, d'observer les lois par crainte du surnaturel, ou comment les valeurs morales expriment en termes universels les intérêts économiques des classes dominantes, ou encore comment telle religion a diffusé un état d'esprit favorable à la productivité et à la performance. La psychologie, l'histoire et la sociologie analysent ainsi la fonction d'une morale en *éliminant la question éthique* (ou morale). Leur problème n'est pas de savoir comment l'individu doit vivre, mais d'établir des faits et des corrélations entre ces faits.

Et pourtant, la question se pose encore pour l'individu en tant que tel. Passé par l'école de la critique, il est comme en retrait par rapport à la morale courante. En un certain sens, il a perdu sa naïveté : il ne peut plus adhérer sans plus aux habitudes ou aux valeurs de sa communauté. En tire-t-il cependant la conclusion qu'il faut tout rejeter ? Il peut refuser ceci ou cela ; il peut refuser de voter, ou de se marier, ou de faire des études supérieures ; il ne refuse pas tout. Il peut viser la transformation révolutionnaire ou progressive de la société, il ne peut pas la rejeter tout entière sans se condamner à la solitude totale, à la folie du misanthrope, bref sans couper court avec la vie. Il doit donc avoir un critère, au nom duquel il accepte ceci et refuse cela.

VOLONTÉ

La philosophie kantienne définit ce critère. Elle fonde l'action sur le seul impératif du devoir. Je dois catégoriquement respecter autrui comme individu raisonnable et ma propre dignité d'être de raison. Cela signifie que je dois vouloir ce qui peut être voulu par tout autre individu humain, ce qui est compréhensible et acceptable par lui. Je dois donc vouloir ce qui, érigé en maxime universelle de conduite, n'introduit pas la violence dans la communauté, mais en préserve la cohérence. Je ne peux pas, par exemple, vouloir trahir mes engagements et réduire autrui à l'état d'objet qu'on manipule. Car cette volonté, à supposer qu'elle soit partagée par tous, entraînerait la lutte de tous contre tous, fût-ce sous la forme « civilisée » de la ruse.

L'individu moral, en ce sens, sait ce qu'il veut. Il partage les habitudes et les goûts caractéristiques de sa communauté. Il sait que les traditions de cette communauté ont puissamment contribué à le former. Il ne rejettera pas cependant a priori les valeurs de cette communauté. Il rejettera les principes et les lois qui lui imposent de considérer autrui comme une chose et de renoncer à sa dignité d'être pensant. Et il retrouve ainsi la possibilité de juger, non seulement de sa propre société, mais de toutes les autres.

Il semble que nous soyons ici aux antipodes de la question éthique, telle que nous l'avons définie. La seule préoccupation est celle du devoir, la seule question est de savoir, ici et maintenant, en quoi consiste ce devoir à l'égard de moi-même comme à l'égard d'autrui. Je ne suis moral que lorsque j'agis par pur respect du devoir et à l'exception de tout autre mobile, plaisir ou contentement personnel.

Cette attitude n'est cependant pas complètement insensée au regard de la question du bonheur. L'individu n'y trouve aucun bonheur concrètement déterminé, aucun style d'existence qui lui garantirait tel quel le contentement, et qui le soulagerait de sa propre responsabilité en se donnant comme un programme à exécuter. Le critère moral est purement négatif et critique. L'individu n'y trouve pas de modèle de vie positivement défini, qui de toute façon exciterait sa méfiance : il sait que le prêcheur, l'enseignant, l'intellectuel ou l'homme politique défendent parfois des intérêts tout personnels en diffusant leur « idéal ». Il sait qu'il suffit d'un minimum d'habileté logique pour bâtir un système de valeurs sur la base de quelques préférences subjectives. Cette morale ne somme donc pas l'individu d'approuver un projet ou une « vision du monde », elle lui indique dans quels cas il a le devoir de dire *non*. Il ne trouve ainsi que le bonheur de l'accord avec soi-même.

Mais ce n'est pas rien : ce que je veux, au sens propre du terme, peut être voulu par tout autre et par conséquent par moi-même, demain ou dans dix ans. Si je suis incapable de vouloir en ce sens fort du terme, rien ne me garantit que la succession des désirs contradictoires ne fera pas de moi, à terme, un complet étranger à moi-même. Par le jeu des influences successives, je peux être constamment dépossédé de ma propre identité, de ma propre personnalité. En ce sens il y a un bonheur de vouloir, qui est le bonheur d'être soi, en accord raisonnable avec soi-même. En tenant ferme cette possibilité du bonheur, même dans une situation difficile ou douloureuse, l'individu tire davantage de contentement qu'en renonçant à vouloir.

SPONTANÉITÉ

Il reste que cette morale de l'universalité, qui enseigne à l'individu à dire *non*, lui apprend essentiellement à dire non à *soi-même*. Elle l'installe dans une vigilance soupçonneuse à l'égard de soi et de ses propres désirs. Elle le censure, mais ne propose rien de particulier. Constamment en procès avec soi-même, l'individu ne serait en accord avec soi-même qu'à l'image du prévenu en accord avec son juge.

Aussi cette morale peut être dénoncée comme une morale qui fixe l'individu dans un conflit perpétuel avec lui-même, qui le détourne de l'action et de ses responsabilités. Il y aurait donc quelque chose de malsain dans la morale, et *a fortiori* dans le moralisme, qui cultive la faiblesse d'autrui en l'incitant à s'accuser lui-même. Mais cette dénonciation peut être comprise de deux manières. Tout d'abord on peut y voir le rejet de toute volonté d'universalité, de cohérence et d'accord avec autrui. Il ne s'agit dans ce cas que de valoriser la violence individuelle contre le principe de toute communauté, qui est l'éducation du désir. Mais alors cette thèse n'a aucun intérêt *philosophique* : la violence n'a pas besoin de faire de discours ; elle est, à ses propres yeux, le meilleur des arguments. Mais on peut comprendre cette dénonciation d'une autre manière, qui lui donne une tout autre portée. Elle indique que la morale n'est pas une fin en soi, mais qu'elle doit viser sa propre réalisation, c'est-à-dire sa propre disparition. Il ne s'agit pas d'approfondir toujours davantage le conflit, il s'agit de le résoudre et de viser la réconciliation toujours plus parfaite de l'individu avec lui-même. Il ne s'agit pas de l'installer dans une crise perpétuelle, il s'agit de retrouver une nouvelle forme d'évidence. Cela signifie, pour le dire autrement, que la fin de la morale est dans l'action responsable et créative d'un individu qui n'est plus problème pour lui-même. Cela ne signifie pas que la morale de l'universalité est superflue et qu'on puisse contourner le concept de devoir. Cela signifie qu'universalité et devoir sont fondamentaux, mais insuffisants (ce qui signifie aussi : insuffisants, certes, mais néanmoins fondamentaux), un peu comme la grammaire ne fait pas le style. L'écrivain suit les règles de la grammaire, sans quoi il ne peut plus communiquer. Mais la langue est son « élément », et ses contraintes ne le gênent pas plus que l'air qu'il respire ne lui est insupportable.

D'où le retour à la question éthique. Celle-ci est pour nous, et de plus en plus, la question de l'altérité, des rapports à autrui et du dialogue. Mais le champ de l'altérité ne s'ouvre qu'à un individu qui n'est plus problème (moral) pour lui-même, c'est-à-dire dont la perspective n'est plus embarrassée par lui-même. Par ailleurs, l'éthique cherche comment le rapport d'individu à individu peut éviter de réduire l'un à l'autre, le différent à l'identique, ou de les réduire tous deux à la neutralité ou l'anonymat d'un discours. Elle fait donc abstraction du problème social et politique, qui est celui de relations humaines où les individus sont toujours autre chose que des *individus*, dans la mesure où ils sont les uns pour les autres, inévitablement, des représentants de leur groupe social, classe, profession, etc. Dans un sens la question éthique est celle de l'individu privé, par laquelle il s'affirme en tant que tel en s'opposant à sa propre société. Dans un autre sens, elle est une anticipation de la fin du politique, c'est-à-dire de la fin des luttes sociales et entre les États. En reposant la question de l'énigme des relations interindividuelles, elle vise un monde où cette énigme ne serait plus occultée par la brutalité des conflits entre masses humaines. Son horizon est donc celui de la communauté restaurée. C'est pourquoi la question éthique conduit à la question politique. Mais elle n'y conduit que ceux qui la posent explicitement, et qui font le détour par la morale.

1. *Éthique à Nicomaque*, trad. Tricot, Vrin, cf. l'ensemble du livre I.
2. *Traité de la Réforme de l'Entendement*, § 1. Cf. *Œuvres Complètes*, Pléiade, p. 102.
3. Cf. de nouveau Spinoza, *Traité de la Réforme de l'Entendement*, § 14, Pléiade, p. 106.
4. Inusable alibi de la fraude fiscale.
5. Voir l'analyse que fait Platon de la démocratie dans la *République*, livre VIII, 555 b sq.

PATRICE CANIVEZ
Professeur de philosophie

QUAND EST-IL TEMPS DE PHILOSOPHER ?

LA PHILOSOPHIE EST RÉPUTÉE VENIR APRÈS COUP. EN FAIT, ELLE A UNE MANIÈRE BIEN À ELLE D'ÊTRE DE SON TEMPS : ELLE INTERROGE LES RYTHMES DU TEMPS : LE PASSÉ, LE PRÉSENT ET LE FUTUR.

Quand est-il temps de philosopher ? Si je réponds : « Il est toujours temps de philosopher » qu'aurai-je dit ? Que la philosophie est hors du temps, ou bien qu'elle convient à tous les temps, ou bien encore que l'on peut différer sa mise en œuvre... Merveilleuse polysémie du plus simple des énoncés ! Elle engage à ne rien prendre pour argent comptant, et à réévaluer toutes choses de plus loin. Car que l'on y songe : la question du « quand » aurait-elle encore sens s'il s'avérait que le philosopher soit l'acte qui engendre la temporalisation du temps, sous la double raison de sa constitution et de son assomption en histoire ? On dirait alors, avec Hegel, qu'il ne convient pas de répondre à cette question, mais de la déplacer... Mettons-nous donc en route.

Convenons seulement que le philosopher est un acte d'esprit qui tend à comprendre et à ordonner la diversité phénoménale selon un ordre de raison — ou de raisons. A ce titre, précisément, il a affaire au temps, s'il est vrai que celui-ci est la forme de cette diversité, telle qu'elle apparaît, en première instance, dans la sucession des moments et des phases qui structurent le devenir. La combinatoire la plus simple fait naître de là diverses figures.

COMPRENDRE CE QUI FUT :
L'ONTOLOGIE

Commune à toutes ces figures, la vision des choses qui découpe la pure continuité du temps cosmologique — dit encore temps des astres ou temps de l'horloge — en situant ses diverses phases par rapport au sujet qui, justement, entreprend de philosopher. De là ce que l'on appelle les trois « extases » du temps, autrement dit la projection du passé et de l'avenir hors du présent du locuteur — ce par quoi, souvenir ou anticipation, ce locuteur peut et doit s'absenter de lui-même dans l'acte même de la constitution de son discours.

Dans la mesure où il lui faut convenir qu'il n'est point créateur de lui-même et du monde, le sujet philosophant est d'abord invité à prendre la réalité telle qu'elle se donne, ce qui l'amène, dans la recherche de son « matériau », à privilégier la dimension de la mémoire, immédiate ou plus lointaine. Le temps se représente alors comme une ligne continue ; d'hier à aujourd'hui, cette ligne est pleine, débordante de faits et de paroles ; voici que le soir tombe, et « l'oiseau de Minerve » — l'extra-lucide de la philosophie — peut engager sa ronde : il aura déchiffré l'énigme avant que ne renaisse la nouveauté d'un jour que rien ne permet de déterminer avec certitude, comme si l'on pouvait combler les pointillés de l'avenir. Le présent ? Un instant de voyance nocturne, tache obscure qui sépare hier et demain, et qui porte vers ce qui sera la clarté de ce qui fut.

Quand est-il temps de philosopher ? Maintenant que le jour s'achève, et qu'il devient possible de récapituler ce qui fut en l'organisant dans un réseau de relations qui lui permette, idéellement, d'éclairer de sa rationalité la figure du présent. La philosophie devient alors herméneutique *ontologique*, qui restitue l'événement à son économie d'origine, et l'appréhende, dans la distance, comme concourant à définir les conditions de l'aventure qu'il me revient d'élaborer. L'histoire est maîtresse de vie : lorsque Hegel, dans son admirable préface des *Lignes fondamentales de la philosophie du droit*, consacrée justement à une réflexion portant sur l'actualité de la pensée, enjoint au philosophe de ne pas jouer au prophète en enserrant l'avenir dans le carcan de ses pré-visions, lorsqu'il rappelle sentencieusement que « l'oiseau de Minerve se lève à la tombée de la nuit », il n'entend pas limiter l'engagement du concept à la reconstitution du passé en tant que passé ; il ne fait pas du philosophe le simple « conservateur » des événements forclos ; pas plus qu'il n'érige l'idéal prométhéen et vain d'une réflexion englobante qui se donnerait pour tâche d'embrasser la totalité du réel : il rappelle seulement que le philosophe n'est pas un dieu mais un mortel, qu'il est pris comme tout un chacun dans le réseau des moments qui se succèdent, qu'il n'est pas libre de créer ou de recréer ce dont il lui faut faire discours, bref, qu'il dépend, dans son effort d'intelligence, du matériau que lui fournit l'histoire.

Mais le rappel de cette dimension objective du philosopher n'est pas pour le limiter, chez Hegel du moins, à cette tâche de récapitulation. Par là s'opère aussi une formation de la conscience l'accordant au dynamisme de l'esprit qui sous-tend, positivement et négativement, le devenir phénoménal. « C'est l'idée qui mène le monde », proclamait l'*Iliade*, ce chant grandiose qui articule les libertés des hommes et la nécessité du destin. Pour Hegel lui-même, l'interprétation « ontologique » n'est que le premier temps d'un procès qui doit s'accomplir dans une herméneutique « dialectique », où elle demeura présente comme la base d'un philosopher pro-spectif. C'est vers là qu'il nous faut poursuivre le chemin engagé.

ORDONNER CE QUI VIENT : L'ÉTHIQUE

Quand est-il temps de philosopher ? La philosophie serait un luxe suranné, une manie conservatoire, si elle se réduisait à une mise en ordre des archives du passé. Son ambition n'est pas seulement de « com-prendre » la diversité des choses et des événements, mais de les *ordonner* d'une façon qui réponde à certaine cohérence, — une cohérence qui fonde les différences, et dont on peut penser qu'elle est susceptible de régir l'avenir comme elle le fit du passé. Où l'ontologie se transmue en une *éthique* susceptible de proposer une orientation de l'agir. L'intelligence du passé est ce qui forme à l'invention de l'avenir. Il suffit que cette invention soit *libre*, autrement dit qu'elle soit ouverte à l'avènement de toute nouveauté, et toujours prête à formuler à nouveau frais les principes heuristiques que l'on avait tirés d'une lecture de ce qui fut.

Deux objections sont susceptibles d'entraver cette pré-vision raisonnable de l'avenir. La première mènerait à surseoir à l'engagement de la pensée chaque fois que les conditions de son exercice semblent faire défaut, soit que l'on juge qu'elles ne sont plus présentes, soit qu'il paraisse qu'elles ne sont pas encore données. Temps de crise que ceux-là. On dira aussi bien que la philosophie y puise une urgence nouvelle ou qu'il lui faut céder devant l'œuvre immédiate, en attendant que le « jour » s'achève... N'est-il pas des heures d'universelle confusion où toute parole semble ajouter à la cacophonie ? En réalité, ce peuvent être là, comme le dit encore Hegel, des temps de naissance. Il ne faut pas dormir pendant ce temps-là. Simplement, la pensée est alors ramenée à son régime commun : trouver assurance dans son incertitude même. C'est l'heure où seront démantelées les idéologies, l'heure où les cohérences conceptuelles seront mises à l'épreuve d'autres fidélités.

La seconde objection ne tend plus seulement à différer le « quand » de la philosophie dans l'attente de jours meilleurs, elle ne va à rien moins qu'à l'invalider dans son principe. Allons d'un coup à sa formulation extrême, si présente à notre « temps » : *Après Auschwitz*, dit-on, *on ne peut plus penser*, dans la mesure où c'est l'exercice même de la réflexion qui là fut mené à sa fin, au double sens de cette expression. Que cet événement ait introduit une véritable rupture dans le continuum de l'histoire, qui songerait à le nier ? Mais que l'on prenne garde au mécanisme qui de là mènerait à l'invalidation de tout discours. Face à l'énormité de ce qui est en jeu, il serait dérisoire de dénoncer en cette injonction négative un illogisme banal, celui qui confond le fait avec la modalité de son exercice. Que là soit mise à mal une pratique de la philosophie qui se donnerait pour idéal une omni-compréhension de *tout* ce qui fut, voilà qui est clair. Auschwitz ne peut être ni « relevé » ni « sur-

73

sumé ». Absurde, odieuse serait l'attitude de qui voudrait trouver dans cet anti-événement une once de raison. Nul philosophe pour s'assigner pareille tâche, Hegel moins qu'aucun autre. Chercha-t-il jamais à « sursumer » la Terreur ? Il tenta, au travers de quels soubresauts de l'esprit, de comprendre, pour lui barrer la route à l'avenir, l'erreur originelle dont le développement avait entraîné ce crime contre la raison et contre l'humanité. *Et il y a ici bien plus que la Terreur.* Ici et là, ce qui s'impose c'est donc la relecture négative d'un fait que rien ne peut racheter, et qui ne parle à la raison que de retour vers ce qui annulerait jusqu'à sa possibilité. *Jamais plus.* Urgence redoublée, pour la philosophie, que ce soleil noir de la raison qui éclaire de son refus la route du non souvenir.

LA MISE EN ROUTE DE CE QUI EST : UNE LOGIQUE

*Q*uand la philosophie doit revenir de l'inhumanité d'un temps et barrer la route au retour de l'immonde, la référence au passé devrait avoir pour effet de la libérer des enchaînements de mort, et de la rendre plus apte à inventer des voies nouvelles. Elle ne croit pas plus, en se tournant vers l'avenir, pouvoir y discerner les formes du monde futur. Ontologie et éthique, comme les extases de l'intelligence et du vouloir, sont là comme des engagements, nécessaires et partiels, qui la ramènent à la seule temporalité qui soit vraiment la sienne : le *présent*, dans sa pro-venance et sa destination. Ayant passion de le sonder dans toutes ces dimensions siennes, la philosophie se reconnaît pour seule tâche d'élaborer à ses risques et périls et dans un discours toujours provisoire, toujours révisible, la *logique* de ce qui est. Il y a philosophie lorsqu'on a renoncé à chercher un salut hors des ressources que nous offre la situation présente. Mais il n'y a philosophie que lorsqu'on entend aussi cette injonction négative comme un appel à mobiliser *toutes* les ressources de cette situation. « Tu ne seras pas mieux que ton temps, mais ton temps tu le seras au mieux », écrivait Hegel dans son *Wastebook* de Iéna. Être son temps « au mieux », c'est l'appréhender dans la lumière éclatante ou obscure d'un passé que l'on laisse venir au présent, comme ce qui peut nous avertir de ses potentialités réelles ; c'est laisser germer en lui l'appel vers des formes plus hautes de la liberté, dont le ressort est le porte-à-faux — ou le porte-à-vrai — de l'idée sur elle-même *comme autre*, la conviction qu'il est en mon pouvoir de hâter l'émergence dont elle est la somme négative ; c'est enfin et surtout — car cela reprend les deux dimensions qui viennent d'être dites — travailler le présent du présent jusqu'à mettre en abyme ce qui en lui se donne, par retour au rien de l'origine, au néant du sens.

Un mot doublement intraduisible dans sa trop commode et

inexacte correspondance, traverse et retraverse les deux rives du Rhin : *il y a — es gibt.* Sous sa forme française, il a récemment trouvé ses lettres de noblesse dans les écrits de la post-modernité, où il exprime la facticité de ce qui simplement survient, sans justification antécédente ni promesse de consécution. Face à quoi l'allemand découvre d'autres horizons, interprétant ce qui advient comme un « cela se donne », ou, de façon plus concise, un « ça donne » qui désigne et voile à la fois une instance originaire d'où procède ce qui doit faire sens. Le *quand* de la philosophie est marqué tout d'abord par cet accueil d'une conjoncture, au croisement des extases du temps, l'imprescriptibilité de la contingence venant à la rencontre du souvenir qui l'organise et de l'attente qui le sollicite. Cette « polychronie » du temps troue l'immédiateté du phénomène, et provoque son effondrement fondateur en le confrontant avec le rien de l'origine, ce néant du sens qui ouvre à tous les possibles. Philosophe est celui qui ose camper près de ce fondement-abîme, lieu de toute distanciation médiatisante, par quoi s'opère la recréation de l'immédiat, par quoi s'éprouve aussi la responsabilité éthique telle qu'elle s'annonce dans la logique de cette expérience, au croisement de ce qui se donne et de la lecture qu'il nous revient d'en faire.

Quand est-il temps de philosopher ? Il est toujours temps de le faire pour qui se tient à l'orée de cette nuit qui est identiquement naissance d'un jour nouveau. Impossible alors d'opposer l'urgence de l'éthique à ce que l'on appelle la patience de la philosophie ; car la première est tributaire de l'œuvre que produit la seconde. La logique n'est-elle pas le fondement commun d'une ontologie du connaître et d'une doctrine de l'agir ? C'est elle qui délie celle-là de ses attaches à des déterminations figées et oriente celle-ci vers l'intelligence des situations nouvelles. C'est pourquoi il y a urgence à philosopher, et à philosopher en toute circonstance, en risquant à propos de ce qui est et de ce qui survient — d'hier, d'aujourd'hui, de demain — la « parole qui réconcilie » (Hegel). Geste de la pensée, qui jamais ne se soutient de l'illusion d'une clarté universelle, car l'obscur et l'irrationnel sont reconnus comme partie prenante de l'idée dans son effectuation historique. A qui se tient en ces lieux de mort et de vie, la question portant sur le « quand » de la philosophie parvient toujours trop tard : puisqu'elle lui est occasion de se laisser couler à nouveau et toujours dans cette intemporalité temporalisante de l'acte logique, elle ne peut apparaître, échappant à l'ordre des préalables, que comme *la* question *de* la philosophie.

——— *PIERRE-JEAN LABARRIÈRE* ———

Doyen de la faculté de philosophie du Centre Sèvres.
Vice-président du Collège international de philosophie.
Spécialiste et traducteur, avec G. Jarczyk, de *La
Science de la logique* de Hegel (Aubier). Auteur,
notamment de : *Le discours de l'altérité : une logique
de l'expérience*, PUF, 1983.

FRANCIS JACQUES

ENTRE CONFLIT

ET DIALOGUE ?

LA PHILOSOPHIE EST NÉE AVEC LE DIALOGUE ET S'EST DÉVELOPPÉE COMME UN MONOLOGUE. OR LE DIALOGUE N'EST NI LE REFUS NI L'EXACERBATION DES DIFFÉRENDS. C'EST EN ANALYSANT LA RELATION INTERLOCUTIVE QU'ON PEUT DÉPASSER L'OPPOSITION ENTRE CONSENSUS ET DISSENSUS.

> « Joignez ce qui est complet et ce qui ne l'est pas, ce qui concorde et ce qui discorde, ce qui est en harmonie et ce qui est en désaccord. »
>
> Héraclite

La philosophie s'est posé pour elle-même en Grèce en engendrant un discours tout à fait original, le questionnement qui porte sur le fondement, sous la forme du dialogue.

Peu importe à cet égard que le premier à en avoir écrit soit Zénon d'Élée, peu importe que Platon ait écrit ses *Dialogues* alors que Socrate tenait par la parole un dialogue vivant avec les Athéniens : toujours est-il que l'étonnement a suscité chez Platon une analyse dialectique qui s'est articulée en ce type de discours. En plaçant la dialectique au faîte de l'édifice de la connaissance, Platon prend l'initiative simultanée d'exalter l'art du dialogue. Il semble admettre que l'accord de l'interlocuteur est pour la pensée condition d'un progrès, partant qu'il a une signification philosophique. Loin que la question « qu'en est-il ? » soit alors subordonnée à la question « que t'en semble ? », elles sont conduites solidairement.

C'est aussi un fait qu'un élément socratique très ancien est entré dans la réflexion contemporaine. La vie culturelle, à mesure que s'installent les normes de la société post-industrielle, apparaît multicommunautaire et polycentrée. Notre génération prend une vive conscience de la pluralité et surtout de la difficile commensuration des discours. Comme par compensation, elle ne cesse d'invoquer le dialogue, généralement sans le distinguer beaucoup de la conversation ou de la négociation, ni dépasser la métaphore : alternance de paroles, navette rapide, alors qu'il faudrait renouveler son concept.

Aujourd'hui, il apparaît plus intéressant de savoir ce que l'on veut du dialogue que de savoir ce que l'on attend de son esprit. C'est en grande partie la même chose. Reste à décider si, à notre situation nouvelle, à l'heure du déclin des discours universalistes, correspond la conception traditionnelle, d'ailleurs courante, du dialogue. Celle-ci s'était laissé fasciner par un état de la rationalité qui n'est plus le nôtre, fondé sur une *universalité catégoriale* que notre expérience de la pluralité des théories et des cultures dément. C'est que l'homme contemporain a cessé de vivre de *koinonikôn*, comme le sujet d'une société universelle ou comme membre d'une communauté œcuménique d'origine ou de destination.

Aussi bien, l'homologie facile des discours est pour nous une réalité lointaine qui s'éloigne de plus en plus. Je ne sais si, comme l'avancent certains auteurs, nous vivons la fin des grands récits de justification. Mais Kant le premier a imposé à l'attention l'essaim d'abord incontrôlé des jeux de langage. Que faire devant leur évidente pluralité ? Les concilier en quelque syncrétisme néoleibnizien ? Faire le compte des îles de l'archipel avant de prendre la mer pour tenter le passage ? Mais l'Encyclopédie est morte. Ou prendre le parti de réintroduire en philosophie la question de la communicabilité dialogique, à condition de la distinguer de la simple communicativité comme jeu *dans* les règles. Comment peut-il encore se dire quelque chose entre nous ? Il en va autant de l'efficace du dialogue interpersonnel que de la confrontation constructive des programmes de recherche entre experts dans l'espace de l'inter-science ; de tout discours qui prétend s'échanger à travers les frontières des communautés culturelles. Il s'agit alors de gérer les différences dans le conflit sans exclure la disparité initiale des codes.

On voudrait montrer que ce dernier parti qui suppose de concevoir et d'effectuer un jeu *sur* les règles n'est pas déraisonnable. Peut-être en effet est-il le seul conforme à la fois à une certaine hétérogénéité des discours et au fait non moins significatif que les hommes dans un nombre non négligeable de cas parviennent à s'entendre — sans rechercher pour autant un consensus de pure concession ou un compromis d'appauvrissement.

DIALOGUE, DIALOGISME, INTERLOCUTION

Plaisir du dialogue : sans égal. Pas celui du consensus, mais des fécondations incessantes. On s'y surpasse, on s'y étonne. En quoi consistent justement l'effort et le plaisir intellectuel.

Une conception dialogique du dialogue le distingue de la recherche du consensus pour lui rendre sa fonction d'innovation sémantique, son aptitude à créer du neuf dans le milieu du langage. Mais pour autant, il ne faut pas concevoir le dialogue comme s'il consistait à viser un consensus dans *le même* système. Conçu dialogiquement, le dialogue doit pouvoir s'installer justement entre les systèmes ou plutôt entre des porte-paroles également raisonnables de positions, programmes ou communautés théoriques différents. Le dialogue des problématiques peut, en effet, fournir une expérience fondamentale et fondatrice pour le statut du discours. La solution cherchée doit commencer par réunir les éléments d'une nouvelle analytique de la communication. Elle ne s'adresse pas aux seuls philosophes mais à tous ceux qui, pédagogues, négociateurs ou diplomates, interviennent dans un procès d'interlocution. Encore faut-il distinguer l'interlocution, le dialogue et le dialogisme.

L'*interlocution* est le transcendantal du dialogue, le *dialogue* est un mode de discours particulier, une certaine stratégie bivocale *inter alia*. Le *dialogisme* est à quelque degré co-extensif de tout discours.

Il était pour le moins paradoxal que les philosophes aient pour la plupart assigné au dialogue des conditions de possibilité *non* dialogiques ; la réminiscence, c'est-à-dire un savoir qui est souvenir (Platon), la commune participation à la raison (Descartes), l'harmonie préétablie entre les monades (Leibniz), une structure catégoriale trans-subjective (Kant, Husserl). Autre paradoxe : on ne s'en est pas avisé jusqu'ici.

Il est pourtant clair qu'une conception du discours demeure non dialogique aussi longtemps que les phrases continuent à être tenues pour les résultats de l'activité symbolique d'un locuteur individuel. Qu'il le fasse alternativement après avoir écouté l'autre n'y change rien. C'est toujours lui qui a la charge d'articuler son intention de sens dans un système de différences, et son propre rapport au monde dans un système de signes et de significations. Cela revient toujours à caractériser une énonciation par le triplet d'une phrase, d'un contexte et d'un locuteur. Il est pourtant impossible de joindre deux soliloques en un dialogue, de même on ne saurait fracturer une parole dûment adressée et reçue en deux moitiés de sens.

Comment garantir le passage d'une parole prononcée de part et d'autre en première personne, de *je* à *toi* et de *tu* à *moi*, si *je* et *tu* nous ne composons pas une dyade selon la réciprocité ? Rien d'énigmatique ici : cette dyade, ce *nous* de réciprocité, est produit par une relation dyadique. On la distinguera du *nous* collectif, le plus souvent analysé par les auteurs, qui est produit par une relation d'appartenance au groupe.

Force nous est donc d'introduire la *relation interlocutive* en tant qu'elle est génératrice d'un processus d'interaction effectivement communicative, i. e. d'un mouvement résolutoire de double codification et de double contextualisation.

Dans l'ordre moral, on pourrait montrer de même que les concepts d'obligation (je suis obligé par la loi, mais envers toi), de pardon (je te pardonne), de promesse (je te promets), de responsabilité (je suis responsable de quelque chose devant quelqu'un envers quelqu'un) —, nous somment tous d'introduire l'instance *interpersonnelle* aux côtés de l'instance *personnelle* et des valeurs collectives, éventuellement *universelles*, dans l'analyse. Qu'elle n'ait jamais encore été introduite dans la philosophie morale comme un primitif pour l'analyse, est pour moi une chose confondante.

Revenons au dialogue : comme j'ai eu l'occasion de le montrer dans mes ouvrages à ce sujet, il convient de le définir à partir du dialogisme et non l'inverse, et tous deux à partir de la relation interlocutive.

D_1 — Le *dialogisme* désigne la structure interne de *tout* discours en tant qu'il fonctionne de manière transitive entre deux instances énonciatives en *relation* interlocutive, en référence à un monde à dire. La production du sens s'opère alors par la conjonction des instances en position de locuteur-auditeur idéal et au profit de la dyade des personnes engendrée par la relation.

D_2 — J'appellerai *dialogue une stratégie discursive particulière* qui majore la participation sémantique des instances énonciatives pour enrichir le référentiel. C'est une forme transphrastique dont chaque énoncé, appelé alors message, est déterminé, tant pour sa structure sémantico-pragmatique que pour sa syntaxe elle-même, par une mise en commun équitable du sens et de la valeur référentielle, et dont l'enchaînement séquentiel est régi par des règles pragmatiques assurant une propriété de convergence.

QUI A PEUR
DU DIALOGUE ?

Quelques commentaires sur les définitions précédentes. Qui ne s'est écrié : le dialogue est une mystification, il faut refuser d'y entrer (surtout avec X !) ; mais qui n'a pas dit aussi : le dialogue est la dernière solution, il faut réussir à en avoir un (justement avec X !). Reste à savoir ce que nous voulons dire (réellement) en parlant d'un (vrai) dialogue. Sous ces pléonasmes, réentendre le sens problématique d'un mot qui paraît usé avant d'avoir pris sens. Mot attrape-tout, mot-hôpital, lieu de tous nos malaises. Une extrême instabilité se remarque dans les conceptions du dialogue. Particulièrement inerme, l'idée qu'on dialogue dès qu'on exprime *alternativement* des opinions ou qu'on respecte les tours de parole. Ainsi Valéry : « Que j'aimerais écrire, dit-il, un dialogue qui s'appellerait Prométhée. Chaque interlocuteur ayant sa voix mentale, son style. » Et d'ajouter : « Plusieurs modes de voir et leur alternance feraient dialogue. » Le dialogue est à peine plus qu'un mot convenu pour désigner l'alternance à basse tension de deux propos qui ont des auteurs différents.

Un peu plus forte, l'idée que la parole est essentiellement dialogue à partir du moment où l'on reconnaît l'autre présent à qui l'on s'adresse. Du moment qu'on admet qu'à cet autre, on ne parle que parce qu'il peut répondre. Plus forte mais encore insuffisante, l'idée qu'on prononce une parole sur le trajet des réponses possibles. Toutes ces formulations sont trop faibles parce qu'elles restent compatibles sous l'axiome que les phrases sont le produit du seul locuteur, en termes d'activité discursive individuelle.

On n'abandonne ce préjugé que pour entrer dans un autre. Tantôt on imagine le dialogue sur le mode de l'échange de vues, tantôt on l'imagine sous le mode de la fusion irénique, comme dans Théocrite, garçon et fille gardant leurs troupeaux confondus. En partie parce qu'on assimile le dialogue à d'autres stratégies interactionnelles de face à face, en partie parce qu'on ne forme pas l'idée d'un principe relationnel qui est ici moteur de la communicabilité.

Les définitions que nous avons données déterminent un usage différent du discours, en règle avec sa constitution ultime. Pour peu qu'on ne décide pas de l'essence du dialogue à partir de corpus imbéciles, mais par l'examen des plus rares et précieux entretiens, le terme ne désigne plus l'échange des stéréotypes, i.e. des significations toutes faites à l'instar des marchandises ou des coups. Un usage différent de la communication, en règle avec la constitution active qui consiste à mettre en communauté le sens, la référence et la force illocutoire des propos. Mettre en commun ce qui ne l'est pas encore sur la base de ce qui l'est déjà ; repérer les divergences sur la base de ce qui l'est devenu. En partageant toujours l'initiative sémantique.

Certes, le terme de dialogue est un mot alibi qu'on utilise en situation de force pour mystifier, un mot imposteur par lequel on prétend tenir un discours plein. Mais les usages tronqués ne sont eux-mêmes possibles que parce qu'ils s'appuient sur l'idée que le dialogue représente un discours saturé en propriétés typiques, l'approximation d'un type optimal, le discours présentant le plus haut degré de dialogisme. A preuve le fait justement qu'il ne cesse d'être contesté, invalidé dans sa prétention, en quoi il est comparable à ces concepts dont H. L. Hart a analysé le comportement logique, par exemple, la validité d'un contrat, la culpabilité d'un homme. Affirmer « ceci est un dialogue », tout comme dire « untel est coupable », c'est prononcer des phrases qui ne constatent pas, mais opèrent une imputation. Elles se rapprochent des phrases qui servent à reconnaître une prétention ou un droit. On ne constate pas la valeur dialogique d'une stratégie interactionnelle, on la revendique en prononçant un jugement essentiellement invalidable.

Quand revendique-t-on sans abus le label de dialogue pour un entretien ? Lorsqu'on avance une prétention à la plénitude communicative. La possibilité d'invalider la présence du concept ne fait qu'un ici avec la possibilité d'imputer le caractère correspondant que Hart appelait *ascription*. Les réalités capables d'être ainsi imputées, ascrites, sont les mêmes qui sont susceptibles d'être « défaites ». On peut appeler en anglais *defeasible* le fait de pouvoir être invalidé par des circonstances réelles qui atténuent ou affaiblissent la revendication du label.

La *négociation* qui se déploie dans un champ de forces et d'intérêts n'a pas la même prétention. Elle relève de la description et non de l'ascription. Il n'y a rien dans une négociation qui ne puisse être dans un dialogue sur le même objet, si ce n'est le dialogisme lui-même. On a tort de faire valoir contre le « vrai » dialogue le fait qu'il serait introuvable dans les entretiens humains : en imposant la revendication d'un autre usage du discours, d'un langage à la seconde puissance (Merleau-Ponty), il ne possède ni plus ni moins de réalité que la revendication d'un droit. Chose paradoxale, les circonstances qu'on invoque pour défaire ou annuler la valeur du dialogue, loin de prouver son impossibilité, confirment le statut qui lui est propre : une de ces réalités comme la justice ou la liberté qu'on connaît d'abord par leurs possibles défections et que, justement pour cela, on ne peut récuser entièrement.

Vital et vivant est le dialogue, discours en partance, « seule parole qui pourrait échapper au livre », écrit Jabès. Une seule : celle qui à elle-même échappe. Son vrai contraire : non le conflit, car il y a un mode de gestion dialogal du conflit, mais la prison intérieure, l'accaparement de l'initiative sémantique, la névrose intellectuelle et son auto-dévoration. Plutôt qu'une « fiction salutaire » (Sloterdijk), le dialogue est un optimum, de la communicabilité du sens. Optimum sans normativisme : simplement la vie, de la communication aussi bien, n'est pas indifférente aux conditions qui la rendent possible.

Après Platon et avant Diderot, Pascal est sans doute le premier à concevoir qu'un dialogue est d'autant plus authentique qu'il s'instaure entre deux interlocuteurs dont chacun sait très bien qu'à vouloir l'emporter il est certain de se tromper. Éteindre le flambeau de cette prétention. Pascal ne cherche pas à avoir raison, pas plus qu'à séduire ou à paraître : marques d'esprit vulgaire. Comme il n'y a pour lui ni principe premier auquel amarrer l'ordre des raisons, ni site perspectif dans un monde cassé, rendu au désordre et au silence du fait du péché, les vérités « qui semblent répugnantes » ne cessent de s'appeler ici les unes les autres. De là sans doute qu'on aime à voir dans les disputes le combat des opinions. Le même Pascal qui avait refusé d'entrer en métaphysique se félicite de la pluralité des évangélistes ! « Plusieurs pour la dissemblance de la vérité », dit-il.

La philosophie contemporaine a pris acte de la conviction où nous sommes de *ne pas* détenir la vérité, conviction qui a suivi comme son ombre l'essor si rapide de la science. Le sens nous apparaît comme le résultat d'un processus signifiant multiple, problématique et, je crois, relationnel, cependant que la vérité est liée au mouvement d'échange ou de partage du sens. C'est l'idée d'une rationalité à la fois linguistique et communicationnelle pour un âge qui a perdu la conviction d'un *logos* unique. Pour qui ne peut prendre son parti d'une humanité éclatée, la question reste comme au temps de Platon : existe-t-il un chemin vers la plénitude du sens ? Mais cette question passera pour inexprimable de nos jours, tant qu'on la posera dans une conception dialectique et non dialogique du questionnement. La question est de toujours, c'est son déploiement interrogatif qui doit être repensé pour faire place à la communicabilité comme mise en commun conjointe du sens à partir d'une relation de réciprocité irréductible.

Quant à la pensée du fondement, faut-il dire que notre postmodernité la rend inactuelle ? La réponse est circonstanciée. Ce n'est pas parce que la perspective fondationnaliste traditionnelle, qui faisait reposer l'édifice du savoir ou du sens sur l'ego méditant, ou sur le langage comme grandeur transcendantale, a été reconnue illusoire, qu'il faut nécessairement abandonner toute problématique du fondement. A suppposer même qu'une démarche transcendantale non subjectiviste soit aujourd'hui hors de nos prises, en particulier sous la forme qui caractérisait la modernité, il ne s'ensuit pas qu'on doive renoncer à une forme plus faible. Wittgenstein distinguait la tentative pour fonder et la tentative pour «faire fond». Selon moi, la recherche de conditions minimales du *signifier* humain est toujours à l'ordre du jour. Entendons par là les dimensions inéliminables de différence, de référence, de communicabilité. Dans la mesure où elles sont des conditions nécessaires, on ne peut ni les négliger ni les promouvoir séparément à l'absolu.

A tout prendre, le seul parti stratégiquement possible serait d'implanter l'instance transcendantale dans la relation communicationnelle afin d'examiner ce qu'on peut en dire *a priori*. J'ajoute que la mise en commun du sens doit faire une place au *dissensus* et à l'*agôn* dans le discours, se tenir à égale distance d'un modèle consensuel de la vérité et d'un modèle de discours agônal.

RÉFÉRENCES BIBLIOGRAPHIQUES

J. BOUVERESSE, *Rationalité et cynisme*, Paris Minuit 1984.
J. HABERMAS, « Was heißt Universalpramagtik », *Sprachpragmatik und Philosophie*, Suhrkamp, 1976.
J.-F. LYOTARD, *Le Différend*, Paris Minuit 1983.
R. RORTY, « Solidarité ou objectivité », *Critique*, n° 439, déc. 1983.
« Le Cosmopolitisme sans émancipation », *Critique*, n° 456, mai 1985.
E. TASSIN, « Sens commun et communauté : la lecture arendtienne de Kant », *Les Cahiers de philosophie*, n° 4, 1987.

──────── *FRANCIS JACQUES* ────────

**Professeur à l'Université Paris V, auteur notamment
de *Différence et subjectivité*, Paris, Aubier-Montaigne
1982, *L'Espace logique de l'interlocution*, Paris, PUF,
1985.**

BERTRAND VERGELY

PHILOSOPHIE

ET EXPÉRIENCE RELIGIEUSE

LA RELIGION PENSAIT HEGEL EST L'AVANT-DERNIÈRE ÉTAPE DE L'ESPRIT AVANT QU'IL N'ACCÈDE À LA PHILOSOPHIE. QUE SIGNIFIE AUJOURD'HUI LA SOL-LICITATION DE LA PHILOSOPHIE PAR LA TRANSCENDANCE ?

Rien ne relie *a priori* philosophie et religion. Lorsqu'il surgit au VIe siècle avant Jésus-Christ en Grèce, c'est contre le mythe que le logos philosophique s'érige. A un ordre sacré des choses, les premiers philosophes opposent le projet d'une cité s'articulant sur la raison mathématique et la démocratie. Plus proche de nous, lorsqu'avec les Lumières la philosophie devient le foyer intellectuel de l'Europe, c'est contre la religion que cette émergence s'effectue. A une société qu'ils jugent asservie à la superstition et à l'obscu-rantisme, les philosophes rêvent de substituer une société fondée sur la raison et la liberté. On a vu dans ces oppositions l'expression d'un matérialisme vengeur. En fait, elles témoignent d'une exigence.

Face à la tentation de projeter au-delà de l'existence des entités anthropomorphiques et de se laisser guider par elles, la philosophie est le rappel que toute la dignité de la vie réside dans l'acceptation courageuse du risque de l'existence, loin des séductions qu'offrent les arrière-mondes et les effusions communautaires. D'où, d'un bout à l'autre de son histoire, un procès constant de la religion s'expri-mant à travers Épicure dénonçant l'illusion qui consiste à croire que les dieux s'intéressent aux hommes, Spinoza décelant à travers la figure d'un Dieu créateur la passion d'un sujet en quête d'une nature contingente pour y déployer ses fantasmes, ou Marx et Freud soup-çonnant dans les spéculations religieuses des sublimations commo-des face aux contradictions que provoquent nécessairement la pra-tique sociale ou l'économie du désir.

De son côté, la religion n'est pas en reste. Lorsqu'au VIe siècle avant Jésus-Christ en Grèce la philosophie apparaît, la religion réa-git vivement. A la loi écrite de la raison, Antigone oppose la loi non-écrite du cœur. A la mesure du discours bien réglé, le poète tragi-que oppose ses dithyrambes et son ivresse. Plus proche de nous, lorsqu'avec le rationalisme des Lumières émerge une civilisation technicienne aspirant à la conquête et à la domination, une autre réaction religieuse se fait jour. A un monde reniant tout sens du sacré et de la personne, les mystiques opposent les ressources de l'expérience intérieure et de la générosité. On a vu dans ces oppositions un idéalisme frileux. En fait, elles sont, bien plus profondément, le témoignage d'une exigence.

Face à la tentation de totaliser l'histoire à partir de la raison ou de l'homme, la religion est le rappel que l'existence ne conserve son sens que lorsque les êtres sont reliés au mystère de la vie ainsi qu'au partage d'une mémoire et d'un avenir avec autrui. D'où, d'un bout à l'autre de l'histoire spirituelle occidentale, un procès de la philosophie s'exprimant à travers Tertullien refusant toute rationalisation de la foi, Pascal rejetant le Dieu des philosophes pour suivre le Dieu de la charité, ou Kierkegaard opposant à la totalisation des systèmes l'irréductibilité de l'existence.

Pourtant, les choses ne sont pas si simples. La philosophie a beau s'opposer à la religion, il n'en reste pas moins que certains spirituels n'ont pas cru bon de la dédaigner. Pourquoi Clément d'Alexandrie a-t-il vu dans les vérités philosophiques des vérités religieuses qui s'ignorent ? Pourquoi saint Thomas a-t-il pu dire que la raison était l'auxiliaire de la foi ? Pourquoi la spiritualité médiévale s'est-elle pensée comme sagesse et non pas seulement comme religion ? Était-ce par souci politique de récupérer la philosophie afin de mieux asseoir l'hégémonie de l'Église ou parce qu'il existe plus profondément une signification spirituelle de la philosophie ? Par ailleurs, la religion a beau s'opposer à la philosophie, certains philosophes n'ont pas cru devoir la rejeter.

Pourquoi Hegel n'a-t-il cessé d'insister contre les romantiques sur la richesse spéculative de la religion, dans laquelle il voyait l'avant-dernière étape de la manifestation de l'esprit ? Pourquoi Bergson enseignait-il que la mystique est la seule façon que nous ayons de comprendre cette immense « machine à faire des dieux » qu'est l'univers ? Pourquoi enfin Heidegger a-t-il vu dans la méditation d'un Maître Eckart sur le fond sans fond de Dieu, une profondeur essentielle à la méditation du sens du voilement de l'Être ? Était-ce par souci politique de récupérer la religion afin de mieux asseoir un conservatisme politique ou parce qu'il existe plus profondément une signification spéculative de la religion ?

Une question se pose dès lors. Si la philosophie a effectivement une signification spirituelle, et si la religion a de son côté une signification spéculative, reste-t-il pertinent de les opposer ? La philosophie ne s'appauvrit-elle pas à vouloir se couper de l'expérience religieuse ? L'expérience religieuse peut-elle vraiment faire l'économie de toute philosophie ? Est-ce vraiment penser et croire que d'opposer le penser au croire et le croire au penser ?

OSER PENSER
OSER S'ÉMERVEILLER

La dignité du geste philosophique repose entre autres dans cette exigence qu'on y trouve de se vouloir responsable de soi, sans les secours que peuvent offrir les arrière-mondes. Toutefois, cette liberté que la Philosophie cherche à conquérir n'est pas complètement possible sans la foi ni Dieu. Considérons la pensée : il est certes vrai qu'elle est un acte rigoureux de critique à l'égard des croyances, mais il est aussi vrai qu'elle est un acte de foi faisant du philosophe celui qui espère et résiste par la pensée, quand les consciences se résignent et s'asservissent. Il est vrai aussi que la pensée tire ses prémisses d'évidences rationnelles et non d'intuitions ou de simples sentiments. Il n'empêche que ce qui la fait vivre réside dans la démarche d'un sujet osant une idée à partir de ce qui lui paraît vraisemblable. Il est vrai encore que la rationalité scientifique se déploie sur fond de stricte observation des choses. Pourtant, la science aurait-elle été possible sans la croyance que le monde qui nous fait face n'est pas inerte mais habité d'intelligence ? Enfin, personne n'objectera que la pensée est tout sauf une rhétorique. Pourtant, une vérité n'est pas seulement un contenu. Quelque chose, pour devenir vrai dans la communauté des hommes, a besoin d'être crédible et la manière dont elle est dite compte autant que ce qui y est dit. Tant il est vrai que faire penser c'est, en même temps que l'on pense, faire aimer la pensée même. Si donc la philosophie n'est pas la religion, il n'y a pas non plus les distances que l'on imagine entre elles deux, et la philosophie reste tributaire d'une « foi philosophique », comme il revient à Jaspers de l'avoir déterminé. Certes, nul ne niera que la pensée est une école de rigueur. Mais nul ne niera non plus que la rigueur ne suffit pas pour faire de la philosophie, car ce que l'on attend du penseur c'est qu'à côté de raisonnements bien formés, il montre, face à la haine de la réflexion, que la pensée vaut bien un détour.

Pour ce qui regarde maintenant la question du fondement de la pensée Kant, c'est vrai, nous a appris à nous méfier des usages que les philosophes font de Dieu. Arguant que rien ne vient de rien, ceux-ci prétendent allègrement pouvoir déployer l'unité qui va des créatures au principe créateur, sans apercevoir qu'il n'existe rien pour nous garantir que la connaissance supposée de Dieu soit vraiment divine. Ceci dit, il n'en reste pas moins qu'il est difficile de concevoir un exercice de la pensée sans Dieu. D'abord, s'il est vrai que c'est dans l'acte de produire notre existence que nous nous assurons que celle-ci n'est pas un rêve ou un délire, — mais quelque chose de bien réel —, on peut admettre également que c'est en aimant, comme le rappelle Pascal, que notre existence devient réelle.

Dès lors une question se pose : si l'amour rend notre existence réelle, n'est-ce pas parce qu'un amour donné de toute éternité rend toute existence réelle[1] ? S'il demeure vrai, en outre, que nous pensons parce que nous choisissons de le faire à partir d'une décision radicale, sommes-nous pour autant les seuls garants de notre pensée ? La possibilité inouïe que nous avons de dire « Je pense » ou « Je suis » pourrait-elle exister sans l'existence de toute éternité d'un autre « Je suis » trouant l'indifférence des choses ? Enfin, on entend souvent dire que le mystère est une chose contraire à la science et qu'il relève plus de l'irrationnel que de la raison. Mais n'est-ce pas plutôt l'inverse qui est vrai ?

Quand on voit la science évoluer vers la complexité en déterminant la réalité comme hiérarchie de niveaux hétérogènes, allant de la matière à l'esprit en passant par la vie et la conscience, ne peut-on voir là de sa part une ouverture grandissante au mystère et au sens de l'infini ?

Toutes ces questions font apercevoir que, sans être divine, la pensée n'est peut-être pas sans Dieu. Certes, faire trop vite de Dieu la condition de la pensée, c'est à coup sûr supprimer l'autonomie de cette dernière, ainsi que la possibilité pour elle de pouvoir se concevoir sans lui. Mais limiter la philosophie à une simple proclamation d'autonomie ne suffit pas, car ce qu'on attend d'un penseur, ce n'est pas qu'il nous prouve qu'il ne dépend que de lui-même, mais qu'il apprenne à s'étonner et à s'émerveiller, quand l'indifférence et la banalisation triomphent, parce que l'on reçoit l'existence comme un dû et non plus comme un don.

Dès lors, s'il est vrai que la philosophie acquiert sa figure propre par les distances qu'elle prend à l'égard de la religion, il n'en reste pas moins vrai qu'elle se distingue de la simple rationalité en ayant foi dans la pensée quand cette vertu se perd et en s'émerveillant devant l'existence quand cette grâce s'efface. Il y a là bien sûr un paradoxe, car cela revient à dire que, bien qu'elle soit un dégagement à l'égard de la religion, c'est encore par un acte « religieux » que la philosophie opère ce dégagement. On peut toutefois tenter de le lever en rappelant que penser ne fait aucunement l'économie de l'existence. Au contraire ! Toute pensée s'effectue en se communiquant. Toute pensée est une activité symbolique, qui consiste non pas tant à produire des concepts qu'à faire en sorte que ces concepts deviennent des signes pour une conscience. Toute pensée possède par là-même, dans le dépassement qu'elle effectue pour devenir un signe, un retentissement religieux.

Ceux donc qui accordent à la philosophie une signification spirituelle n'ont pas tout à fait tort. Toute parole qui se veut vive rencontre nécessairement la transcendance sur son chemin, car pour communiquer, il lui faut, outre penser et parler, entreprendre d'aller au-delà d'elle-même afin d'atteindre l'autre.

Est-ce à dire pour autant que la philosophie n'a de sens que spirituellement ? Non, car s'il n'est point de pensée vive sans l'acte de se transcender, la transcendance ne se rencontre que dans l'acte de la pensée. Pour aller au-delà de soi, encore faut-il commencer par habiter en soi. Que la philosophie soit donc habitée par quelque chose de religieux, tout en prenant ses distances à cet égard, n'est pas contradictoire. Sans mystère de l'existence, il n'y aurait pas de liberté de penser, mais sans liberté de penser, le mystère de l'existence perdrait sa valeur de mystère. Si donc il demeure vrai que toute pensée s'enracine dans un au-delà d'elle-même, il n'en reste pas moins que c'est parce qu'on a la liberté de le penser que cet au-delà a un prix.

DONNER À LIRE
DONNER À CONSTRUIRE

Pour ce qui concerne par ailleurs la religion, la dignité de son geste consiste à témoigner d'une présence irréductible qui donne sens à l'existence. Toutefois, un tel témoignage n'est pas complètement possible sans l'exercice d'une pensée, voire d'une raison. Considérons la foi : il est vrai qu'elle ne s'explique pas et qu'elle est plus reçue comme une grâce et une révélation que déduite à partir de raisonnements. Pourtant, elle n'est pas sans raisons non plus, car toute existence la requiert. Vivre, c'est nécessairement adhérer sans comprendre à une existence qui nous dépasse, autant par sa présence que par sa multiplicité. C'est aussi vivre pour vivre, en réalisant que les trop fameuses « raisons d'être » privent l'existence de sens à force de faire exister pour autre chose, alors que le « sans raison » lui redonne ce qui lui manquait : la grâce d'exister pour elle-même.

La foi possède, autrement dit, la raison d'être un fondement, dont rien ne peut rendre raison, non parce qu'elle est absurde, mais parce qu'elle est l'existence même et dans l'existence, cette absence de raison sans laquelle celle-ci perd tout son sens. A ce titre, loin d'être une expression de l'irrationnel et de condamner toute pensée, elle est bien plutôt le dévoilement d'une nouvelle dimension : celle de tout ce « sans raison » qui fait sens.

Par ailleurs, s'il est vrai que la foi vit d'abandon et grandit dans le silence et la prière, on ne peut pourtant pas la séparer d'un mouvement de pensée et d'interprétation : toute interprétation du réel est liée à un acte de foi, comme toute foi s'ouvre sur un déchiffrage du réel, car si avoir la foi c'est ne pas réduire les événements tant intérieurs qu'extérieurs à un seul sens, s'ouvrir à la multiplicité du sens des événements tant intérieurs qu'extérieurs c'est à un moment ou à un autre s'abandonner au surcroît de sens qui traverse l'existence. Quand donc la foi est effectivement un abandon, il faut immédiatement ajouter qu'il s'agit là d'une ouverture à une nouvelle dimension : celle de l'impensable multiplicité sans laquelle l'existence ne saurait être pensée. Par là-même, quoique l'expérience religieuse ne soit pas une philosophie et qu'elle se propose plus d'apporter une délivrance qu'une pensée, il n'en reste pas moins vrai aussi qu'elle délivre la pensée, en privant l'existence de raison, comme elle le fait, afin de mieux apprendre à y lire une infinité de sens.

Pour ce qui regarde maintenant la question du rapport de Dieu à la pensée, nous savons, entre autres par Maître Eckart et Pascal, que Dieu est un Dieu caché et que sa manière de se montrer consiste à se dérober aux prises captatrices qui cherchent à en faire une idole. Toutefois, au-delà du fini, il est aussi au-delà de l'infini et se dérober passe aussi pour lui par le fait de se dérober au dérobement qui l'enferme dans la désincarnation. S'il existe donc une tentation de le limiter en prétendant cerner sa présence, il existe aussi une autre tentation qui consiste à cerner son absence et à l'enfermer dans l'ineffable. Pour cela, sans aucunement renier le fait que l'expérience de Dieu passe par un dépouillement à l'égard de toute dimension finie, il convient cependant d'ajouter qu'il existe une autre voie de dépouillement passant, elle, par le détachement à l'égard du détachement.

Concrètement, ceci veut dire que Dieu se rencontre au-delà du monde, mais qu'il peut se rencontrer aussi au cœur du monde. Cela veut dire encore qu'il dépasse toute science, mais qu'il habite aussi toute exigence qui s'efforce de pénétrer le cœur des choses. Cela veut dire enfin qu'aucune action ne peut le contenir, mais qu'il peut s'éprouver à travers les œuvres qui libèrent le réel de son inertie. Les œuvres de l'intelligence sont autrement dit elles aussi un des témoignages possibles de l'action divine. Et ce qui vaut pour l'imagination, car, sans être déterminée de façon rigide, l'existence n'est pas pour autant arbitraire et entre le dogmatisme qui voit de l'ordre partout et le nihilisme qui n'en voit nulle part, il existe peut-être une tierce voie plus sage : celle apprenant à voir en Dieu un artiste œuvrant à travers sa création afin de susciter des vocations et d'inspirer une profusion d'œuvres [2].

Concrètement, cela veut dire qu'aucun mot ne peut atteindre Dieu, mais qu'il se dévoile pourtant à travers la dimension poétique, dans laquelle on expérimente de façon souvent fulgurante que dire n'est possible que sur le fond d'un « laisser dire » et écrire sur le fond d'un « laisser s'écrire » [3]. Cela veut dire encore qu'aucun geste ne peut l'étreindre, mais qu'il se profile pourtant à travers la dimension amoureuse, où la chair et le désir finissent par dire quelque chose qui les dépasse à force de se faire abîmes ou sommets. Cela veut dire enfin qu'aucune relation ne l'épuise, mais qu'il transparaît à travers les fraternités qui s'imaginent dans l'histoire et les vagues de générosité qui débordent les individus.

Dès lors, s'il est vrai que l'expérience religieuse est fort différente de l'exercice de la pensée, il n'en reste pas moins vrai qu'elle se distingue de la simple croyance par le fait qu'elle cherche à lire l'existence plutôt qu'à s'aveugler et à construire plutôt qu'à se résigner. Plus qu'absence de pensée ou irrationalité, elle est une pensée autre que nous ne pensons pas encore. Il y a là bien sûr un paradoxe, car cela revient à dire que, bien qu'elle soit un dépassement de toute pensée, c'est encore par la pensée que l'expérience religieuse opère ce dépassement. On peut toutefois tenter de le lever en rappelant que croire ne fait aucunement l'économie de toute signification. Au contraire ! Une foi se déploie en se signifiant. Elle consiste non pas tant à adhérer aveuglément à une entité à travers une expérience émotionnelle violente, qu'à manifester de toutes les façons possibles l'inouï qui traverse l'existence. Elle possède par là-même, dans le dépassement qu'elle effectue pour devenir un foyer de sens, un retentissement philosophique[4].

Ceux donc qui accordent à la religion une signification spéculative n'ont pas tout à fait tort. Toute expérience religieuse vive rencontre nécessairement la question de la signification sur son chemin, car pour être vécue, il lui faut, outre croire et éprouver, aller au-delà d'elle-même afin de devenir manifeste. Est-ce à dire pour autant que la religion n'a de sens que spéculatif ? Non, car si toute foi requiert un travail de signification, toute élaboration de sens repose sur un acte de foi. Faire apparaître du sens là où celui-ci faisait défaut, c'est non pas tant réduire ce qui est, qu'accepter de se faire dépasser et déborder par ce qui s'y déploie. Que l'expérience religieuse soit donc habitée par quelque chose de philosophique tout en prenant ses distances, à cet égard, n'est pas contradictoire. Sans œuvre qui la signifie, la foi resterait lettre morte, mais sans foi il n'y aurait pas d'œuvres. Si donc il demeure vrai que la foi est suspendue à des œuvres, il n'en reste pas moins que tout le prix des œuvres réside dans un acte de foi originaire, sans lequel elles ne sauraient jaillir.

TRANSCENDANCE ET SIGNIFICATION

Il n'y a dès lors pas à opposer pensée philosophique et expérience religieuse car c'est le mystère de l'existence qui donne son sens à la liberté de penser comme c'est la liberté de penser qui fait rejaillir le mystère de l'existence. Ce n'est donc pas contre l'expérience religieuse que l'on devient philosophe, ni contre la pensée philosophique que l'on accède à l'expérience religieuse, mais avec les deux ensemble que l'on donne du sens à l'existence et que l'on fait « exister » du sens. Comme le rappelle Paul Ricœur, on ne peut séparer la transcendance de la signification[5]. Lorsque les vivants que nous sommes produisent des biens, des jouissances ou des valeurs qui remplissent leur existence, c'est toujours en les dramatisant qu'ils le font, car l'acte d'exister rencontre en lui-même quelque chose qui le dépasse. Produire c'est par-delà la violence du monde économique éprouver que le travail est un dépassement de soi et l'échange un dépassement vers l'autre. Aimer c'est rencontrer, par-delà le fantasme et la passion, l'altérité d'un désir que rien ne peut enfermer. Se donner des valeurs enfin, c'est découvrir que dans un monde où tout peut s'acheter, une seule chose reste sans prix : l'existence elle-même. On ne rencontre donc l'existence qu'en la dépassant. Aussi les mythes, les utopies, les sacralisations et les rites qui l'auréolent ne sont-ils pas tant des illusions, que les traces d'une expérience intérieure de la surabondance traversant ce que nous appelons l'extériorité. Toutefois, qu'il n'y ait pas de méprises. Lorsque les vivants que nous sommes nouent des rapports avec la générosité, l'amour ou la grâce, c'est toujours en les incarnant qu'ils le font, car la transcendance ne se profile qu'au sein d'une existence qui la signifie. C'est avec toute sa vie que l'on est généreux, car donner c'est par-delà le don avoir comme on dit « le geste ».

C'est aussi avec toute sa chair que l'on aime, car aimer c'est par-delà un sentiment, donner de soi. C'est enfin avec tout ce que l'on est que l'on vaut, car valoir c'est par-delà la valeur, être. On ne rencontre la transcendance qu'en existant. Aussi n'est-ce pas se couper de celle-ci que de s'éloigner des mythes, des utopies, des sacralisations et des rites afin de vivre pour eux-mêmes ce que le travail, l'amour et les valeurs dispensent. C'est au contraire se donner les moyens de la rencontrer en rencontrant à travers le remplissement de son existence le surplus qui traverse celle-ci. Dès lors, si la transcendance ne se sépare pas de la signification et si par ailleurs la signification ne se sépare pas de la transcendance, force est de constater que l'élan religieux n'est pas forcément exclusif de l'exigence philosophique et inversement. L'expérience religieuse nous apprend certes à regarder le réel comme traversé de surabondance plutôt qu'à le considérer pour lui-même. De son côté, l'exigence philosophique nous apprend plus à regarder le réel pour lui-même qu'à le déchiffrer comme traversé par quelque chose. Pourtant n'est-ce pas parce que l'on sait et l'on sent le réel traversé par un surplus de sens que l'on peut considérer celui-ci pour lui-même ? N'est-ce pas par ailleurs parce que l'on considère le réel pour lui-même que l'on apprend à y déceler peu à peu une surabondance de sens ?

Toutes ces questions font apercevoir qu'on ne peut séparer l'expérience temporelle de l'expérience de la transcendance. Celles-ci sont unies et distinctes à la fois, car c'est seulement par leur unité et leur distinction que notre existence acquiert son unité et sa valeur.

C'est parce que l'expérience de la transcendance vient inspirer notre action dans le temps et que notre action dans le temps vient ressaisir l'intuition de la transcendance, que nous pouvons nous unifier et échapper au refus nihiliste de l'éternité comme au refus idéaliste du temps.

C'est par ailleurs parce que l'expérience du temps échappe à l'éternité et que la relation à l'éternité échappe au temps que l'une comme l'autre acquièrent un caractère unique. C'est autrement dit, parce qu'il existe une unité entre le temps et l'éternité que nous pouvons resaisir le caractère unique de l'existence et parce qu'il existe quelque chose d'unique dans le temps et l'éternité qu'il importe d'unifier l'existence.

Si donc l'unité et la différence de la pensée philosophique et de l'expérience religieuse doivent nous solliciter, c'est que nous avons besoin de l'une comme de l'autre afin de pouvoir conférer une valeur à ce qui nous unifie et une unité à ce qui s'offre à nous comme valeur.

1. PASCAL, *Pensées*, n° 131, p. 83, éd. Lafuma/Seuil.
2. G. GUSDORF, *Du néant à Dieu dans le savoir romantique*, p. 426 à 430, éd. Payot.
3. MICHEL DE CERTEAU, *Philosopher*, « Mystiques et philosophies », p. 449, éd. Fayard.
4. E. CASSIRER, *La philosophie des formes symboliques*, tome II, p. 280 à 296, éd. Minuit.
5. PAUL RICŒUR, *La symbolique du mal*, p. 11 à 30, éd. Aubier. *Le conflit des interprétations*, pp. 101 à 122 et 265 à 283, éd. du Seuil.

——— *BERTRAND VERGELY* ———
Professeur de philosophie

PIERRE MACHEREY

FOUCAULT :

ÉTHIQUE ET SUBJECTIVITÉ

L'INFLEXION ÉTHIQUE DE LA PENSÉE DU DERNIER FOUCAULT A PU SUR-
PRENDRE. POURTANT LES TRAVAUX ANTÉRIEURS DE CE PENSEUR ANNON-
ÇAIENT L'ACCENT PORTÉ SUR LA SINGULARITÉ ET L'ÉVÉNEMENT.

Dans la conclusion de l'*Usage des plaisirs*, Michel Foucault a clairement dégagé les orientations et les enjeux d'une investigation
éthique :

> « Si l'on veut fixer une origine à ces quelques grands thèmes
> qui ont donné forme à notre morale sexuelle (l'appartenance du
> plaisir au domaine dangereux du mal, l'obligation de la fidélité
> monogamique, l'exclusion de partenaires de même sexe, non seu-
> lement il ne faut pas les attribuer à cette fiction qu'on appelle
> la morale judéo-chrétienne, mais surtout il ne faut pas y cher-
> cher la fonction intemporelle de l'interdit, ou la forme perma-
> nente de la loi. L'austérité sexuelle précocement recommandée
> par la philosophie grecque ne s'enracine pas dans l'intempora-
> lité d'une loi qui prendrait tour à tour les formes historiquement
> diverses de la répression, elle relève d'une histoire qui est, pour
> comprendre les transformations de l'expérience morale, plus déci-
> sive que celle des codes : une histoire de l'« éthique » entendue
> comme l'élaboration d'une forme de rapport à soi qui permet à
> l'individu de se constituer comme sujet d'une conduite morale. »
> (p. 275)

La même argumentation que celle, qui dans *La Volonté de savoir*,
avait soutenu une réflexion critique autour des grands thèmes de
la psychanalyse, conduit ici à dénoncer l'effort pour interpréter
l'expérience éthique du sujet à partir du fait primitif de la loi, origine mythique incarnée cette fois dans la fiction anhistorique de « la
morale judéo-chrétienne ». A l'inverse, il faut comprendre comment
la loi, dans la mesure où elle prend la forme juridique de l'interdit,
n'est elle-même qu'un effet particulier et dérivé, dont la production
prend place dans un processus plus fondamental qui est celui, non
de la morale proprement dite, en rapport avec des systèmes d'obligation et des codes, mais de l'éthique.

En quoi l'éthique diffère-t-elle de ce que nous avons l'habitude de
désigner à travers le terme « morale » ? En ce que la forme de rapport à soi dont elle traite ne se définit pas en référence à une loi,
donc à un universel. Alors que le sujet moral doit se conformer à
une loi préexistante, en ce double sens qu'il y est obligé et aussi
qu'il est censé le faire, le sujet éthique ne se constitue pas par son
rapport à la loi sous laquelle il se range, mais à partir de « l'élabo-

ration d'une forme de rapport à soi qui permet à l'individu de se constituer comme sujet d'une conduite morale ». L'éthique étudie comment, sans qu'intervienne ou avant qu'intervienne une loi, l'individu se transforme en sujet pour une conduite morale. Le sujet n'est donc pas donné comme tel à l'origine, déjà tout constitué ; il est le résultat d'une procédure de transformation qui le constitue. L'éthique s'intéresse précisément aux conditions de cette production du sujet.

Ceci signifie aussi que le sujet n'est pas donné indépendamment de son histoire, c'est-à-dire des formes de sa constitution. L'éthique ne révèle pas une figure du sujet en soi, précédant les conditions historiques de sa réalisation, mais l'histoire du sujet : elle montre comment, dans telles ou telles conditions, les individus deviennent sujets.

Or, penser le sujet dans son histoire, ce n'est pas seulement présenter celle-ci comme constituant son contexte ou son environnement : mais c'est montrer comment, dans le sujet lui-même, qu'elle constitue de part en part, elle détermine et définit les conditions de son existence de sujet. Pour cela, il faut renoncer à le considérer comme sujet substantiel, défini par son essence de sujet et ainsi constitué préalablement au cycle de sa production et de ses transformations. En d'autres termes, le sujet ne doit plus être considéré sur fond d'universalité, comme il l'est par exemple dans l'expérience cartésienne du cogito, mais au contraire, en rapport avec une singularité. Ou encore : le sujet qui, pour une éthique proprement dite, n'a pas de réalité substantielle, n'a plus que celle d'une forme. Il se définit comme une forme-sujet, qui n'est jamais fixée définitivement, mais est historiquement déterminée, et donc entraînée dans un mouvement incessant de transformations.

On comprend alors pourquoi c'est la notion de « pratique de soi », qui, selon Foucault, spécifie le champ d'une éthique. Cette notion est en effet tout à l'opposé de la présentation d'un moi autonome qui, du fait qu'il se définit par son essence première, communique d'emblée avec un universel, et, déjà tout plein de lui-même, précède sa propre histoire. « Soi », au sens de l'éthique, est précisément le contraire de ce moi essentiel. En effet, il est le résultat d'une pratique, c'est-à-dire d'un travail. L'objet de l'éthique est ce travail de subjectivation, qui restitue à la notion de sujet sa processivité et son historicité. Du point de vue d'une histoire éthique du sujet, il s'agit de comprendre comment, à tous les moments de cette histoire, ça « subjective », ça « fait du sujet », ça « fait sujet ». Et ceci, sans chercher à ramener ce travail de subjectivation au présupposé idéal d'un sujet-substance, qui serait le « sujet » de ce travail de transformation des individus en sujets, alors que le sujet n'est lui-même que le résultat, le produit de ce travail.

Mais ici s'élève une objection, qu'on ne peut éviter de prendre en compte : faire ainsi du sujet un produit historique, c'est-à-dire le considérer comme résultat d'un processus dont il n'est pas initialement le principe, n'est-ce pas « l'objectiver » et donc lui retirer aussi sa qualité de sujet ? Complètement « assujetti » aux conditions singulières de son effectuation, démis ainsi de toutes ses prétentions à l'universel, le sujet n'est-il pas, en même temps qu'il est réinséré dans l'histoire qui le constitue, privé de cette marge d'autonomie, d'initiative et de responsabilité, qui lui assure sa fonction proprement éthique de sujet ? Un sujet subjectivé, au sens des pratiques de subjectivation, n'est-il pas aussi un sujet désubjectivisé, ombre de lui-même, ne trouvant et ne conquérant sa position qu'en renonçant à sa liberté ?

QU'EST-CE QU'UN SUJET ?

I l faut donc reposer la question : qu'est-ce que penser le sujet comme tel ? Où situer la marge d'initiative et d'intérêt qui le constitue spécifiquement comme sujet ? Car il ne suffit pas de dire que le sujet est dans son histoire, dont il ne peut se libérer, encore faut-il préciser où il se situe dans cette histoire. Il faut identifier le lieu où se produit le sujet et qui définit le domaine propre de l'éthique. On vient de parler d'une marge d'initiative et d'intérêt qui devrait être maintenue pour que le sujet ne se perde pas dans son ombre. Or la question ainsi posée porte déjà l'indication de sa solution : le lieu du sujet est une marge ; la place que le sujet occupe dans l'histoire, ce sont ses marges. Pour dire cela, Deleuze, dans le livre qu'il a consacré à Foucault, utilise une formule extrêmement frappante. Il a écrit : « Le dedans comme opération du dehors : dans toute œuvre, Foucault semble poursuivi par ce thème d'un dedans qui serait le pli du dehors, comme si le navire était un plissement de la mer. » (*Foucault*, Paris 1986, éd. Minuit, p. 104), et encore : « l'embarcation comme intérieur de l'extérieur » (id. p. 130). Comme si le sujet était le même de l'autre — la loi étant au contraire, dialectiquement, l'autre du même —, c'est-à-dire cette « identité » sans substance, qui n'a d'autre épaisseur, d'autre matérialité, que celle d'une différence ou d'une limite. En ce sens, le « lieu » du sujet est bien la marge, une limite : un lieu qui n'occupe plus à proprement parler un espace, mais qui, aux extrémités d'un espace, définit sa singularité.

Situer le sujet à la limite, l'identifier par sa différence, c'est d'une certaine manière penser sa singularité, le penser comme « soi ». Qu'est-ce que cela signifie ? Pour le comprendre, il serait peut-être utile de se remémorer les paradoxes de l'individualisme. L'individualisme est cette attitude qui tend à fixer la réalité de l'individu indépendamment de ce qui constitue son « dehors », et qui donc le considère comme une entité autonome, se suffisant à elle-même, refermée sur soi et sur le monde de ses intérêts, lesquels renvoient tous à l'intérêt primordial que l'individu se porte à soi-même. D'une certaine manière, c'est traiter l'individu comme un singulier absolu, en le détachant de tout rapport à un universel extérieur représenté par l'existence de tout ce qu'il n'est pas, et de tous les autres qu'il n'est pas. Mais il est clair que réfléchir ainsi le singulier en dehors de l'universel, comme constituant un ordre indépendant et préexistant, revient subrepticement, et sans doute inconsciemment, à retourner l'illusion de l'universel, à la reproduire en sens inverse : car l'autre de l'universel est encore un universel. Telle est l'opération même du sujet classique qui réinjecte l'universel dans le singulier : ainsi le cogito cartésien fait-il apparaître que le sujet, dans son expérience singulière, est porteur de valeurs universelles de vérité dont la connaissance constitue son essence, puisque penser et être sont la même chose (*cogito ergo sum* : je ne suis que de penser, je ne suis que ce que je pense). Penser le singulier en dehors de l'universel est encore le penser comme universel, puisque c'est le présenter comme une entité abstraite.

La seule manière conséquente de penser le singulier comme tel n'est pas de le détacher de l'universel, ou de l'y opposer, mais au contraire de l'y inclure, en montrant qu'il y a du singulier dans l'universel, et ainsi qu'il y a un singulier de l'universel. En ce sens, le sujet n'est ni pure intériorité ni pure extériorité, mais il se tient précisément à la limite de l'intérieur et de l'extérieur, dans un rapport qui est à la fois d'inclusion et d'exclusion, à cette place que les pratiques de soi doivent lui permettre de trouver ou d'inventer. C'est précisément là que s'ouvre le champ d'une problématique proprement éthique.

Ici une remarque s'impose : formulée dans ces termes très généraux, cette démarche ne caractérise pas seulement les derniers travaux de Foucault, mais elle concerne l'ensemble de ses investigations, depuis la première forme qu'en avait donnée l'*Histoire de la folie*. Celles-ci pourraient être généralement ramenées à cette préoccupation fondamentale : faire apparaître dans toutes les figures universelles qui traversent notre existence — le savoir, le pouvoir et le sujet lui-même — des éléments de singularité. En effet, adopter le point de vue de l'histoire pour traiter ces problèmes, en substituant à une réflexion sur le savoir une histoire des formes de savoir, à une réflexion sur le pouvoir une histoire des formes de pouvoir, à une réflexion sur le sujet une histoire des formes de subjectivation, c'est justement faire apparaître ce rapport très particulier d'inclusion et d'exclusion qui dans la constitution de toutes ces pratiques, lie l'universel et le singulier.

Or cette entreprise est précisément subjective : ayant perdu la faculté de contester de l'extérieur le système historique qui le conditionne (comme s'il constituait lui-même un contre-système), le sujet qui a compris que le projet de se libérer était illusoire, maintient la possibilité de le contester de l'intérieur en manifestant ce qui révèle, à rebours de ses prétentions à l'universalité, sa singularité. C'est ainsi que les jeux de savoir et de pouvoir, contrairement à ce qu'ils voudraient nous faire croire, ne vont pas de soi, parce que l'évidence dont ils relèvent est de type historique, et ne peut donc qu'abusivement prétendre à un caractère absolu et définitif.

La liberté effective du sujet commence avec cette propension à singulariser le système auquel il appartient, au moment où apparaît, à l'intérieur du cadre qui est fixé par cette appartenance, la possibilité d'établir par rapport à lui un certain recul, et donc dans une certaine mesure de s'en déprendre. Dans le fait de révéler ce qu'il y a d'historiquement singulier dans les ordres du savoir et dans ceux du pouvoir, il y a pour cette raison quelque chose de subjectif, au plein sens de la manifestation d'une possible liberté. Mais, comme on le voit, la singularité qui s'affirme ici est tout le contraire d'une singularité donnée : elle correspond plutôt à l'acte de singulariser, au fait de déceler des singularités.

L'ESTHÉTIQUE
DE L'EXISTENCE

Dans un entretien publié dans *Libération* le 30 mai 1981, sous le titre « Est-il donc important de penser ? », Foucault disait :

> « Chaque fois que j'ai essayé de faire un travail théorique, ça a été à partir d'éléments de ma propre expérience : toujours en rapport avec des processus que je voyais se dérouler autour de moi. C'est bien parce que je croyais reconnaître dans les choses que je voyais, dans les institutions auxquelles j'avais affaire, dans mes rapports avec les autres, des craquelures, des secousses sourdes, des dysfonctionnements, que j'entreprenais un tel travail, quelque fragment d'autobiographie. »

Ainsi « penser », dans le vrai sens de ce terme, c'est toujours penser des systèmes ou des normes, non en vue de les légitimer ou de les justifier, mais de manière à mettre en évidence ce qui ne va pas, ou tout au moins ce qui, en eux, ne va pas de soi : de ce point de vue, toute pensée authentique est « autobiographique ». Mais ceci ne veut pas dire que, en pensant des « objets » qui par définition lui sont extérieurs, le sujet ne ferait en réalité, par leur intermédiaire, que penser à lui-même, se penser soi-même, et donc projeter sur eux ses préoccupations propres de sujet, sa subjectivité : ceci est précisément la conception du rapport sujet-objet que l'idée de subjectivité développée par Foucault dépouille de toute signification. Cela veut plutôt dire que, en découvrant les failles du système dans lequel il s'inscrit et se produit comme sujet, le sujet s'ouvre du même coup un domaine d'intervention, à l'intérieur du système et non hors de lui, en gagnant la position à partir de laquelle une certaine revendication de liberté prend un sens.

C'est bien en ce sens que le sujet, et accessoirement le sujet qui pense, se définit par la manifestation d'une limite. Il ne s'agit pas de la limite qui passerait entre deux ordres indépendants, par exemple entre un monde de l'extériorité, où il y a de l'autre, et un monde de l'intériorité, où il n'y a que du même. Mais il s'agit de cette limite qui, dans tout ordre, dans tout système normé, fait apparaître en lui, et non au dehors, une marge (une certaine possibilité de repli) et y dégage, à l'intérieur de l'extérieur, comme le dit si bien Deleuze, un domaine d'identité et de relative initiative. En d'autres termes, dans tout système social et culturel, il doit y avoir un point ou une ligne de subjectivation, point ou ligne sans substance et sans épaisseur, d'où les individus se reproduisent comme sujets, en s'engageant dans ce type très particulier de pratiques que sont les pratiques de soi.

On comprend alors qu'en privilégiant, dans ses derniers travaux, les problèmes de l'éthique, Foucault n'ait pas du tout cherché à renfermer le sujet en lui-même, selon la tradition qui serait en général celle d'un individualisme ; car du point de vue d'un tel individualisme, il s'agit en priorité de comprendre ou de révéler en quoi le sujet, dont la détermination est alors anthropologique et non pas éthique, serait radicalement séparé de l'ordre historique à l'intérieur duquel il apparaît, et qu'il devrait rejeter pour conquérir sa propre essence.

Il faut dire au contraire que cette pratique de singularité, qui définit le sujet comme tel, n'est possible et pensable que dans les conditions historiques d'une culture, elles-mêmes singulières parce que les figures du savoir qu'elles tendent à promouvoir, tant du côté du savoir que de celui du pouvoir, ne sont jamais fixées une fois pour toutes, mais sont emportées dans un mouvement incessant de transformation. Aussi, avec son étude du monde grec et de ses modes de pensée, Foucault a-t-il développé le thème de ce qu'il a appelé une « esthétique de l'existence », mettre ce thème en valeur ne s'ignifiant pas pour lui poursuivre le rêve d'une vie hors-pouvoir et en quelque sorte hors-société, qui, en se fixant à soi-même ses propres règles, se serait du même coup « libérée » de tout rapport à un système extérieur : Foucault est tout le contraire d'un idéologue de la libération. Son opposition à ce concept traverse tous ses livres sans exception. L'esthétique de l'existence consiste seulement à découvrir ces points et ces lignes de subjectivation donnant lieu à des pratiques de soi par lesquelles les individus se font sujets, c'est-à-dire, dans l'ordre même qui les comprend et les contraint, se constituent comme étant hors-la-loi, mais non hors pouvoir ou hors du système de la norme, dans la mesure où le pouvoir et la norme ne se définissent pas à partir de la loi, mais la définissent comme un de leurs effets particuliers.

Dans un entretien publié dans le livre que lui ont consacré Dreyfus et Rabinow, Foucault déclare :

97

> « Le problème à la fois politique, éthique, social et philosophi-
> que qui se pose à nous aujourd'hui n'est pas d'essayer de libérer
> l'individu de l'État et de ses institutions, mais de nous libérer nous
> de l'État et du type d'invidualisation qui s'y rattache. Il nous faut
> promouvoir de nouvelles formes de subjectivité en refusant le type
> d'individualité qu'on nous a imposé pendant plusieurs siècles. »
> (*Foucault, un parcours philosophique*, trad. franç., Paris, 1984,
> Gallimard, p. 308).

Ainsi, il ne s'agit pas du tout de rendre l'individu à lui-même,
comme s'il attendait, subsistant quelque part dans son essence
immuable et inaltérée, d'être délivré du poids des contraintes historiques qui l'aliènent. Il faut plutôt promouvoir de nouvelles formes de subjectivité, voir si, à l'intérieur du système culturel auquel
nous appartenons, certains « plissements » (Deleuze) ne seraient pas
en voie de formation, qu'il serait possible d'ouvrir et d'élargir, pour
que s'y effectuent des formes de singularité constitutives de l'existence de sujets.

En ce sens, il n'y a pas lieu de penser la subjectivation en dehors
de l'appartenance à ce système ou contre elle ; il faut la penser
comme l'un de ses produits, au titre d'une éventualité qui y reste
toujours ouverte d'une certaine façon, mais jamais de la même
façon, ni identiquement pour tous. Aussi, identifier des formes de
subjectivation appartenant à un système social historiquement déterminé ne revient pas à définir la subjectivité par le fait de son intégration complète à ce système, qui se représenterait idéalement à
travers elle en la manipulant, en la « possédant ». Il faut comprendre comment, dans un système, il doit toujours y avoir place, —
« il doit », au sens non de l'obligation, mais de l'aléa et de l'événement —, pour des phénomènes de désintégration ou de détotalisation, par lesquels les individus deviennent sujets, en rapport avec
les pratiques de soi qui rendent possibles ces effets de rupture ou
de repli à l'égard de la totalité historico-sociale. Ceci suppose également qu'un système historique et social ne soit jamais plein et
homogène, comme le serait une structure définitivement close sur
elle-même, mais qu'il « doive » laisser place quelque part en lui à
des pratiques de soi se développant à sa limite, dans ses marges
ou dans ses plis. C'est donc la « structure » elle-même qui engendre les conditions d'une possible liberté, puisque le sujet est ce qui
s'insinue dans les failles de tout système, et émane en quelque sorte
de son décentrement.

UNE PHILOSOPHIE
DE L'ÉVÉNEMENT

F oucault a, de toutes ses forces, récusé la démarche d'une
philosophie de l'histoire. Pour deux raisons : d'une part, il
est impossible de rassembler tous les moments et tous les aspects
du développement historique dans un processus global et homogène,

à la manière de l'histoire universelle ; d'autre part, pour chacun des moments de ce développement saisi dans sa spécificité — au sens où Foucault parle, par exemple d'« âge classique » —, il n'y a pas non plus d'esprit du temps unifié, du point de vue duquel il serait possible de manifester l'absolue convergence de tous les éléments qui le constituent. Aussi l'histoire est-elle d'abord pour Foucault le lieu où se produisent des singularités, celles-ci n'ayant pas un statut indépendant de ce lieu et des conditions qui sont fixées à leur production. Cette démarche restitue tout son sens à la notion d'événement, telle qu'elle se retrouve par exemple dans le concept d'« événement discursif ». C'est pourquoi Foucault n'a jamais entrepris de réduire l'événementiel en le réintégrant dans l'ordre d'une structure, mais s'est toujours efforcé, au contraire, de penser la production de l'événement dans la perspective d'une histoire où il y a partout et toujours de l'événement et où il faut rechercher, à tous les niveaux, ce qui fait événement.

De ce privilège accordé à l'événement et aux formes de sa reconnaissance, il résulte que la problématique éthique reste, ou « doit » rester ouverte en permanence. Puisqu'il est exclu qu'aucun système puisse faire bloc et se concentrer sur lui-même, au point de supprimer la possibilité de l'événement, comme s'il n'était pas lui-même un événement, il reste toujours possible de se situer « soi-même » par rapport au système auquel on appartient, de façon à faire apparaître en lui cette inéluctabilité de l'événement. La pratique de soi du sujet n'est précisément rien d'autre.

Ces thèmes apparaissent, par exemple, dans un entretien consacré à Pierre Boulez en 1982 dans *le Nouvel Observateur* :

> « De la pensée, il attendait justement qu'elle lui permette sans cesse de faire autre chose que ce qu'il faisait. Il lui demandait d'ouvrir, dans le jeu si réglé, si réfléchi, qu'il jouait, un nouvel espace libre. On entendait les uns le taxer de liberté technique, les autres d'excès de théorie. Mais l'essentiel pour lui était là : penser la pratique au plus près de ses nécessités internes, sans se plier, comme si elles étaient de souveraines exigences, à aucune d'elles. Quel est donc le rôle de la pensée dans ce qu'on fait, si elle ne doit être ni savoir-faire ni pure théorie ? Boulez le montrait : donner la force de rompre des règles dans l'acte même qui les fait jouer. »

Singulièrement, s'énoncent ici un certain nombre de propositions de portée générale, caractérisant la position du sujet dans son rapport avec la pratique de la pensée : « penser » est toujours, comme on l'a vu, un fragment d'autobiographie. « Penser la pratique au plus près de ses nécessités internes, sans se plier, comme si elles étaient de souveraines exigences, à aucune d'elles » ; « donner la force de rompre les règles dans l'acte même qui les fait jouer » : ces formules s'appliquent exactement au travail de Foucault, elles en révèlent le caractère essentiellement « subjectif ».

Dans ce sens, penser, qui est aussi une opération éthique, c'est penser des limites. Ceci renvoie aux grandes orientations de la critique kantienne : mais celles-ci sont alors complètement réinterprétées. Pour Foucault, il ne s'agit pas de penser des limites pour constituer à partir d'elles la légalité ou la régularité d'un système, dans l'ordre de l'expérience pour la connaissance, hors de l'expérience pour l'action. Il s'agit plutôt d'un effort pour penser à la limite, en se portant aux limites de ces systèmes, en vue de les saisir là où ils se forment (qui est aussi le point où ils se défont) et ainsi d'ouvrir une certaine marge de liberté en les « problématisant ». Dans l'article publié aux États-Unis, « *What is Enlightment ?* » (*The Foucault Reader*, N. Y., 1984), Foucault explique :

> « ... ce que peut être une éthique philosophique consistant à travers une ontologie historique de nous-mêmes en une critique de ce que nous disons, pensons et faisons. Cette éthique philosophique, nous pouvons la décrire comme une attitude limite. il ne s'agit pas d'un geste de rejet. Nous devons dépasser l'alternative dedans/dehors, et nous poster aux frontières. Le geste critique, en effet, consiste à analyser et à penser des limites. Mais si le problème kantien était de déterminer quelles limites le savoir devait renoncer à transgresser, il me semble qu'il faut aujourd'hui retraduire le problème en des termes positifs : dans ce qui nous est donné comme universel, comme nécessaire, comme obligatoire, quelle place occupe le singulier, le contingent, ce qui est le produit de contraintes arbitraires ? En bref, le problème est de transformer toute la critique conduite sous la forme d'une limitation nécessaire en une critique pratique qui prend la forme d'une transgression possible. Cette démarche a une conséquence évidente : la critique n'a plus dès lors pour objet de trouver des structures formelles à la valeur universelle, mais elle se présente comme une investigation historique des événements qui nous ont conduits à nous constituer et à nous reconnaître comme les sujets de ce que nous faisons, pensons, disons. En ce sens cette critique n'est pas transcendantale, et n'a pas pour but de permettre une métaphysique ; elle est généalogique dans son projet et archéologique dans sa méthode. »

En fait, la démarche de Foucault est exactement inverse de celle de Kant. D'abord en ceci que le souci éthique n'a pas, selon Foucault, pour corrélat la délimitation d'un domaine d'intervention réservé proprement à l'action : ce n'est pas hors du système ouvert à la connaissance, mais dans ce système, ou plus exactement à sa limite, sur ses marges, que se joue la position du sujet, à travers son rapport éthique à soi. C'est bien pourquoi, dans l'œuvre de Foucault, l'éthique n'a pas constitué une préoccupation tardive qui, comme une seconde critique écrite après la première, se serait surajoutée aux investigations consacrées aux jeux du savoir et du pouvoir, en vue d'y adjoindre un nouveau domaine d'interrogation : mais c'est dans l'examen critique des discours et des institutions qui tendent à légitimer savoirs et pouvoirs que d'emblée l'éthique avait sa place, conférant ainsi à cet examen son caractère « autobiographique ». D'autre part, au lieu de dégager des conditions universelles de légitimité, en réponse aux questions : Que puis-je savoir ? Que dois-je faire ?, cet examen critique aboutit à une dé-légitimisation des systèmes de savoir et de pouvoir, à partir de la mise en évidence de ce que ceux-ci comportent d'arbitraire et de contingent, c'est-à-dire de singulier.

« L'INTELLECTUEL SPÉCIFIQUE »

Il apparaît donc que, contrairement à toute une tradition, penser n'est pas penser l'universel, mais penser le singulier dans son irréductible singularité. C'est ce que Foucault a voulu dire en parlant de « l'intellectuel spécifique », qu'il a opposé à l'« intellectuel universel ». L'intellectuel universel est celui qui dénonce une aliénation et proclame la nécessité d'une émancipation, au nom d'un droit commun, donc d'un principe de légitimité universellement reconnaissable : c'est à quelqu'un comme Habermas qu'il revient, aujourd'hui, de faire la théorie de cette position. L'intellectuel spécifique est celui qui, au lieu de chercher à universaliser sa position, en déclare au contraire le caractère autobiographique, non au sens de la défense de droits individuels censément distincts de ceux de la communauté, mais au sens de la révélation, nécessairement située, de ce qu'il y a d'essentiellement singulier dans le fait du droit, c'est-à-dire dans le fait de vivre sous des normes. L'intellectuel spécifique parle en son nom propre : et non en celui de l'Homme, de l'État (présent ou futur), ou du Prolétariat, car ces entités, du fait précisément de son intervention, sont elles-mêmes démises de leur prétention à l'universel. Et il ne s'agit pas non plus pour lui de proposer des modèles de vie et de pensée, ni d'envisager les conditions nécessaires à leur réalisation effective, dans une perspective « constructive », orientée par l'esprit d'utopie. Il se propose seulement de penser le présent dans sa singularité, sans chercher à l'inclure dans le processus d'une histoire universelle dotée d'un sens cohérent et univoque : et ceci en vue d'une liberté qui n'est pas pour demain, à la manière de ce qu'énoncent toutes les idéologies de la libération, mais pour aujourd'hui.

Enfin, cela signifie que penser ne se limite pas au fait de développer une pensée en lui donnant la forme d'un système : c'est, selon la magnifique formule de Kant, s'orienter dans la pensée, c'est-à-dire s'y situer, non en vue d'y occuper une position centrale, mais en cherchant au contraire à en gagner les frontières, de manière à la saisir, non de face, mais de biais. Ceci éclaire en particulier la manière dont Foucault lit les autres philosophes, comme Platon dans l'*Usage des plaisirs*, Descartes dans l'*Histoire de la folie* ou Kant dans les *Mots et les choses*. Car il ne cherche nullement à entrer dans leurs systèmes en vue d'en reconstituer la logique globale, comme si Platon par exemple n'avait fait que penser quelque chose qui fût la pensée de Platon, mais il les traite de manière incidente, en prélevant dans leurs discours des éléments singuliers qu'il isole, de manière apparemment arbitraire par rapport à l'ensemble à l'intérieur duquel ils se sont formés, en vue de mettre en évidence leur caractère d'événements. A rebours de l'effort architectonique d'intégration auquel se sont livrés les philosophes classiques, il s'agit de révéler ce qui reste en soi irréductible à une telle démarche de totalisation, et peut en être détaché. Ainsi le : « mais quoi ce sont des fous » de Descartes qui, en dehors même de la progression argumentative de la première Méditation, produit un effet de sens inopiné. Cette façon, proprement scandaleuse, de faire l'histoire de la philosophie ne retient des grands systèmes de pensée que leurs chutes, sans même chercher à procéder, après coup, à une relecture d'ensemble de tout ce qu'elles ont dit à la lumière de ces particularités considérées comme des symptômes dans le cadre d'une entreprise herméneutique qui en récupérerait finalement le sens global.

Il va de soi que Foucault devait aussi s'appliquer à soi-même cette opération de désintégration et de détotalisation, et renoncer à proposer une pensée qui fût d'abord mesurée à des critères de cohérence, refermée sur ses problèmes et sur ses concepts, refaisant ainsi le monde à son idée. S'engageant dans une pratique singulière de la pensée, il fallait qu'il la dispersât en une multiplicité d'interventions ponctuelles, dont la suite ne fût ordonnée à partir d'aucun principe préétabli d'où elle eût tiré l'illusion d'un commencement absolu. Ceci éclaire la parodie inaugurale par laquelle s'ouvre L'*Ordre du discours* :

> « Plutôt que de prendre la parole, j'aurais voulu être enveloppé par elle, et porté bien au-delà de tout commencement possible. J'aurais aimé m'apercevoir qu'au moment de parler une voix sans nom me précédait depuis longtemps : il m'aurait suffi alors d'enchaîner, de poursuivre la phrase, de me loger, sans qu'on y prenne bien garde, dans ses interstices, comme si elle m'avait fait signe, en se tenant, un instant, en suspens. De commencement il n'y en aurait donc pas ; et au lieu d'être celui dont vient le discours, je serais plutôt, au hasard de son déroulement, une mince lacune, le point de sa disparition possible. » (p. 7-8).

Car affirmer le caractère autobiographique de la pensée, c'est aussi reconnaître l'anonymat de tout discours, la formule « Je suis un auteur » ayant tout autant de sens, c'est-à-dire tout aussi peu, que celle qui donne son titre au fameux tableau de Magritte « Ceci est une pipe ». C'est ainsi que Foucault, par exemple, a considéré Raymond Roussel, au moment où celui-ci s'implique dans l'acte littéraire qu'il explique et qui l'explique :

> « Le "je" qui parle dans *Comment j'ai écrit certains de mes livres*, il est vrai qu'un éloignement démesuré, au cœur des phrases qu'il prononce, le place aussi loin qu'un « il ». Plus loin peut-être : dans une région où ils se confondent, là où le dévoilement de soi met au jour ce tiers qui de tout temps a parlé et reste toujours le même. » (*Raymond Roussel*, Paris, 1963, Gallimard, p. 195-6).

Pas plus que de le clore définitivement il n'est possible de commencer absolument un discours, puisque celui-ci a toujours déjà commencé. Puisqu'il y a toujours du discours, la seule possibilité qui reste ouverte au sujet est de dire le discours, en le repliant sur lui-même, c'est-à-dire de « donner la force de rompre les règles dans l'acte même qui les fait jouer ». Car dans un monde où il n'y a que des discours déjà organisés et normés, il reste toujours possible de se demander : « Mais qu'y a-t-il donc de si périlleux dans le fait que les gens parlent et que leurs discours indéfiniment prolifèrent ? » (*O.D.* p. 10) Or ceci définit une interrogation proprement éthique, au sens non de la recherche d'un nouveau conformisme, prophétisant ce que nous devons faire, mais de l'effort pour se déprendre de tout conformisme, à l'intérieur même de l'opération qui détermine des normes de conformité.

Michel Foucault

──────── *PIERRE MACHEREY* ────────

Maître de Conférences à l'Université de Paris I. Auteur, entre autres, de *Hegel ou Spinoza*, Maspero, 1978. Co-directeur avec Françoise Balibar de la collection « Philosophies » aux PUF.

CONTREPOINT

EXPÉRIMENTATION ET EXTERMINATION, UNE CRISE PASSÉE SOUS SILENCE

« Il nous suffit de garder les yeux ouverts, pour voir que nous nous trouvons dans un véritable champ de décombres. »
Hannah Arendt

Claude Bernard fut parmi les premiers à poser la question de l'accord entre l'intérêt de la science et celui du sujet de l'expérimentation, dans la méthode fondée en médecine sur la participation de l'être humain. Pour lui, s'il y a distinction radicale entre l'attitude du philosophe et celle du médecin expérimentateur, il n'y a pas rejet de l'esprit philosophique. En revanche, peu après, certains sont beaucoup plus radicaux et n'hésitent pas à justifier l'activité scientifique pour elle-même, sans considération pour l'« objet » animal ni surtout humain. Une crise tout à la fois éthique, scientifique, médicale et philosophique naît, dont nous héritons.

Avec le développement des recherches biologiques et médicales dans les laboratoires qui se multiplient dans les pays industrialisés, « l'idée scientifique » va faire son chemin en se dissociant en partie des questions éthiques qu'elle pose. Dissociation complexe entre les questions éthiques et philosophiques d'une part, et entre les questions scientifiques et politiques d'autre part. Les questions éthiques des sciences se poseront sur un terrain politique sous forme de nouvelles directives gouvernementales sur l'expérimentation humaine, ainsi dans le gouvernement du Reich allemand en 1931[1]. Plus troublant encore, l'idée scientifique — qui se développe en se rapprochant toujours plus des questions éthiques et philosophiques posées par la médicalisation, la « biologisation », et la psychiatrisation des êtres humains, — s'en dissocie d'autant plus qu'elle s'en rapproche, avec parfois même une certaine volonté scientiste des scientifiques de s'affranchir de ces questions, en leur substituant plus ou moins directement « l'idée scientifique » elle-même. Ainsi, l'expérimentation médicale va gagner des terrains aussi variés que la physiologie et la médecine, l'endocrinologie et la chirurgie, la neurologie ou la bac-

tériologie, la psychiatrie et la nouvelle médecine sociale aux frontières difficilement limitées. Certes, la question éthique émerge assez rapidement, comme en témoignent les directives de l'Allemagne ou encore le cours de Charles Nicolle sur l'expérimentation humaine au Collège de France[2]. Mais elle émerge sous une forme désintégrée : l'éthique médicale (l'éthique de l'acte médical) devient l'éthique des seuls médecins, elle n'est pas celle des sujets expérimentaux, à qui on commence cependant à demander leur consentement sans s'assurer de qui le leur demande, sous quelle forme, et avec quelle sanction envisagée pour en assurer la mise en œuvre. Le plus souvent, l'éthique médicale est celle du médecin qui considère être le seul juge : « les médecins reçoivent mission de veiller à la santé des hommes. Ils exercent cette mission dans la plénitude de leur savoir et de leur conscience. La sagesse est de s'en remettre à eux » dira Ch. Nicolle au Collège de France. L'éthique du sujet expérimental ne s'exprime que dans son acte, le plus souvent dans le silence de son acte. Son éthique, assimilée à celle du médecin, disparaît avec elle. Le philosophe, de plus en plus éloigné de ces sciences biologiques et médicales qui posent de nouvelles questions et qui sont en plein essor, disparaît du terrain, se confinant, quand il s'y intéresse, aux questions philosophiques des sciences qu'il interroge (cf. G. Bachelard et les sciences physico-chimiques, H. Bergson et la biologie, Heidegger et la technique...).

Lancés sur une pente aussi glissante, les médecins et les sujets expérimentaux construiront une médecine expérimentale qui devra faire face aux réalités. Les limites que s'assigneront les seuls médecins — ou les premières directives gouvernementales — ne suffiront pas à empêcher l'inévitable, qu'ils auront du mal à reconnaître et à accepter dans leurs responsabilités. Une réalité émergera violemment, dans le cadre du premier débat international d'éthique médicale, lors du procès des médecins allemands jugés par le Tribunal militaire américain, après qu'un tribunal militaire international eut défini les crimes contre l'humanité et jugé les grands responsables politiques.

C'est dans le cadre de ce procès des médecins que le monde occidental, meurtri par « l'extermination » de millions d'êtres humains, découvre les précisions de la mise en œuvre d'un programme politique spécifiquement médical, planifié dans un réseau d'asiles organisé dès la fin du XIXe siècle, en Allemagne comme dans les autres pays industrialisés. On découvre à la face du monde, — mais certains, ne serait-ce que ceux qui ont réalisé ce programme et qui constituaient déjà un grand nombre, étaient informés, — qu'un chef d'État, le chef de l'État allemand, a chargé un administrateur et un médecin d'étendre les attributions de certains médecins nommés par eux, « d'accorder une mort miséricordieuse aux malades qui auront été jugés incurables selon une appréciation aussi rigoureuse que possible ».

Sans doute soutenu par un vieux débat sur l'euthanasie ouvert par

Thomas More au XVIe siècle et réinstitué depuis la fin du XIXe siècle, avec le développement de nouvelles pratiques médicales, Hitler met en œuvre dans des institutions médicales allemandes ce qui avait déjà été proposé par Ch. Richet, en 1919, dans la Sélection humaine — *l'élimination des anormaux* —, *par K. Binding et A.E. Hoche, en 1920, dans* Die Freigabe der Vernichtung lebenunswerten Lebens. Ihr Mass und ihre Form — *permettre de mettre fin aux vies indignes d'être vécues* —, *ou par A. Carrel, en langue anglaise en 1934, ou en langue française en 1935, dans* L'homme, cet inconnu — « *des instituts euthanasiques pourvus de gaz appropriés* ». *Le silence qui accompagna ces propos bien spécifiques de médecins, de juristes, de prix Nobel, doit être comparé et confronté aux débats sur l'euthanasie, nombreux depuis le début du siècle. Sans doute, comme pour la lecture de* Mein Kampf, *on ne comprenait pas que ces propos étaient* « *réalisables* ». *Et pourtant, un programme, l'*« Aktion T4 », *a organisé le recensement, le transport et la mise à mort de 70 000 pensionnaires d'asiles dans de nouvelles institutions médicales,* « *des instituts euthanasiques* » *munis des premières chambres à gaz, conçues par des industriels avec du monoxyde de carbone et utilisées par des équipes médicales*[3].*

Le programme sera suspendu par Hitler lui-même, en août 1941, à la suite de quelques clameurs d'évêques. Ce ne sont ni les médecins, ni les juristes ni d'autres citoyens, le plus souvent silencieux sur ces premiers crimes contre l'humanité, qui ont réagi. Et pourtant, au lieu de parler comme les évêques ou certains autres, ils auraient pu agir : éviter la planification administrative puis médicale d'actes qui étaient bien des actes médicaux mis en œuvre par des équipes d'institutions médicales. Les réactions de quelques-uns rapportées dans les procès, les témoignages et les archives, montrent la puissance du système en place : les différents et nombreux opérateurs ont abouti à l'aménagement d'un nouveau seuil de l'existence humaine. Non plus celui de la mort individualisée de chacun, mais celui de la mise à mort collective politiquement, administrativement, médicalement et industriellement organisée. Personne pour condamner et arrêter ce programme, avant que Hitler ne le fasse lui-même.

La suite de cet impensable programme, si ce n'est son suivi partiel jusqu'en 1944 dans les instituts euthanasiques non fermés ou dans les camps de concentration, va occulter, pour un temps, cette première planification de la mise à mort collective médicalisée d'êtres humains : la « solution finale » *mise en œuvre dans des camps d'extermination continue à interroger l'impensable de ces régimes qui ont situé pour l'être humain un nouveau seuil d'humanité. Mais il faudra bien pourtant s'interroger sur ce seuil, sur ces conditions de mise à mort collective d'êtres humains planifiées dans des institutions médicales suivie par l'extermination aussi planifiée dans des camps spécialisés. Il faudra bien s'interroger sur les silences complices autant que sur les silences de ceux qui cherchent à penser une crise aussi difficile à penser, reposant en par-*

tie sur la crise de la médecine et de la philosophie, de l'éthique et du politique modernes.

Cette crise est devenue la crise de l'éthique médicale mise en évidence dans le procès des médecins allemands jugés par un tribunal militaire américain[4]. La convergence de l'expérimentation humaine devenue criminelle — qui a suscité l'élaboration des dix règles d'éthique médicale dans le cadre du procès — et de la mise à mort collective d'êtres humains suivie par leur extermination politiquement planifiée dans et par des institutions qui n'ont pas pu empêcher ces « crimes contre l'humanité », cette convergence constitue une des crises les plus aiguës de l'histoire occidentale et des principes sur lesquels sont fondés le respect ou la dignité de l'être humain : les principes sur lesquels se fonde l'être humain à la fois dans son identité et dans les relations qu'il établit entre son être et les autres êtres. Parce que l'être médical et biologique de l'être humain s'élabore avec lui, qu'il soit sujet expérimental ou tout simplement sujet vivant, l'éthique médicale est directement touchée dans ces fondements médicaux et biologiques bien sûr, mais ces fondements sont en même temps philosophiques et politiques. L'éthique médicale, elle-même ébranlée, ébranle directement l'humanité des droits de l'Homme renversée par des crimes contre l'humanité.

Certes, les silences face à ce renversement sont troublants, celui des philosophes, celui des juristes ou celui des historiens. Silences sur cette crise conjointe de l'histoire des sciences, de l'histoire de la médecine et de la biologie, de l'histoire du droit et des sciences politiques ou religieuses. Malgré les difficultés à analyser cette crise, on ne peut plus maintenir sous silence les conditions culturelles et historiques, et notamment médicales et biologiques, qui ont abouti à des crimes contre l'humanité planifiés par des États.

Sans doute, la violence de ces crimes reste-t-elle le reflet de la violence des pouvoirs en jeu qui ne concernent pas que l'éthique médicale, et la philosophie[5]. Mais les cloisonnements disciplinaires et professionnels des savoirs et des pouvoirs, établis notamment entre la médecine et la philosophie[6], rendent la tâche ardue : ce qui n'a pu être évité reste difficile à penser. Certes, quelques témoignages exprimés en pleine guerre continuent à rompre ces silences, comme celui de Simone Weil dans les Écrits de Londres qui dénonçait l'avilissement du travail, « les mensonges et les erreurs » qui pèsent sur les notions de droit, de personne et de démocratie[7]. Ou encore le témoignage d'un philosophe, Georges Canguilhem, soutenant sa thèse de médecine en 1943 sur « le normal et le pathologique » et affirmant en conclusion qu'« on ne dicte pas scientifiquement des normes à la vie »[8].

Mais, il reste encore un vaste terrain de défriche de cette normalisation en cours dans les sociétés modernes, une normalisation qui, centrée sur ce « bio-pouvoir » si fermement exploré déjà par Michel Foucault[9], est devenue totalitaire et criminelle. L'étude de cette normalisation nécessite une « problématisation » des différentes mesures et régulations en cours, qu'elles soient individuelles et civiques, médicales ou biologiques, nationales ou internationales, qu'elles concernent les droits et les normes, les instances politiques ou éthiques en cours de création. Encore faudrait-il que ces instances, qu'elles concernent les droits de l'homme ou l'éthique médicale[10], travaillent directement le terrain sur lequel elles sont créées, pour pouvoir problématiser les véritables enjeux de pouvoir en question et en crise. Une problématisation qui devrait prendre en compte les différentes historicités à l'œuvre dans le présent, les différents principes qui s'affrontent. À la lumière des problèmes soulevés par l'être humain devenu sujet expérimental et sujet vivant, médicalisé et biologisé, on découvre la densité philosophique et politique de l'histoire des institutions médicales, sanitaires et biologiques qui ont directement participé à des politiques économiques et sociales devenues politiques totalitaires et criminelles, mettant en question l'humanité de l'être humain, qu'elles élaborent avec d'autres et qu'elles protègent avec d'autres quand elle est menacée.

Que des institutions médicales, sanitaires et biologiques participent sans pouvoir les empêcher à ces politiques totalitaires et criminelles, était-il inévitable ? Où se situent les responsabilités ? Des responsabilités devenues aujourd'hui indissociables d'hier puisque les principes fondant l'être humain interrogent sans répit l'être dans sa vie indissociablement liée à sa mort. C'est sans doute dans ce lien — impensable avant qu'il ne soit mis en œuvre, en innovant à tous les niveaux[11], — de l'action entre la mise à mort collective et l'extermination d'êtres humains que la crise de l'éthique médicale et de la philosophie est la plus violente. Une crise qui interroge, de manière toujours vive, les principes à l'œuvre dans l'élaboration des croyances, des savoirs et des institutions des sociétés modernes avec une histoire et une philosophie toujours à faire sur les terrains nouveaux où l'être humain, déjà meurtri et toujours vulnérable, se constitue aujourd'hui et demain : qui a autorité pour faire ? qui aura autorité pour agir sur le terrain de la médecine, de la biologie et de la santé de plus en plus planifié au niveau national et international ? On le voit, l'histoire et la philosophie qui restent à faire sur ces terrains en plein essor sont elles-mêmes fondées sur une éthique et une politique toujours à penser, à peser et à instituer avec ceux qui les déterminent.

1. Circulaire du ministère de l'intérieur, Directives concernant les nouveaux traitements médicaux et l'expérimentation scientifique sur l'homme, 1931, In *Médecine et expérimentation*, Cahiers de bioéthique n° 4, Québec, Presses de l'Université Laval, 1982, pp. 455-458.
2. C. NICOLLE, *L'expérimentation en médecine*, Paris, F. Alcan, 1934.
3. E. KOGON, H. LANGBEIN, A. RÜCKERL, *Les chambres à gaz, secret d'État*, trad. de l'all. par H. Rollet, Paris, Éditions de Minuit, 1984, particulièrement le chap. III sur l'« euthanasie », p. 24-71.
4. United States Adjutant General's Deparment 1947. Trials of War Criminals Before Nuremberg Military Tribunals Under Control Council Law N° 10 (Octo-

ber, 1946-April, 1949). The Medical Case US Government Printing Office, Washington, DC. Vol 2 : 181-183. F. BAYLE, *Croix gammée contre caducée. Les expériences humaines en Allemagne pendant la Deuxième Guerre mondiale*, Neustadt (Palatinat), Commission scientifique des crimes de guerre, 1950.

5. C. AMBROSELLI, *L'éthique médicale*, Paris, PUF, 1988, Que sais-je ?, n° 2422.

6. La création récente du Collège international de philosophie, où je mène une recherche sur ces questions, témoigne à la fois du souci et de la possibilité de lutter contre ces cloisonnements.

7. S. WEIL, *Écrits de Londres et dernières lettres*, Paris, Gallimard, 1957.

8. G. CANGUILHEM, *Essais sur quelques problèmes concernant le normal et le pathologique* (1943) in *Le Normal et le pathologique*, Paris, PUF, 1966.

9. M. FOUCAULT, *Histoire de la sexualité, l. La volonté de savoir*, Paris, Gallimard, 1976.

10. *Éthique médicale et droits de l'homme*, Paris, Actes Sud et INSERM, 1988, publication faite à partir d'un cycle de débats sur le thème « la fabrique du corps humain et les droits de l'homme » tenus à la salle d'actualité de la Bibliothèque publique d'information du Centre G. Pompidou ; les travaux du Comité consultatif national d'éthique pour les sciences de la vie et de la santé, publiés par la Documentation française, notamment, la *Lettre d'information*.

11. C. LANZMANN, *Shoah*, Paris, Fayard, 1985, Texte intégral du film *Shoah*, essentiel sur ces questions.

© COLLECTION CAHIERS DU CINÉMA

la fin du voyage.

CLAIRE AMBROSELLI

Médecin, chercheur à l'INSERM, membre du Comité national d'Éthique. Auteur de *L'éthique médicale*, PUF « Que Sais-je », 1988.

ARISTOTE

HARLINGUE-VIOLLET

« Une façon dont nous pourrions appréhender la nature de la prudence, c'est de considérer quelles sont les personnes que nous appelons prudentes. De l'avis général, le propre d'un homme prudent, c'est d'être capable de délibérer correctement sur ce qui est bon et avantageux pour lui-même, non pas sur un point partiel (comme par exemple quelles sortes de choses sont favorables à la santé ou à la vigueur du corps), mais d'une façon générale, quelles sortes de choses par exemple conduisent à la vie heureuse.

« Mais on ne délibère jamais sur les choses qui ne peuvent pas être autrement qu'elles ne sont, ni sur celles qu'il nous est impossible d'accomplir ; par conséquent s'il est vrai qu'une science s'accompagne de démonstration, mais que les choses dont les principes peuvent être autres qu'ils ne sont n'admettent pas de démonstration (car toutes sont également susceptibles d'être autrement qu'elles ne sont), et s'il n'est pas possible de délibérer sur les choses qui existent nécessairement, la prudence ne saurait être ni une science, ni un art : une science, parce que l'objet de l'action peut être autrement qu'il n'est ; un art, parce que le genre de l'action est autre que celui de la production. Reste donc que la prudence est une disposition, accompagnée de règle vraie, capable d'agir dans la sphère de ce qui est bon ou mauvais pour un être humain. Tandis que la production, en effet, a une fin autre qu'elle-même, il n'en saurait être ainsi pour l'action, la bonne pratique étant elle-même sa propre fin. C'est pourquoi nous estimons que PÉRICLÈS et les gens comme lui sont des hommes prudents en ce qu'ils possèdent la faculté d'apercevoir ce qui est bon pour eux-mêmes et ce qui est bon pour l'homme en général, et tels sont aussi, pensons-nous, les personnes qui s'entendent à l'administration d'une maison ou d'une cité. »

Aristote ; *Éthique à Nicomaque*, VI, 5, Trad. J. Tricot, Vrin, pp. 284-286.

« Ce qu'Aristote reproche au rôle éthique du savoir selon Platon, c'est que ce savoir est un préalable purement interne à l'âme, et qui ne se traduit pas de lui-même dans les faits. Platon a confondu le théorique et le pratique, l'épistémologique et le pragmatique ; il n'a pensé, en éthique, qu'une fausse effectivité : dans ce domaine la science la plus élaborée ne vaut pas la plus petite action — et qu'est-ce qu'une action sinon ce qui laisse sur le réel une trace, ce qui s'inscrit dans les choses, ce qui se déclare, devient public et ostensible ? Si le faire pratique ne produit pas à proprement parler d'œuvres distinctes de lui comme le faire productif (1 105 a 26), il ne s'épuise pas non plus en simples vœux, projets irréalisés, programmes inexécutés et agencements de concepts ; entre le « théorique » et le « poétique » Aristote ouvre le champ d'une « pratique », c'est-à-dire de l'ensemble des conduites délibérées qui, entre l'œuvre immobile et la pensée incorporelle, constitue la mouvance des actes humains, lesquels n'atteignent leur être plein qu'à *avoir lieu*, à mordre sur les choses plus qu'une idée pure. (...)

« L'expérience en physique est constituée par des faits livrés par la perception sensible, et qu'Aristote nomme *ta phainomena* (...) Aristote ne voit pas de contradiction à utiliser ce concept de « phénomènes » dans des contextes à la fois physiques et éthiques ; c'est que dans ces deux domaines, il exprime un même recours à l'expérience : l'expérience physique est constituée par la rencontre avec des choses sensibles, l'expérience morale par la considération de choses morales, dont le lieu d'émergence est le discours de l'opinion partagée. (...) Le langage est le milieu à travers lequel se véhiculent et se conservent les vécus éthiques ; il est terme d'expériences dans la mesure où il est le dépositaire et le témoin d'expériences effectivement faites. C'est pourquoi Aristote peut sans contradiction opposer le discours savant de la morale théorique aux faits moraux lus dans les opinions autorisées ou partagées, et faire juger le premier par les secondes ; ce faisant, on n'oppose pas simplement discours à discours, mais langage vide à langage lesté (...) En fait, la *doxa* dans son sens positif désigne, plutôt qu'une connaissance imparfaite, un ensemble de jugements et de conduites visant l'adaptation à une réalité fluctuante et à des situations particulières. Platon reprochait à l'opinion d'être bilatérale ; mais si elle ne l'était pas, elle ne constituerait pas un comportement adapté à un monde qui est celui de la contingence. »

G. Romeyer-Dherbey, *Les Choses mêmes, la pensée du réel chez Aristote*, L'Âge d'homme, Lausanne, 1983, pp. 256-257.

« Aristote reconnaît l'existence, à côté de la science et de l'art, d'un autre type de connaissance, qu'on pourrait appeler l'*opinion*, si l'on se souvient des passages où il fait de la prudence la vertu de la partie *opinative* de l'âme. Bien plus, Aristote ne conteste pas que cette connaissance soit, à sa façon, une connaissance du général. Le prudent connaît ce qui est bon pour lui-même, dans le cas de la prudence privée, et pour les hommes en général, dans le cas de la prudence politique, ce qui est certes une particularisation de l'idée platonicienne du Bien, mais non une particularisation arbitraire, abandonnée à la conception que chacun se ferait du bien : Aristote nous prévient un peu plus haut

111

que ce qu'il appelle « bon et avantageux pour soi-même » ne signifie pas « bon et avantageux de façon partielle (κατά μερος), comme ce qui est bon pour la santé et la vigueur du corps, mais absolument, comme ce qui est bon pour bien vivre » ; (...) or la vie heureuse (qu'il s'agisse de la cité ou de la maison comme de l'individu) est la totalité qui transcende les fins particulières. Le prudent n'est donc pas le pur empirique, qui vit au jour le jour, sans principes et sans perspectives, mais il est l'homme de vues d'ensemble ; (...) ce qu'il voit est une totalité concrète — le bien total de la communauté ou de l'individu —, et non cette Totalité abstraite et, selon Aristote, irréelle qu'était le monde platonicien des Idées. (...)

« L'expérience est déjà connaissance : elle suppose une sommation du particulier et est donc sur la voie de l'universel. (...) L'*empirie* d'Aristote évoque tout autre chose que l'« empirisme » des modernes : si l'on entend par ce dernier vocable une action plus qu'un savoir et, qui plus est, une action sans principes et sans perspectives, qui meurt et renaît au gré des circonstances, on est à l'opposé de l'expérience aristotélicienne, qui ne s'oppose pas moins à la pratique tâtonnante et immédiatement utilitaire qu'à la science « inutile » des principes. L'expérience n'est pas la répétition indéfinie du particulier ; mais elle entre déjà dans l'élément de la permanence : elle est ce savoir vécu plus qu'appris, profond parce que non déduit, que nous reconnaissons à ceux dont nous disons qu'ils « ont de l'expérience ». (...)

« Le *phronimos* (le prudent) d'Aristote réunit des traits que nous avons désappris d'associer : le savoir et l'incommunicabilité, le bon sens et la singularité, le bon naturel et l'expérience acquise, le sens théorique et l'habileté pratique, l'habileté et la droiture, l'efficacité et la rigueur, la lucidité précautionneuse et l'héroïsme, l'inspiration et le travail. Le personnage de Périclès ne symbolise ni l'idéalisme politique ni l'opportunisme, mais l'un et l'autre à la fois. Ni « belle âme », ni Machiavel, il est indissolublement l'homme de l'intérieur et de l'extérieur, de la théorie et de la pratique, de la fin et des moyens, de la conscience et de l'action. Ou plutôt ce sont là des oppositions modernes, qui commencent à apparaître du temps d'Aristote, et auxquelles il essaie d'opposer, comme une dernière digue, l'unité encore indissociée du *prudent* de la tradition. »

P. Aubenque, La prudence chez Aristote, PUF, 1963, pp. 56-63.

« Aristote reconnaît très bien, comme il le dit du reste explicitement dans la *Rhétorique* et aussi l'*Éthique* à *Nicomaque*, qu'un juge qui mérite ce nom n'a pas de modèle vrai pour guider son jugement, que la véritable nature du juge, c'est justement de prononcer des jugements, donc des prescriptions, sans critère. Ce qu'Aristote appelle *prudence*, somme toute, ce n'est rien d'autre que cela. Elle consiste à faire la justice sans modèle. On ne peut pas produire un discours savant sur ce qu'est la justice. C'est la différence qu'il y a entre la dialectique par exemple et l'*épistèmè* ou la didactique chez Aristote. C'est dire encore une fois que les prescriptions ne donnent pas matière à science. (...)

« Les énoncés qui se réfèrent à des possibles sont seulement des énoncés d'opinions ; le juge va s'appuyer sur des opinions. (...) On est dans la dialectique et l'on n'est jamais dans l'*épistèmè*. Je crois que la dialectique est tout ce qu'autorise le prescriptif. Je veux dire par là, que cette dialectique ne peut pas se présenter comme fabriquant un modèle qui serait valable une fois pour toutes pour la constitution du corps social. La dialectique, au contraire, permettra au juge de juger coup par coup. Mais s'il peut, et du reste il le doit (il n'a pas le choix), juger coup par coup, c'est justement parce que chaque situation, et Aristote y est très sensible, est singulière, et cette singularité provient du fait qu'on est dans les matières d'opinion et non pas dans les matières de vérité. »

J.-F. Lyotard, *Au juste* (avec J.-L. Thébaud), C. Bourgois, 1979, pp. 52-55.

« Rien de plus naturel alors si l'art juridique use d'une méthode *dialectique*, procédant par confrontation d'exemples, et d'*opinions* contradictoires, parce que chaque opinion reflète quelque aspect de la réalité. Il s'impose dans tout procès d'abord d'entendre les plaidoiries des des deux adversaires ; et de confronter les thèses opposées des jurisconsultes, dont l'une veut que soit attribué trop, et l'autre pas assez. Pour Aristote, qui agrémente sa démonstration de figures géométriques, afin d'atteindre le juste milieu, il faut au juriste ajouter ici et retrancher là. Partant des extrêmes chercher le milieu. (...)

« Combien parfaitement adaptée à l'art judiciaire, cette méthode dialectique (...) Nos traités de logique du droit lui substituent une autre méthode. Empruntant aux mathématiques leurs modèles de raisonnements stricts, ils voudraient que le juge déduisît ses solutions de *lois* imposées arbitrairement par une puissance souveraine ; la dialectique, au contraire, ayant à leurs yeux le défaut de n'aboutir à rien.

« Mais ces critiques portent à faux. (...) Une « sentence » est une *opinion* non scientifiquement démontrée, cependant fondée, éclairée par la controverse dialectique, qui a pris en considération sur une même cause les points de vue de multiples interlocuteurs. C'est ainsi que le juge aboutit à des sentences particulières, et que la dialectique produit des *oroi* — ces règles *générales*, dont ne se passe pas la vie judiciaire.

« Selon l'analyse d'Aristote, le droit se découvre par observation de la réalité sociale, et confrontation de points de vue divers sur cette réalité, parce que le droit, objet de la justice au sens particulier du mot, *est* précisément ce milieu, la bonne proportion des choses partagées entre membres du groupe politique. »

M. Villey, *Le Droit et les Droits de l'homme*, PUF, 1983, pp. 53-54

© CATHERINE CHEVALLIER

JEAN-TOUSSAINT DESANTI

LE CHOIX
DES TENSIONS

entretien avec
───── *JEAN-TOUSSAINT DESANTI* ─────

Né en 1914, J.-T. Desanti a enseigné à l'Université de Paris-I et à l'ENS de Saint-Cloud. Il a mené de pair une réflexion sur les mathématiques nourrie par la phénoménologie de Husserl, et une activité politique, au lendemain de la guerre, au PCF qu'il a quitté en 1956. Principaux ouvrages : *Les Idéalités mathématiques* **(1968, Seuil),** *La philosophie silencieuse* **(1975, Seuil),** *Un destin philosophique* **(1981).**

Autrement. - Dans *Un destin philosophique* **vous racontez que vous êtes « entré en philosophie », pour ainsi dire, par Bergson ?**

Jean-Toussaint Desanti. - J'étais en classe de philo en 1931, à l'acmé du bergsonisme. On apprenait la psychologie à l'époque dans un manuel de Désiré Roustan, qui avait suivi les cours de Bergson lorsqu'il était élève à l'École Normale : son manuel était l'adaptation des cours de Bergson. Toutes les leçons se concluaient, après qu'on eut dramatisé le problème, par la solution bergsonienne. Pour les gens de ma génération, le bergsonisme était quelque chose de très important, qui a été oblitéré depuis, à partir de 1935. Mais chez beaucoup d'auteurs qui se tourneront ensuite ailleurs, notamment vers la phénoménologie, se trouve un arrière-fond bergsonien, fait de méfiance vis-à-vis d'un usage à la fois vide et instrumental du concept. Pour la plupart nous ignorions complètement Hegel et n'avions du concept qu'un usage domestique, tout à fait insuffisant pour la mise en œuvre d'une démarche philosophique enracinée dans l'expérience.

Mais je n'arrive pas, à vrai dire, à bien resituer le moment où Bergson nous est apparu, sinon insuffisant, du moins étranger. Je pense que c'est en raison de ce qui faisait son mérite vis-à-vis du public : la fluidité. La fluidité du style d'abord, ensuite la façon dont il cachait ses traces. Au moment de l'*Évolution créatrice*, Bergson avait tout lu de la biologie et de la psychologie de son temps ; tout cela était, dans l'ouvrage, tellement décanté, le travail de recherche était tellement effacé ou refoulé qu'on avait l'impression d'une sorte de facilité, qui me paraissait un peu gratuite. En même temps j'ai lu aussi Kant. Or la lecture de Kant, ou de Spinoza, s'accompagne d'un travail, tandis que celle de Bergson procure une impression très différente : je ne sentais pas, en le lisant, ce travail du négatif, mais seulement l'expression d'une pensée arrivée à son terme, quelque chose d'assez rhétorique — ce qui était injuste.

La lecture que vous ferez ensuite, déterminante pour votre option philosophique, sera Spinoza ?

Je n'ai pas commencé par me lancer, à dix-huit ans, dans l'*Éthique*, mais par lire des livres autour de Spinoza : j'ai lu en premier celui de Brunschwicg, qui m'a conduit à une conception du spinozisme différente de celle que j'ai eue par la suite. Je le considérais alors comme un mouvement de réflexion : la réflexivité, l'idée de l'idée, bref, une philosophie de l'intériorité, qui m'apparaissait comme le cœur du spinozisme. Autrement dit, j'interprétais Spinoza à la lumière du *Traité de la réforme de l'entendement* plus qu'à celle de l'*Éthique*. Ce n'est que l'année suivante que je lus l'*Éthique*. J'ai été très surpris. Comme je faisais un peu de mathématiques, je pensais qu'on pourrait peut-être ajouter de nouveaux théorèmes à ce livre écrit comme un traité de géométrie : mais non, je n'en ai pas trouvé. Il fallait s'interroger sur le sens de ces propositions initiales.

Spinoza est énigmatique. Pas tant par cette forme, *more geometrico*, qui m'avait d'abord frappé, mais par l'effort fait pour tenir ensemble deux exigences : celle de la transparence absolue et celle de la positivité, également absolue, de la particularité de l'individu conçu comme un « produit-producteur ». Tenir tout cela ensemble était et est resté pour moi la tâche de la philosophie, et son énigme. Comment penser à la fois ce que je tiens pour absolu et infini, et ce que je vise comme positif et singulier ?

Vous avez de ce point de vue une position originale, car vous êtes avant tout phénoménologue. Comment conciliez-vous les exigences du spinozisme et celles de la phénoménologie ?

Que veut dire être spinoziste ? Cela ne veut pas dire adhérer à la doctrine de Spinoza. Cela veut dire adopter un mouvement de pensée, s'installer au cœur de ce qui se montre comme *étant*, d'une façon qu'on ne peut pas décliner. L'être est indéclinable, on ne peut pas le refuser ; mais on peut s'interroger sur cette insistance de l'être dans sa propre manifestation. Or la phénoménologie dans son point de départ accueille cette insistance, s'efforce d'en préciser le sens et d'en exprimer le mode de manifestation. Je ne voyais pas, et je ne vois toujours pas, de contradiction entre la démarche fondamentale de Spinoza et la démarche fondamentale de la phénoménologie. Il s'agit dans les deux cas de s'installer dans la manifestation, avec cette idée qu'il n'y a pas d'au-delà, pas d'arrière-monde, mais qu'à travers toutes les couches implicites, l'accès à la transparence peut toujours être poursuivi, sinon atteint. Reste une autre question relative au spinozisme, mais que pose d'ailleurs toute philosophie : comment ce discours a-t-il pu trouver son langage ? Quel rapport la démarche spinoziste a-t-elle entretenu avec la rationalité de son temps ? Ceci désigne un problème que l'on peut aborder dans la mesure où l'on découvre, derrière le texte de l'*Éthique*, une voix qui se cherche, qui s'installe dans sa propre exigence discursive. On peut toujours mettre là en œuvre une démarche phénoménologique qui déploie, non pas les conditions de possibilité, mais le mode de constitution des démarches réflexives qui conduisent le philosophe à saisir sa propre évidence, son mode d'installation dans le champ de rationalité où il s'est trouvé. De ce point de vue je tenais ensemble, je ne dirais pas mon spinozisme, mais mon éducation spinoziste et mon exigence d'élucidation phénoménologique.

Comment avez-vous accordé votre travail sur les *idéalités* et votre matérialisme ? Votre réflexion sur Spinoza vous a-t-elle aidé ?

Peut-être, dans la mesure où ce que Spinoza appelle l'idée, ce n'est pas l'abstrait, mais la chair de l'individu. Parler d'idéalité ce n'est donc pas s'évader hors de ce qui insiste et se montre dans l'expérience. Les « idéalités mathématiques » n'appartiennent pas à un monde intelligible : elles sont le mode d'exigence qui porte à saisir la productivité de ce genre d'objets, les objets idéaux. Mais elles n'appartiennent pas non plus au monde sensible. Qu'est-ce qui, d'ailleurs, appartient seulement au monde sensible ? Le monde sensible aussi est une abstraction : c'est une couche que nous dégageons dans l'expérience que nous avons du monde, qui est certes monde pour le corps, mais toujours saisi par la médiation d'un corps *parlant*. Du corps de l'autre au mien, se déploie un champ originairement symbolisable. Ce milieu du symbolique, n'est « ni du ciel ni de la terre ».

À l'École normale supérieure vous avez été l'élève de Cavaillès. Pourquoi, travaillant sur les mathématiques, vous êtes-vous tourné vers la phénoménologie que, semble-t-il, Cavaillès jugeait inadaptée à une « philosophie du concept » ?

Évitons tout malentendu en ce qui concerne la tâche de la phénoménologie. Il faut tenir fermement la corrélation entre l'objet en tant qu'il est visé dans un champ théorique, et les modes d'accès à l'expérience de l'objet. Pour le dire en langage technique, ce qu'il faut décrire, ce sont les structures noético-noématiques[1] : il ne faut pas casser cette corrélation. Or on la casse de deux façons : d'une part, en ramenant toutes les connexions que l'on découvre dans le champ des objets et dans l'enchaînement des propositions — c'est-à-dire tout le champ proprement démonstratif — à l'acte, dit « acte de conscience », qui saisit les structures dans leur évidence. On détruit dans ce cas son objet, on en perd la spécificité. Comme disait Cavaillès *on ne peut plus faire à la démonstration sa part*. Aussi n'est-ce pas une philosophie de la

conscience qui est sur le point d'arrivée de la démarche phénoménologique telle que je l'entends, mais la mise au clair du mode d'installation d'une pensée qui se cherche, dans un champ théorique en devenir. On peut, d'autre part, casser la corrélation par ce que j'appellerais *l'hypostase des objets* : hypostase naïve des objets, et hypostase naïve des exigences d'enchaînement, qui nous conduirait à admettre des propositions en soi. C'est à la limite ce que penserait un Frege un peu gauchi. Lorsqu'il dit que la vérité doit être *saisie*, il faut le prendre au sérieux. Mais il ne s'est pas tenu lui-même à cette exigence quand il a posé le vrai comme objet, quand il a fait de la vérité l'objet : « valeur de vérité ».

La tâche phénoménologique consiste à se poser la question : comment, dans l'expérience, dispose-t-on de cette valeur de vérité, comment la constitue-t-on ? La difficulté est de ne pas casser la corrélation. Cavaillès ne l'a pas cassée : il a parlé d'expérience mathématique, de *geste mathématique*. Il faut tenir ferme, à la fois, la structure des théories et leurs exigences internes de manifestation. Pour reprendre un exemple fameux, soit la proposition « 7 + 5 = 12 » : si je cherche à écrire les expressions à gauche du signe égal, « ... = 12 », je ne pourrai pas les écrire toutes ; il y a une infinité d'expressions équivalentes. Le champ du sens selon Frege est infini.

Une telle exploration infinie exclut donc qu'à la suite des axiomatiques, on ne recherche qu'une approche normative pour les énoncés, comme le développera la philosophie analytique.

J'en suis parfaitement persuadé. Il faut toujours préciser la modalité de contrôle des énoncés et ne pas pratiquer la confusion des catégories ; ne pas appeler fonction ce qui est objet, par exemple. Mais, si l'on admet cela et qu'on met en œuvre les procédures qui permettent de penser ces distinctions avec la précision maximale, la question se posera tout de même de serrer de près le mode de corrélation entre les actes qui font disposer de la précision, et la détermination de ces procédures de précision. Il ne faut pas croire qu'on a résolu le problème quand on a précisément distingué les catégories et qu'on a mis au point les procédures. Ce travail est toujours nécessaire, mais il n'est pas suffisant. La philosophie analytique est, de ce point de vue, parfois insatisfaisante, car si elle a bien mis au point les procédures, elle se soucie trop peu du résultat en acte.

On a tout simplement oublié ce que disait Frege lui-même : la proposition vraie doit être saisie. Que veut dire « saisir » ? Voilà le grand malentendu entre Frege et Husserl après la *Philosophie de l'arithmétique*[2] : en fait la *Philosophie de l'arithmétique* n'est pas aussi psychologisante qu'on l'a dit ; c'est plutôt une philosophie du symbolique. Mais à partir de la critique de Frege, Husserl a dû tenir fermement deux pôles : d'un côté, celui de l'invariance du sens, en tant que la proposition désigne non seulement une valeur de vérité, mais un état de chose, et d'un autre côté, celui de la mise à jour des structures qu'il appelle intentionnelles (c'est-à-dire d'orientation fondamentale vers l'objet), qui seules permettent de disposer de cette invariance. Il lui fallait donc se garder de deux dangers symétriques, qui ont fourni les arguments des deux critiques qui lui ont le plus souvent été adressées : ce qu'on a appelé son platonisme, d'un côté, et ce qu'on a appelé son psychologisme de l'autre.

Vous-même avez lu Husserl très tôt ?

C'est Merleau-Ponty qui m'a fait lire Husserl. J'éprouve une grande dette à l'égard de Merleau-Ponty, d'autant que je l'avais très injustement attaqué quand j'étais communiste, après la guerre. Il est mort sans que j'aie pu me réconcilier avec lui. C'est un grand regret pour moi.

Quand vous disiez, tout à l'heure, que ce que Spinoza appelle l'idée, c'est en fait la chair de l'individu, vous songiez à Merleau-Ponty ?

Sans aucun doute. Il s'agit de l'*Urstift*, la constitution fondamentale, qu'on atteint par un effort de destruction du factice. Est factice l'objet subsistant d'un nœud de croyances dans lequel on se tient. La mathématique, dans la mesure où je ne saisis pas son mode d'enracinement et où je ne peux pas le penser, est factice ; vraie, mais factice. La conduite du mathématicien, ou celle de l'économiste, dans la mesure où elle se ferme sur elle-même, dans la mesure où elle tient ses objets pour les choses mêmes, est factice. Il s'agit de ramener cet univers dans lequel nous vivons, qui est l'univers de nos croyances, des croyances auxquelles nous tenons, à son sol. Et, en dernière analyse, qu'est ce que ce sol ? Cela même que Merleau-Ponty appelait « chair » : ce qui est touché et qui touche au sens fort.

Ce sol n'est peut-être pas « authentique », ce qui serait beaucoup dire, puisqu'il est toujours exigé *et* toujours masqué. Une des tâches de la philosophie, quel que soit le champ qu'elle découpe — la mathématique, les faits de langue, les institutions — est de ne pas se laisser prendre au factice, est de toujours ramener le factice à ce que Merleau-Ponty appelait la chair.

Ainsi vous seriez d'accord avec Merleau-Ponty pour dire qu'on est toujours pris dans un double mouvement, d'institution symbolique d'une

part (mais qui menace de toujours se figer en factice), et de retour à l'originaire de la chair, d'autre part. **Mais si vous parlez de « champ symbolico-charnel », comment s'articulent alors pour vous le moment du symbolique et celui du charnel ?**

Toute singularité qui apparaît dans l'environnement intramondain, dans le monde proche, se dégage sur le fond de ce que j'ai appelé le champ symbolico-charnel, parce qu'elle est toujours désignée « depuis » : depuis mon corps, mais aussi depuis d'autres corps et d'autres champs d'objets. Autrement dit, la structure du champ dans lequel le monde se montre est une structure de flèches de renvois, de singularités à singularités, *un réseau relationnel sans point fixe*. La chair elle-même n'est surtout pas un point fixe.

À partir du moment où on a renoncé à comprendre le monde à partir d'un sujet transcendantal, peut-on parler ici de « champ transcendantal » ?

On peut, oui. « Transcendantal », ce n'est jamais qu'un mot : j'appelle transcendantal ce dont je ne peux pas me passer pour comprendre comment les choses se présentent pour moi. La structure de mon corps est, en ce sens, une exigence transcendantale. Même en admettant que j'exprime une exigence égologique à partir d'un *ego cogito* renouvelé, le champ par lequel cet *ego cogito* est concerné n'est pas un champ fermé. La manifestation du monde est toujours en excès sur l'ego. L'*ego cogito* ne ferme rien, même pas lui-même. L'égologie est une exigence de fermeture dont on peut suivre la genèse, mais qui me semble exorbitante.

On peut d'ailleurs retrouver une telle exigence de fermeture ailleurs que dans une philosophie transcendantale de la connaissance : par exemple, les prétentions des philosophies de l'histoire à définir l'ultime destin de l'humanité me paraissent procéder de la même inspiration. Il s'agit là d'une tâche infinie. Les grands espoirs qui se fondaient sur ces conceptions massives ne peuvent plus être pensés parce qu'elles manquent de tout fondement.

L'idée d'une société juste, qui a pu s'articuler à une certaine conception de l'histoire, garde-t-elle encore un sens une fois ces conceptions défaites ?

Absolument : pour la conduite de la vie et la possibilité d'actions au coup par coup. J'ai appris à beaucoup me méfier des logiques stratégiques qui finissent par toujours ajourner les actions, même les plus justes. Il faut discerner les points où le tissu social menace. On a alors le choix entre élargir les déchirures ou faire des reprises. Je suis pour élargir les déchirures ; c'est une question de choix éthique. La « déchirure », cela signifie : écouter les gens qui souffrent. Cela veut dire ne pas créer, pour ceux qui vivent cette déchirure, l'illusion que ce n'en est pas une. Il faut vivre dans la tension. Le philosophe qui veut intervenir dans la vie publique doit s'efforcer de faire partager aux autres l'état de tension dans lequel il vit. La société se réfléchit dans sa déchirure même ; « élargir la déchirure », cela n'implique pas qu'il faille lancer des bombes, mais qu'il faut prendre conscience des lieux où ça grince, et s'efforcer de maintenir ceux qui souffrent en état d'éveil. Il n'est pas de stratégie pour cela. La stratégie suppose que l'on s'en remette au stratège. La phrase la plus dangereuse et la plus pernicieuse que prononce le politique, est : « ce n'est pas encore le moment pour... ». Foucault soulignait déjà cela, il avait raison. C'est une exigence du temps où nous sommes.

La contrainte stratégique ne vient pas

seulement du stratège, mais aussi de la situation. **Tout n'est pas toujours possible en même temps : on est obligé de choisir des priorités.**

Chacun se tient ce discours à soi-même : « On ne peut pas satisfaire tous ses désirs en même temps ». Là se pose le problème de la valeur. Nos valeurs sont toujours organisées en systèmes hiérarchiques non explicites. Le problème est de savoir quelle est la valeur à laquelle on tient, celle autour de laquelle on organise ses choix et ses actions. Mais tout choix politique global, à l'échelle nationale par exemple, dès l'instant où il est mis en œuvre, produit toujours des effets de déchirure, et nous place devant le choix suivant : ou bien on ferme les yeux sur ces effets de déchirure ; ou bien on considère qu'on doit non seulement s'intéresser à eux, mais aussi aux gens qui en souffrent. On se trouve là face à un choix de valeurs, même si le choix global effectué au préalable paraît satisfaisant.

Après les *Idéalités mathématiques* et depuis *La philosophie silencieuse* et *Un itinéraire philosophique*, vous n'avez rien publié. Peut-on vous demander à quoi vous travaillez en ce moment ?

J'écris quelque chose comme « les idéalités textuelles ». Qui est le sujet qui habite les textes ? Quand je lis Aristote, comment sais-je qu'il s'agit d'Aristote ? Ou encore, que veut dire : avoir été fait de main d'homme ? (C'est le même problème qu'avec les mathématiques). Supposez que je lise dans Aristote le texte suivant : « *les abeilles meurent si on les enduit avec de l'huile* » ; et que je lise aussi : « *l'espèce est davantage substance que le genre* ». Qu'est ce qui est d'Aristote ? Que signifie le nom propre « Aristote » ? J'ai enseigné pendant cinquante ans et je ne sais pas ce que c'est. Quel est le fond de signification uni-

taire qui fait que ce que j'ai enseigné est de la philosophie, qu'il s'agisse de Spinoza ou qu'il s'agisse de l'espace ?

Le problème porte à la fois sur le texte et sur l'auteur. Qui dit « je », dans le texte de Kant, quand il écrit : « le "je pense" doit pouvoir accompagner toutes mes représentations » ? Telle est l'énigme de l'idéalité textuelle. Elle peut aussi se compliquer : supposons que Kant ait écrit : « je dis que ce jugement "je pense" doit pouvoir accompagner toutes mes représentations ». Qui sont ces « je » ?

Prenons la chose à l'envers. Supposons que, sujet qui se dit philosophe, je me dépouille de tout savoir, et que je reçoive les textes simplement comme des systèmes de marques, qui se donnent à déchiffrer dans une relation élémentaire et ponctuelle entre la lettre et l'œil. Je m'installe, avec des hypothèses extrêmement faibles, dans une structure minimale, qui présente la simple circularité d'un regard et d'une marque. Et j'essaie de voir de quelle façon il est nécessaire d'enrichir ces hypothèses pour saisir ce qu'est un texte signé.

Considérez-vous que l'enseignement est un lieu constitutif pour la philosophie ?

Oui, du moins pour moi. L'échange philosophique en général est constitutif, indépendamment des formes institutionnelles. Le discours professoral, lui, dans la mesure où il est écouté, se referme sur lui-même. Aussi n'ai-je jamais fait de cours global : j'ai toujours enseigné l'histoire de la philosophie *sur des textes*. Car la maîtrise prétendue du discours est, encore, de l'artifice. *(Propos recueillis par J.M. et J. R.)*

1. Dans l'analyse de la structure intentionnelle de la conscience, c'est-

à-dire de sa structure de « visée » d'un sens, Husserl distingue deux « composantes » de cette conscience : la noèse et le noème. Schématiquement, on peut dire qu'il appelle noème le corrélat intentionnel de la conscience, c'est-à-dire ce qui est visé comme tel (par exemple, le « souvenu » en tant que corrélat du souvenir), ou encore, le sens de de ce qui est visé. Le noème est pour ainsi dire « intérieur » à la conscience (percevante, souvenante, jugeante, etc.), il n'est pas un objet du monde. La noèse est l'acte même de cette visée. Ainsi il peut parler de structure noético-noématique de la conscience. (NdR).

2. Husserl, *La philosophie de l'arithmétique* (1895) PUF, 1979.

© CATHERINE CHEVALLIER

© WILLY RONIS/RAPHO

3

LES MOTS DE LA PHILOSOPHIE DANS LE DISCOURS DE LA SCIENCE

*Les avancées de la science ont désormais remisé les
prétentions législatives de la philosophie, non sans projeter parfois ses propres exigences et ses critères de vali-
dation dans le champ des énoncés philosophiques
eux-mêmes.*

*Pourtant le savant découvre au cœur de sa propre
démarche et dans la considération de ses objets les raisons d'une interrogation philosophique.*

*Ce chassé-croisé entre philosophes et savants donne un
sens nouveau à une philosophie des sciences. Quelle
que soit la figure qu'elle prend, elle a à s'interroger
sur ce que dit le langage tandis qu'elle se confronte
par ailleurs à l'émancipation des techniques hors de
toute maîtrise intellectuelle.*

LE PHILOSOPHE,

LE PHYSICIEN ET

LE MATHÉMATICIEN

SCIENCE ET PHILOSOPHIE SE DISPUTENT L'ULTIME MOT DU SAVOIR. DANS CES RAPPORTS, LE RÔLE DU PHILOSOPHE EST PEUT-ÊTRE MOINS DE RÉFLÉCHIR SUR LES SCIENCES QUE DE DÉPLOYER, EN SES PROPRES TERMES, LES PROBLÈMES QUE CES DEUX DOMAINES RENCONTRENT EN COMMUN.

Le mathématicien (au physicien) : « Votre espace-temps n'est que R^4. Pas de quoi faire une histoire ! »

Le physicien (au mathématicien) : « Ce qui compte, c'est le concept physique. Pour nous R^4 n'est qu'une formule vide sans la physique qui est *dedans* (? !). »

Le philosophe (timidement, au mathématicien) : « Vous voyez bien... »

Les deux autres : « Ah non ! surtout pas vous ! Au lieu de piller nos résultats pour nourrir vos interrogations délirantes, pour consolider vos systèmes, expliquez donc au public honnêtement vos idées, sans les détourner ! »

Le physicien : « Une équation est une équation ! Vos bavardages ne sont souvent que des escroqueries. »

Le philosophe (ulcéré) : « Pourquoi parliez-vous tout à l'heure de *dedans*... »

Dans ce genre de débats, la science perd son temps et la philosophie sa *dignité*. Elle semble justifier tous les reproches de frivolité, d'intérêt pour les généralités inoffensives ou pour les questions « dépassées » dont l'accablent souvent les « scientifiques sérieux ». Sollicitations bien équivoques, presque superstitieuses... On sait que la philosophie ne *peut plus* « trancher » (et tout le monde s'en félicite) et pourtant on la presse de faire ou « dire quelque chose », quitte à l'humilier ensuite. Victoire d'autant plus facile qu'elle n'a pas été acquise sur le terrain propre de la philosophie. Penser son temps, ce n'est pas s'affairer à la confection de synthèses, ni anesthésier telle ou telle « crise » ; c'est réveiller, de manière *souvent inattendue*, les *résonances discrètes* entre les problèmes. En ce sens, il n'y a pas d'aires de chasse réservée.

C'est une banalité de l'histoire des idées que d'affirmer que chaque révolution scientifique secrète un nouveau paradigme avec les concours plus ou moins explicites de la métaphysique. Les grands scientifiques du XVIIIe siècle affirmaient clairement *l'autonomie* et la *positivité* de l'intervention métaphysique dans leurs recherches. C'est autour d'une *problématique* commune que s'interpellaient mathématique, physique et spéculations métaphysiques. Chacune abordait les questions avec son type de rigueur reconnu et sans rivalité de « terrains ».

C'est évidemment chez Leibniz que cette formulation réciproque est la plus manifeste. « Ma métaphysique est toute mathématique pour dire ainsi ou le pourrait devenir. » C'est bien le concept métaphysique de « monade » qui permet de comprendre la question du calcul différentiel[1]. Comment la Mathématique comme science exacte peut-elle éviter d'être coincée entre l'identique et l'absolument Autre ? Comment comprendre la physique mathématique ? Comment constituer un monde de monades physiciennes, mathématiciennes, métaphysiciennes ? Comment penser cette triple cohérence, sans recours à une subordination ontologique ? (Physique et métaphysique d'Aristote).

C'est à Husserl que revient le mérite d'avoir souligné l'enjeu philosophique de l'instauration moderne de la physique mathématique. Les analyses de la *Krisis*[2] montrent que si le monde est pensé comme *universum* mathématique (ainsi que l'exige la science moderne), il doit y avoir un mode de correspondance entre les actes « purement géométriques » (qui concernent le monde des formes limites et des figures) et les actes de remplissement matériel. La nature, comme *universum* calculable présuppose la violence inouïe d'un protocole d'accord entre rassemblement des figures et rassemblement des corps : « Tout ce qui s'annonce comme réel dans les qualités sensibles spécifiques devait avoir son index mathématique dans les processus de la sphère de la forme... et qu'à partir de là, une mathématisation indirecte devait être possible » pour « construire *ex datis* tous les processus du côté des remplissements... » (*Krisis*, p. 43).

Naturellement, ce coup de force suppose la mise en retrait de l'ontologie d'Aristote qui maintient strictement séparés, sous la tutelle de la théologie, l'ordre des immuables (les mathématiques) et l'ordre des muables (la physique). Elle suppose aussi le concept « d'espace abstrait » (absent chez les Grecs) capable d'absorber dans son homogénéité le monde des formes et celui des corps, et la construction d'un calcul différentiel susceptible d'appréhender le mouvement en donnant une existence mathématique à des entités définies par leur mode d'évanouissement (infiniment petits). La mise en scène complète de la physique mathématique entraîne donc la construction d'imposantes infrastructures qui ne pouvaient manquer d'impliquer toute la métaphysique et l'ontologie en particulier.

Situation paradoxale : la physique et la mathématique ont toujours hanté la philosophie occidentale et pourtant le divorce semble complet entre « métaphysique », « paradigmes », axiomatiques, efficacité expérimentale... Assez curieusement, un débat restreint aux mathématiciens et aux physiciens se révèle presque aussi orageux ; physique : cuisine malpropre ou performante, mathématique : bonne à tout faire ou reine des sciences... C'est la querelle du Temple de marbre et du Temple de bois (Einstein) : la géométrie aménage un espace de positions-vitesses que la physique remplira de points matériels. Avec ou sans « métaphysique », un marché précaire se conclut : « *je te donne du réel, tu me donnes du fondatoire* ». Naturellement, prolifèrent les « *positions épistémologiques* » plus ou moins chargées d'officialiser ce contrat : conventionnalisme, partisans du symbolisme mathématique, partisans du réalisme... Elles peuvent paraphraser des « formules », traquer quelque principe métaphysique « à la base de », réduire la mathématique à un « langage » indifférent à son contenu et la physique à une construction de « modèles » prestataires de prédictions. Pourtant, une philosophie qui prétend penser l'instauration du physique mathématique doit précisément traverser les « évidences » prescrites par ce contrat et comprendre que faire naître à l'existence mathématique les fulgurations de la matière, ce n'est pas enfermer un point dans une cellule géométrique mais apprendre à accueillir toutes les potentialités des particules, des « monades physiciennes ».

LA MATHÉMATIQUE ACCOMPLIE
DANS LA PHYSIQUE

L a physique mathématique se donne bien au premier abord, comme une axiomatique précisant le système d'équivalence entre concepts mathématiques et concepts physiques. Comprendre le coup de force qui installe cette axiomatique, c'est découvrir la proximité de deux *horizons* formés de *déterminations virtuelles* qui dépassent l'ensemble des *déterminations actuellement explicitées*[3] et qui demeurent toujours disponibles pour le questionnement. Pensée comme apprentissage, comme élan prométhéen et non comme manipulation combinatoire d'« étants », comme « jeu abstrait », *la mathématique s'accomplit nécessairement dans la physique*. C'est sur ce mode qu'il faut apprécier l'audace de Galilée qui emporte le monde des formes limites de la géométrie pure, par-dessus le statut d'objet idéal, pour rencontrer le monde des corps.

C'est parce qu'elle n'est pas un simple outil ou même un paradigme, c'est parce qu'elle habite un *horizon problématique*, que la différentielle incarne mathématiquement l'élan du saut qui libère de l'exactitude des identités absolues. C'est parce que le *potentiel*, même sacrifié *encore tout récemment*, comme « simple intermédiaire de calcul », a toujours gardé une certaine *dignité ontologique*[4], qu'il peut prétendre au statut crucial qui lui est désormais dévolu dans les théories physiques.

Les grands fondateurs de la physique ont su manifester dans l'ordre du calculable la cohérence des deux horizons physique et mathématique, par le biais d'une axiomatique. Restent en réserve certains noyaux problématiques non directement impliqués par la panoplie d'évidences et d'équivalences rendue disponible par cette axiomatique[5]. C'est ainsi que deux rythmes très différents scandent « l'Histoire des Idées ». Celui, discontinu, des « coupures », des paradigmes et de leurs réfutations et celui, plus discret, mais toujours disponible à la réactivation, du ressassement, du piétinement mobile des noyaux problématiques.

Le triomphe de l'espace absolu n'empêche pas la poursuite de recherches fondamentales mais circonscrites pour plus d'un siècle à l'horizon propre de la mathématique ou de la physique. Directement reliés au principe d'harmonie, les calculs lagrangien et hamiltonien ôtent à la position-vitesse son statut de détermination privilégiée. Les transformations de la mécanique céleste ne se réduisent pas à celles qui échangent les repères d'inertie mais sont toutes celles qui respectent la conjugaison de variables dites « canoniques ». Apparaît alors clairement le rôle stratégique d'une algèbre de grandeurs mécaniques. Ces dernières ne sont plus de simples scalaires, valorisant numériquement des actes de remplissage ou de changement de positions, mais esquissent déjà la conquête d'un jeu de causalité rebelle à l'immersion de l'espace « habituel ». En effet, ces grandeurs induisent des champs de vecteurs, *opérateurs* infinitésimaux possédant leur règle de commutation propre pour agir sur un espace de configuration adapté à chaque système.

Parallèlement, le développement de la chimie rend manifeste que les corps ne se combinent pas de manière continue, mais suivant des proportions discrètes. Un nouveau type de constitution du monde physique est inventé : *l'affinité chimique* où s'affirment les *qualités* des corps, rendant caduque une réduction à des masses qui ne peuvent que se heurter ou se mouvoir. Le « Pluralisme cohérent de la chimie moderne » (Bachelard) est bien la description de ces procès d'individuation où les « simples » sont définis par leur rôle dans la synthèse chimique des corps composés.

C'est la quantification qui a affirmé la communauté des horizons propres de la mécanique analytique et de la théorie des espaces abstraits d'une part et de ceux de la chimie et de la physique atomique d'autre part. Les affinités discrètes de l'électrochimie exigeaient expressément un champ opératoire décidément irréductible à un continuum homogène (les orbites de Bohr, sur lesquelles l'électron ne rayonne pas, l'admettaient déjà implicitement). Au début du XXe siècle, les espaces fonctionnels constituent un thème où l'attention du mathématicien se porte beaucoup plus sur le jeu des opérateurs lui-même que sur le substrat que ceux-ci sont censés informer.

C'est précisément cette *autonomie consentie* à l'algèbre des opérateurs hilbertiens en mathématique, qui permet de les reconnaître comme *observables de la mécanique quantique*. Résultat paradoxal : c'est le mouvement même d'abstraction amplifiante de la mathématique qui conditionne leur incarnation comme êtres physiques ! *La mathématique « s'applique » d'autant mieux qu'elle est plus « abstraite »* ! Ainsi, instaurer une nouvelle physique mathématique, c'est être capable de reconnaître en quoi tel effort d'autonomie radical de la mathématique *concerne nécessairement* l'horizon des virtualités de la physique.

HABITER LES HORIZONS PROBLÉMATIQUES

P renons un autre exemple : on connaît le scandale provoqué au XIXe siècle par l'intervention des géométries non euclidiennes. On peut saluer cet événement comme la libération complète de la géométrie enfin « dégagée » de l'univers physique. Il revient au *génie métaphysique de Riemann* d'avoir pressenti l'enjeu immense de l'existence de telles géométries. En effet, le privilège d'unicité de la géométrie d'Euclide était hérité du pacte de la physique mathématique classique : l'espace affine euclidien « est » *notre* espace. La pluralité désormais reconnue des mondes géométriques impliquait que l'effort même d'invention qui les avait conçus traversât aussi l'horizon de la physique. Pensés par Riemann et Gauss comme associés à une théorie du mode d'habiter les surfaces, les concepts de la géométrie moderne (courbure, proximité) devaient s'accomplir pleinement dans le monde des corps (forces et substances).

La relativité générale d'Einstein exhibe les équivalences de certains concepts mais n'épuise pas le problème (toujours actuel) de la cohérence des rassemblements d'espaces d'opérations (théorie des Fibrés[6]) et du déploiement des potentiels (unification des interactions). C'est de ce point de vue qu'il convient d'apprécier les efforts de la théorie de Jauge. L'enjeu de celle-ci n'est pas tant de trouver *la* formule qui condensera « enfin » l'équivalence des forces naturelles mais de *comprendre « physiquement » la géométrie*, c'est-à-dire de rendre disponible à nouveau à la mobilité pure, l'effort de construction des mondes en général, effort issu de la vacillation des catégories du « purement géométrique » et du « purement physique » (topologie algébrique).

Il est vrai par ailleurs qu'il y a toujours une espèce de *scandale* à révéler à l'existence physique tel ou tel concept saisi comme « purement mathématique ». « Le groupe de Lorentz, c'est de la physique ! » s'insurge Einstein. « Ce n'est pas un simple *"modèle" commode*. C'est de la physique. » La mathématique ne fonctionne jamais comme un simple outil pour le physicien et n'a que faire du statut de « reine des sciences exactes » dont on l'affuble parfois avec méfiance et envie. Parce que ses axiomatiques ne se réduisent pas à un stock de données et de règles de formation d'énoncés formels, la mathématique moderne possède de *plus en plus explicitement le pouvoir d'habiter l'horizon* de ses virtualités et donc de se réactiver elle-même. C'est ainsi que Lautmann a bien montré que les théorèmes « les plus techniques » peuvent engager des catégories réputées « proprement philosophiques ». Bachelard savait que « l'association des opérateurs donne des mots vivants, des phrases pensées, des phrases pensantes »[7]. En ce sens, l'activité de la physique mathématique engage autrement la pensée que ne ferait la traduction « pure et simple » d'un « contenu » physique dans un « langage » mathématique. Les particules ne se donnent pas comme de simples « étants » et la physique moderne conduit près de *l'origine géométrique* de la pensée.

Cette possibilité de *réactiver et d'accueillir la problématique en tant que telle* implique que la physique mathématique actuelle a véritablement la métaphysique à fleur de peau, et engage donc la réflexion du philosophe. Il devra savoir qu'il n'y a pas d'*évidences ultimes* (puisque ce ne sont pas les évidences mais les problèmes qui sont réactivés) et ignorer les lamentations face à un « réel » dont la vérité se déroberait derrière les « calculs ». Ce qui s'éloigne de plus en plus, Dieu merci, c'est la possibilité de faire engloutir les questions par notre sens commun et de régler son compte une fois pour toutes au monde des multiplicités et des corps. C'est précisément cela qui préserve l'authenticité du questionnement de la science moderne.

Ce serait l'objet d'une philosophie de la physique mathématique que d'entreprendre le récit de leur cheminement passionné, de penser cette concomitance des problèmes, toujours discrètement insistante, loin des « synthèses pluridisciplinaires » aux contenus affadis, et de comprendre comme Leibniz « que l'emploi des règles de la vraie métaphysique (qui s'avance au-delà des appellations des mots) est plus grand dans la mathématique, dans l'analyse, dans la géométrie elle-même qu'il n'est pensé par le commun ».

1. Cf. G. Deleuze : *Différence et répétition*, PUF (p. 219-285).
2. Husserl, *La crise des sciences européennes et la phénoménologie transcendantale*, (1935-1936), trad. fr. G. Granel, 1976, Gallimard.
3. Cf. les philosophies mathématiques de Cavaillès, Lautmann.
4. Cf. S. Bachelard, *La Conscience de rationalité* et G. Simondon, *La Genèse de l'individu en Physique et Biologie*, Paris, PUF.
5. Cf. l'hommage d'Einstein à Newton. Ce dernier savait que son concept de force n'était que « purement mathématique ».
6. L'exemple classique d'un « fibré » est celui de la bande de Mœbius : L'universum est un cercle et le groupe a deux éléments : l'identité et l'opposition.
7. G. BACHELARD, *L'expérience de l'espace dans la physique contemporaine*, Paris, PUF.

GILLES CHÂTELET

Professeur de mathématiques à Paris-VIII

LA PLACE D'UNE PHILOSOPHIE

DE LA NATURE

LONGTEMPS, L'ILLUSION POSITIVISTE A SUGGÉRÉ QUE LE DÉVELOPPEMENT
DES SCIENCES RENDAIT CADUQUE LA PHILOSOPHIE DE LA NATURE, DISCRÉ-
DITÉE PAR CERTAINES SPÉCULATIONS. MAIS LE SAVANT CONTEMPORAIN SE
RETROUVE AUX PRISES AVEC DES NOTIONS ET DES PROBLÈMES QUI EXI-
GENT DE RETROUVER LE CHEMIN D'UNE PHILOSOPHIE « RENOUVELÉE » DE
LA NATURE.

Une « philosophie de la nature » devrait, par définition, se trouver au lieu de contact entre science et philosophie où elle pourrait
former une jonction. Et cependant, le vocable a mauvaise réputa-
tion. Il faut, pour le défendre, beaucoup d'ingénuité — ou d'outre-
cuidance. On se souvient de la *Naturphilosophie* allemande et de ses
excès : la métaphysique débridée de Schelling, certaines extravagan-
ces de Hegel. Mais il y avait dans la Naturphilosophie d'autres composantes plus proches de l'empirie : la botanique et l'optique de
Gœthe, par exemple. Il y eut en Biologie l'« anatomie transcendante »
des années 1810-1830 avec Geoffroy St-Hilaire, E.R.A. Serres, Owen.
Tout ce grand mouvement d'idées devait aboutir via Brentano à la
Gestalttheorie, et à la phénoménologie husserlienne ; on attend
encore l'historien qui aura assez d'équité pour porter sur la Naturphilosophie — que le darwinisme en Biologie et l'expérimentalisme
triomphant de la fin du XIXe au XXe siècle entier ont complètement
submergée — un jugement perspicace et serein.

ÊTRE PHILOSOPHE EN SCIENCE,
SCIENTIFIQUE EN PHILOSOPHIE

I l existe au départ un obstacle à l'existence d'une philosophie
de la nature : c'est celui que pose le problème de la « démarcation », à savoir l'établissement de critères permettant de distinguer la connaissance scientifique de celle qui ne l'est pas : un
« Naturphilosoph » ne saurait être « démarcationniste ». Ce problème
qui a eu pour l'épistémologie positive et néopositive une importance
cruciale a aujourd'hui beaucoup perdu de son acuité. La théorie de
T.S. Kuhn évoquant les contraintes sociales qui régissent l'évolution
des sciences, les conflits de paradigmes[1] qui déterminent les grandes évolutions scientifiques — tout cela a beaucoup fait pour rui-

ner l'espoir d'établir un tel critère de démarcation. En fait, par un excès opposé, beaucoup d'épistémologues contemporains en sont venus à un extrême relativisme : tout savoir organisé et traditionnellement transmis dans une collectivité humaine pourrait être qualifié de « science ». (Ainsi l'art de tailler les silex chez les hommes du paléolithique serait déjà une science.) J'ai montré ailleurs qu'on devrait faire naître la science à un moment historique bien défini (la géométrie grecque, puis le développement des sciences du début du XVIIe siècle). Ce moment serait caractérisé par une visée : la volonté d'établir un savoir à validité universelle — accessible à tout homme présent ou à venir. Dans cette optique, la science devrait se caractériser par un critère éthique : la science n'existe que dans la mesure où l'espèce humaine a conscience d'elle-même, et son but ultime est de sauvegarder les chances de l'aventure humaine.

Un tel point de vue — à coup sûr — n'est pas très répandu ; de trop nombreux scientifiques sont encore des démarcationnistes attardés — qui continuent à invoquer le critère de « falsifiabilité » de Popper à l'appui de leurs dires (un critère dont Popper lui-même a depuis reconnu le caractère très relatif). Beaucoup de savants ont une « philosophie spontanée », dont la défense et illustration de leur propre discipline est le credo essentiel ; beaucoup n'ont pour la philosophie (au sens traditionnel du terme) qu'un dédain condescendant, voire le mépris qui se doit à toute vaine logomachie. D'un autre côté, bien des philosophes éprouvent vis-à-vis des sciences un mouvement de recul. Les sciences n'ont-elles pas détrôné la philosophie de la place altière — celle de connaissance première — qu'elle occupait au sein des connaissances ? Sous l'effet du poids des connaissances empiriques accumulées, les philosophes se sont repliés dans la forteresse de la subjectivité. C'est Heidegger disant (en 1925, je crois) : « La science ne pense pas » (non sans ajouter : « Ce n'est d'ailleurs pas sa fonction »). C'est Sartre disant : « La science ne fait que construire des modèles, elle n'atteint pas l'être. »

Un type fréquent de démarcationnistes se rencontre aussi chez les scientifiques croyants ; pour eux, il ne faut pas « mélanger les genres », car, historiquement, les théologiens ont trop souvent exploité les lacunes de la description scientifique du monde dans un but apologétique.

Le « philosophe de la nature » que j'envisage aura un point de vue résolument anti-démarcationniste. On peut imaginer un spectre quasi-continu joignant les assertions les plus solidement établies (par exemple un théorème de mathématique) aux affirmations les plus délirantes. La pratique de notre épistémologue peut être ainsi décrite : Partant des *points de contact obligés* entre science et philosophie, il s'efforcera d'*épaissir l'interface* entre science et philosophie ; il sera donc *philosophe en sciences, et scientifique en philosophie.* C'est ce que nous allons préciser.

LA NOTION D'INDIVIDU
COMME PROBLÈME

*L*es points de contact entre science et philosophie tournent autour d'une question principielle : la notion d'*individu*. Il s'agit d'exprimer ce qui fait l'individualité d'un système, l'individualité d'une entité (théorique ou observable), l'individualité d'une relation, l'individualité d'un processus, l'individualité d'un « niveau d'observation ». Ici le scientifique pur pourra hausser les épaules. N'est-il pas évident que chaque région disciplinaire (chaque « ontologie régionale ») a ses propres critères d'individuation ? Et qu'il faut laisser à chaque spécialiste la plus entière liberté de se forger les critères d'inviduation qui lui paraîtront les plus efficaces ? Cette réponse manifeste « la philosophie spontanée » du savant : celle constituée par un refus total des hypothèses ontologiques, le seul critère de pertinence étant le succès opératoire de la notion. Et quand je dis opératoire, c'est plutôt « expérimental » qu'il faudrait dire, car ces deux critères sont devenus, pour le savant contemporain, pratiquement synonymes. Il faut le concéder : la science telle qu'elle se pratique actuellement n'a nul besoin de philosophie — pas même de celle que j'envisage ici ; elle est devenue pour l'humanité une activité implicite de la même nature qu'une fonction biologique. On ne demande pas à une taupe pourquoi elle creuse son tunnel. La science actuelle est devenue le champ clos où se heurtent les intérêts de puissants lobbies — dont le seul but est de développer au maximum leurs activités en procédant à des expérimentations de plus en plus coûteuses.

L'arbitrage nécessaire devrait être décidé par des personnalités capables d'apprécier simultanément la pertinence des différents buts poursuivis, en fonction d'une analyse comparant les coûts projetés aux bénéfices qu'on peut raisonnablement anticiper. Il y faudrait une dose considérable de culture scientifique, une sensibilité capable de mettre en balance des succès expérimentaux susceptibles d'offrir des « retombées » importantes avec des progrès théoriques du type de ceux qu'on attend des expériences en hautes énergies pratiquées sur les accélérateurs géants. On peut craindre que la décision ne résulte que de considérations immédiates évaluant les poids sociologiques relatifs des groupes d'influence rivaux, car où trouver des critères communs si l'on n'a pas une perspective d'ensemble des développements des différentes sciences ? A cela s'ajoute le fait que dans nos sociétés « libérales » du monde occidental, les politiques — contraints à un théâtre de luttes politiques vouées à une morne répétition — sont toujours en mal d'offrir des « projets » neufs qui puissent séduire leurs électeurs, et que dans ces conditions, la tentation est grande de se lancer dans des expérimentations grandioses susceptibles de faire rêver les foules.

Si l'on veut faire de la science autre chose que l'arène où de puissants barons ne songent qu'à élargir leurs fiefs, alors il faut nécessairement faire intervenir en science un point de vue central, il faut de toute évidence revenir à une tradition interdisciplinaire, dont on ne voit pas d'autre racine que philosophique — les philosophes étant — selon un mot classique — des spécialistes du général. Mais il ne faut pas se faire d'illusion. Notre société n'est pas la République de Platon. Les conseils de réflexion et de modération qu'un tel philosophe serait amené à donner ne seraient guère de nature à plaire aux scientifiques (surtout quant aux grands projets de la science lourde), ni même — on l'a vu plus haut — aux gouvernants, qui tiennent à offrir à leurs électeurs matière à rêver.

C'est pourquoi la tâche du « Naturphilosoph » dans les sciences est délicate. Il pourra seulement s'efforcer, par une critique interne, de mettre en évidence les défaillances logiques, les incohérences parfois fondamentales qui sont à la base des grands paradigmes en vigueur. Il n'en manque pas. En physique, la contradiction évidente entre le H-théorème de Boltzmann et le théorème de retour de Poincaré[2], contradiction relevée par Zermelo au début de ce siècle, et qui attend toujours une réponse satisfaisante. En mécanique quantique le flou qui entoure la notion de « processus quantique individuel ». On pourrait, ce qui serait normal pour une théorie d'essence purement statistique, développer une axiomatique de la Mécanique Quantique de caractère purement géométrique : ensemble des algorithmes permettant à partir de la position de sources et de détecteurs dans une enceinte, de déterminer les fréquences asymptotiques des événements détectés. Dans ce point de vue, tous les paradoxes de non localité disparaîtront, parce que l'énoncé d'un protocole expérimental tel que le celui du paradoxe EPR[3] n'y ferait plus aucun sens. Mais les physiciens tiennent à la notion de processus individuel — et ils n'ont pas tort : le malheur est que pour le définir, il faille toujours faire appel à des schémas « classiques ». En biologie, il faudrait citer les énormes lacunes de la description biochimique de l'organisme, où toute réaction enzymatique trouve toujours les précurseurs, et les enzymes voulus, là où il le faut et quand il le faut ; là aussi l'individualité d'un processus est difficile à définir — ainsi que celle d'un niveau hiérarchique d'observation. Et je ne parle pas de l'appel à des concepts flous tels que : information (génétique ou pas), complexité, auto-organisation, etc. Bien entendu, un tel discours critique irrite plus souvent le spécialiste qu'il ne l'inquiète. Car la position positiviste-pragmatiste de la plupart des scientifiques est logiquement irréfutable. Mais en philosophie une doctrine irréfutable n'a pas à être automatiquement acceptée : le solipsisme est irréfutable, mais nul ne saurait s'y condamner. Quoi qu'on fasse, on se trouve ici devant le besoin de comprendre, le besoin de conférer au monde une certaine intelligibilité. C'est là la seule force de notre Naturphilosophie. Les esprits que l'usage et l'habitude ont

ont aveuglés sur certains points obscurs ou hasardeux de leur science n'en auront cure ; c'est là un fait devant lequel il faut s'incliner. Il est certain que le succès pragmatique est une source de sens ; mais c'est un mode inférieur d'intelligibilité, à peine supérieur à l'assentiment provoqué par la prégnance du conditionnement pavlovien dans le monde animal ; l'intelligibilité humaine requiert une comparaison plus globale des différents modes d'intelligibilité, ceux en vigueur dans le langage et dans les autres disciplines de la science : elle requiert de sortir de la situation locale considérée pour prendre en compte les modes les plus généraux de compréhension. On aborde donc là le domaine de l'analogie ; ce faisant, on touche à l'autre côté, le versant philosophique de l'interface science-philosophie.

LA THÉORIE DE L'ANALOGIE

« *L*a science se contente de modèles : elle n'atteint pas l'être. » Là, il faut protester. Un modèle, n'en déplaise à G. G. Granger[4], peut avoir une portée ontologique. Tout repose sur la remarque, élaborée à partir d'une observation de K. Lorenz dans son discours Nobel : « Toute analogie — dans la mesure où elle est sémantiquement acceptable — est vraie. » En ce sens, dès qu'on a pu caractériser un certain type d'analogie, on tient dans le schéma mathématique correspondant un élément quasi platonicien de vérité. Qu'on puisse interpréter ces schémas relationnels comme liant des entités d'un substrat sous-jacent, et l'ontologie se trouve constituée. Mais cela implique de sortir dans une certaine mesure de l'univers purement conceptuel du philosophe et du mathématicien pour entrer dans un univers concret de formes spatiales existantes. C'est là ce que j'entends par être « scientifique » en philosophie. Il faut autant que possible évacuer le sens, la signification, dans son aspect d'intériorité subjective, pour lui substituer des schémas d'interaction de nature algébrico-géométrique et fonder de manière ultime l'être extérieur dans la *résistance* qu'il offre à notre action. On reconnaîtra ici le mode qualitatif d'usage de la théorie des catastrophes.

Bien entendu, ce genre de théorisation se heurte à une diversité irréductible des substrats, laquelle va refléter la diversité irréductible des modes disciplinaires en science. Mais il y aura des modes d'organisation communs entre ces régions. Ce sont ces grands dilemmes énoncés par Renouvier, retrouvés par G. Holton en ses « thémata »[5] qui caractérisent les diverses voies d'organisation du réel. Certes chaque grande région disciplinaire dispose de ses modes propres de théorisation, parfois contradictoires entre eux (cf. l'optique corpusculaire et l'optique ondulatoire). L'incapacité où nous sommes d'unifier tous ces schémas caractérise, pour chacune des régions,

134

une aporie fondatrice. Le progrès de la science consiste à trouver à ces apories des solutions temporaires, dont des progrès postérieurs montreront bientôt le caractère illusoire. Ainsi la fonction originelle d'une philosophie de la nature sera-t-elle de rappeler constamment le caractère éphémère de tout progrès scientifique qui *n'affecte pas de manière essentielle la théorie de l'analogie.* Plus précisément, c'est en améliorant notre compréhension de l'analogie qu'on aura plus de chances de résorber ou de limiter les apories fondatrices, et de parvenir ainsi à une meilleure intelligibilité du réel.

LE PHILOSOPHE GARDIEN
DE L'INTELLIGIBLE

*I*l est probablement vrai que l'ultime justification d'une philosophie de la nature est le *plaisir* qu'on éprouve à rendre le monde intelligible. Certains esprits contemporains se méfient de ce plaisir. Ainsi A. Danchin a écrit (et aime à répéter) : « Le réel ne parle pas. » A cela j'aimerais répondre par un argument « darwinien » : si le sentiment de plaisir que nous donne la compréhension d'un phénomène se révélait systématiquement trompeur — si l'intelligibilité ne correspondait pas « le plus souvent » (ὡς ἐπὶ τὸ πολύ) à la vérité — comment notre espèce aurait-elle pu survivre et en arriver là où elle est ? Même les expérimentateurs les plus convaincus de la non-signifiance du monde ne font pas n'importe quoi ; il ne peut en être autrement : aucune société ne subventionnera des recherches qui n'auraient aucun sens. Il y a donc de l'intelligible partout — à plus ou moins forte dose — dans tout ce qui se fait. De plus la qualité même de cet intelligible peut être très diverse. Un succès pragmatique — surtout s'il est inattendu — confère sens et prégnance à chacun des moyens mis en œuvre pour l'atteindre. Mais cet intelligible dérivé de l'intérêt du but n'est pas de haute qualité intellectuelle, car il n'est pas *intrinsèque* à son objet. Il est plaqué sur l'objet, comme la prégnance alimentaire sur la sonnette du chien de Pavlov. Je caractérise volontiers le rôle du philosophe de la nature comme celui d'un gardien de l'intelligible. Jetant un coup d'œil panoramique sur les pratiques et les théories des sciences de son temps, il s'efforcera d'évaluer le caractère d'« intrinsèque intelligibilité » attaché à chaque théorie. En luttant contre les dérapages pragmatistes qui tendent constamment à dégrader l'intelligible en le focalisant sur des « bidules auxiliaires » (« Fallacy of misplaced concreteness », disait Whitehead), il s'efforcera de maintenir en nos sciences ce caractère de cohérence interne qui est le facteur essentiel du plaisir de connaître.

Ce faisant on peut certes rencontrer contradictions, voire apories. Mais même les apories doivent frapper par une esthétique profondeur, provoquer le sentiment d'un mystère lourd de sens. Il ne fait guère de doute qu'un tel rôle de « censeur » de l'intelligible sera peu goûté des scientifiques. Par contre — sur l'autre face — il peut apporter beaucoup dans l'élaboration des concepts de la philosophie traditionnelle qu'il pourrait considérablement enrichir. L'introduction de vues scientifiques modernes est-elle de nature à modifier considérablement les problèmes de la « Philosophia Perennis » ? On peut en douter, mais elle peut conduire à une certaine reformulation de ces questions, à l'apparition de points de vue nouveaux dans le traitement de problèmes éternels. Après tout « verser le vin nouveau dans des outres anciennes », ce ne serait pas là, pour notre philosophe, un si mince résultat.

1. Thomas S. Kuhn appelle « paradigme » l'ensemble des hypothèses fondamentales, qui constituent à un moment donné le consensus scientifique dominant, définissant ainsi un état de la science « normale ». Les inventions scientifiques les plus novatrices portent à remanier ce cadre lui-même, c'est-à-dire à changer de paradigme. Cf. T.S. Kuhn, *La structure des révolutions scientifiques*, Flammarion, coll. Champs.
2. Ludwig Boltzmann a formulé un théorème célèbre de la théorie cinétique des gaz, dit H-théorème, qui définit le lien qui existe entre la position et la vitesse des molécules d'un gaz en fonction du temps. Cette fonction caractérise un état du gaz qui ne peut que décroître pour aboutir à un minimum correspondant à l'équilibre statistique, établissant ainsi une correspondance entre le second principe de la thermodynamique et la statistique moléculaire des gaz. Le théorème de retour de Poincaré, ou paradoxe de la récurrence, énonce que l'entropie ne peut pas être une fonction monotone croissante mais doit être une fonction quasi périodique.
3. Le paradoxe E.P.R. (Einstein, Podolsky, Rosen) est un argument formulé du point de vue de la théorie de la Relativité restreinte contre la Mécanique quantique. La mesure quantique qui, par définition, transforme la configuration d'un système physique, suppose une modification instantanée et corrélative de l'état de deux particules pourtant séparées par une distance finie. Le résultat quantique est paradoxal pour la Relativité restreinte, car il suppose une transmission instantanée d'une information de la particule droite à la particule gauche. Or la relativité restreinte interdit toute propagation supérieure à la vitesse de la lumière.
4. Gilles-Gaston Granger, *Pour la connaissance philosophique*, Ed. Odile Jacob, 1987.
5. Auteur de *L'invention scientifique* (Trad. fr. PUF) et de *L'imagination scientifique* (trad. fr. Gallimard, 1981), Gerald Holton propose d'appeler *thémata* les concepts, méthodes et hypothèses d'ensemble qui constituent en quelque sorte les présupposés des savants.

RENÉ THOM

Mathématicien, professeur à l'Institut des Hautes Études Scientifiques. Auteur notamment de *Modèles mathématiques de la morphogenèse*, C. Bourgois, 1981.

JEAN-CLAUDE BEAUNE

LA TECHNIQUE

A-T-ELLE CHANGÉ

LA FIGURE DU MONDE ?

L'HOMME S'INVENTE UN PEU À CHAQUE AVANCÉE TECHNIQUE, MAIS LE LANGAGE TECHNIQUE N'EST GUÈRE EN MESURE DE RÉPONDRE AUX DÉFIS DONT L'ACTIVITÉ TECHNIQUE EST CHARGÉE. NE FAUT-IL PAS ALORS SE RETOURNER VERS L'ANALYSE DE LA MÉTAPHYSIQUE ?

Pour aller à l'essentiel, deux conceptions de « l'ordre du monde » s'affrontent : celle d'un ensemble matériel dont l'homme ne constitue qu'une part infime et négligeable, à l'échelle des phénomènes envisagés ; celle d'une liberté de reconstruction de l'ordre qui se heurte au mur opaque de l'ordre premier. Entre les deux, l'ordre des choses fabriquées, des objets techniques, des artifices construits, oscille comme un pendule. Qu'en faire ?

On doit en effet sortir d'une perspective anthropologique, voir « un peu plus loin » si l'on admet, ce qui est le postulat de départ, que *le monde n'est pas passé du Chaos au Cosmos par la seule décision de l'homme.* De quelle légitimité la philosophie peut-elle alors se prévaloir pour parler des techniques et prétendre retrouver l'ordre objectif du monde ?

La religion, la science, l'art peuvent répondre, bien avant la technique, si l'on se fie à l'ordre « établi » des connaissances humaines :

1. On ne peut suivre cet ordre des connaissances car c'est ici l'ordre matériel, physique des choses, agrégat d'atomes ou amas de nébuleuses, qui nous intéresse.

2. L'épistomologie, théorie et histoire des sciences, peut, alors, être sollicitée : mais l'étymologie d'*épistêmê* (savoir se placer par rapport à l'objet pour agir sur lui) rappelle que la science conserve quelques antécédents pratiques et posturaux même si elle le dénie. Platon rejette la *praxis* dans les états seconds de la connaissance, préfère des termes qui rapportent le savoir au regard de l'esprit *(Theoria, Noesis)* pour amorcer un mouvement intellectualiste de purification vis-à-vis de ces antécédents.

3. Peut-on se guider sur les arts ? Les connivences entre arts et techniques sont également inscrites aux origines de notre culture, mais se plient volontiers à des exigences aristocratiques que les artistes contemporains ont parfois tenté de dépasser. À ce propos, les

« machines informatiques à faire de l'art » (capables comme les machines-transfert et autres automates de « créer » un être réel selon des programmes non déterminés au départ) retrouvent à la fois les ambiguïtés d'un calcul de l'imprévu qui accepte de ne pas choisir entre fatalité et hasard et, plus simplement, les parts de contingence que la matière, le milieu inscrivent dans toute pratique.

LA PERTE SOCRATIQUE
DU MONDE

*L*a philosophie n'a souvent fait que « suivre ces mouvements ». Lorsqu'une conception universaliste de la Nature s'impose avec Newton, elle se réfugie dans un rôle d'auxiliaire assidu, *à demi-satisfait*. Elle tente bien de s'opposer aux divers positivismes en œuvre (aujourd'hui dans les sciences de la vie), mais consacre alors une version (dramatique ou badine) du sujet qui, en fait, confirme la « désincarnation » d'un monde livré aux puissances conjointes de la fatalité et du hasard.

Or l'objet primitif de la philosophie n'est ni l'homme ni la nature mais le monde : Socrate, et sa trop belle mort, occultent souvent cette primauté, pensée par les philosophes ioniens (Empédocle, Héraclite). Si l'homme est concerné, c'est comme législateur d'un « *autre monde* » — expérience semblable, toutes proportions gardées, à celle de ces navigateurs des XVe et XVIe siècles qui, pour avoir déplacé le centre de référence, découvrent (sans le savoir parfois) d'autres terres et d'autres cieux. En devenant « mondaine » et humaine, la philosophie a perdu le monde. Bachelard, en un texte étrange, déclare « n'avoir jamais médité sur l'idée d'Univers » et se présente comme l'« exemple tératologique d'un philosophe qui a perdu son monde »[1]. La technique ne l'intéresse guère, si elle n'est un pur moyen ou une application de la science. Son jardin lui suffit, où il cultive les quatre éléments.

Philosophie et technique peuvent pourtant se découvrir quelques « affinités cosmiques » : d'abord l'*inhumanité* d'un objet qui échappe à son auteur et qui possède une part d'ineffable, ce qui ne signifie pas diabolisme ou divinité mais altérité radicale inscrite dans la chose même ; ensuite, la *qualité totale* de situations où, par machines et machineries interposées mais aussi dogmes, traités, manuels et musées, l'individu se trouve confronté à des « tendances » et non à des « faits », au sens que Leroi-Gourhan donne à ces termes[2]. Orgueilleuses et fragiles, la philosophie et la technique se laissent alors circonvenir par les structures, les graphes, les dessins et figures par lesquels, de Pythagore à R. Thom, les abstracteurs du réel refont leur monde dans leur chambre. *Situations totales et marginales* qu'on essaiera d'entrevoir *in fine*.

La philosophie nous enseigne ainsi, en un premier temps, que la technique, pas plus qu'elle-même, *n'a jamais rien changé au monde*. Toutes deux sont hantées par un idéal de stabilité, de plénitude, que la théologie ne fait que traduire dans son langage et son folklore. Le monde est une « chose éternelle », que la technique cautionne par le regard « primaire » qu'elle est amenée à porter sur la « matière première » mais que certaines philosophies réduisent vite à des catégories symboliques, hylarchiques ou messianiques.

LE MONDE EST UN ENSEMBLE D'OUTILS

Il faut revenir au *point d'ancrage de ce mouvement* : à travers ces fantasmes, on distingue la volonté farouche de réintroduire dans le schéma l'Homme comme valeur ultime, l'Histoire comme destin et la Nature comme puissance tutélaire. La technique peut être condition positive ou bouc-émissaire ; en tout cas, *elle n'a pas changé davantage la figure élémentaire du monde que le monde n'a acquis par elle une essence technique absolue*. Pourtant, cette affirmation semble dangereuse et prête à toutes les récupérations : le primitivisme et l'eschatologie ont toujours conspiré aux mêmes délires.

La philosophie doit « sortir de son jardin ». La réalité est plus riche que ses « figures » : l'image du monde se dilue en bouillonnement de quarks ou de galaxies que le *red shift* et le fond de rayonnement radio de l'univers n'ont encore guère apaisé. Est-ce à dire que le « monde » soit une idée radicalement inexploitable par l'esprit ou par l'action sinon comme un concept scientifique ou un apogée esthétique ? Kant pense que le monde échappe à la science puisqu'il ne désigne pas un phénomène mais un mouvement vers l'inconditionné, une règle de la connaissance elle-même.

Prolongeant l'analyse kantienne, Heidegger en revient au caractère principiel du monde : je ne peux avoir conscience de quelque chose qu'autant qu'originairement je suis en contact avec le monde[3]. Le monde est donc le prétexte d'une réhabilitation de certaine ontologie fondamentale ; il ne désigne plus une idée, un concept régulateur de la connaissance objective, mais le *terme* d'un mouvement qui est la condition de toute relation à l'existant. La « présence » de l'homme au monde est ouverture, promesse, exigence de la signification pratique (ontologique) qui excède sa situation « mécanique » présente (ontique) : la position de l'homme dans le monde devient exemplaire et déterminante puisqu'elle est la condition élémentaire, impossible à éluder de notre existence même. On perçoit déjà que le monde n'est ni un destin ni quelque essence théologique mais un *ensemble d'outils* par lesquels passe la médiation incontournable de l'homme à lui-même, aux autres et à Dieu.

Cette « ouverture » est évoquée dans un autre texte[4] où Heidegger affirme d'emblée : « La technique n'est pas la même chose que l'essence de la technique. De même, l'essence de la technique n'a rien de technique... »

L'« essence du technique » est *poïésis*, dévoilement du produire qui engage la vérité, qui « rassemble la théorie des quatre causes et la régit »... Mais la technique reprise par la science et par l'industrie affecte l'initiale « production », l'arraisonne et l'occulte, elle est « provocation » dès que la nature est « mise en demeure de livrer une énergie qui puisse comme telle être extraite et accumulée »... « La technique moderne est une science appliquée. » L'art seul semble capable, par le retour au poïétique antique, de sauver l'homme.

Que Heidegger mette en valeur l'indépendance nécessaire de la technique par rapport à la science est une idée vraiment « critique » ; on peut sans trop de gymnastique rhétorique la rapprocher de la notion de « tendance » de Leroi-Gourhan, et même de certaines phrases de G. Canguilhem qui regrette que certaine science ait transformé les machines en « théorèmes solidifiés »[5].

Il faut à cet instant considérer la séquence mécaniste de l'histoire des sciences et plus particulièrement de la physique céleste. De Copernic à Einstein, en passant par Kepler, Newton, Laplace, on constate que le premier soin de cette physique fut *d'évacuer le Monde*, abandonné sur les grèves philosophiques où Kant le retrouve, de le réduire à cette « figure schématique » qui laisse toute la place à une Nature canalisée et dominée, une « substance étendue » et prochaine dont on calcule et apprivoise les forces, les énergies. Dans un même élan, la dépendance de la technique par rapport à une science rationnelle et déterministe s'accentue : la double perte de l'ontologique et du technico-cosmique semble relever d'un même « mécanisme » dont l'industrialisation aurait fini par unifier les effets.

Pourtant ces constatations triviales n'épuisent pas la question. En tout cas, la marque de l'outil et la figure matérielle du monde résistent parfois à ce qu'il faut bien nommer une *simplification résolument moniste de la sensibilité*. Le monde demeure l'« inconscient » de la nature rationalisée. Diderot s'interroge : quelle représentation du monde peut bien avoir l'aveugle Saunderson ? Le portrait de Vanderbanck (gravé par Fritzsch) où on voit celui-ci manipuler une sorte de globe solaire (ou terrestre) est suggestif. Si l'âme est « au bout des doigts »[6], si la technicité primordiale relève non d'une préparation intellectuelle mais du *corps* de l'homme, l'intime relation ontologique entre l'outil et le monde ne se résout pas à un système d'équations. Elle peut suggérer en outre le désir de classer et de systématiser de manière *pratique* les outils et machines comme les idées et connaissances, à unifier le produit des arts méchaniques et libéraux.

On voit aussi, en cet âge indécis, Rousseau errer et se perdre en jouant à saisir le point premier de l'humanité. Tout animal n'est qu'une « machine ingénieuse » et l'homme lui-même ne serait rien d'autre s'il n'avait le pouvoir de varier ses instincts, d'exprimer une « normativité » qui ne va pas jusqu'au pathologique mais accepte déjà l'enfance. Le hasard seul est la cause de l'« invention de l'homme », produit difficile d'une technicité labile en réserve. « Combien de siècles se sont peut-être écoulés avant que les hommes n'aient été à portée de voir d'autres feux que ceux du ciel ? Combien ne leur a-t-il pas fallu de hasards pour apprendre les usages les plus communs de cet élément ?... Combien de fois chacun de ces secrets n'est-il pas mort avec celui qui l'avait découvert[7] ? »... L'invention technique est une question décidément *métaphysique*. La démiurgie de l'homme revient sur lui : il s'invente un peu à chaque invention, comme dans les pédagogies ouvertes. Se connaît-il mieux pour autant ? On abordera une si vaste interrogation par l'exposé de deux cas symptomatiques.

L'OUTIL MORTEL ET SON OUBLI DANS LE MYTHE INDUSTRIEL

Le premier évoque la *détermination mortelle de la machine*, que confirme notre âge. Le premier outil n'est-il pas ce silex taillé des paléanthropes dont la tranquillité muséale fait oublier le tranchant initial ? L'artisan construit de ses mains un monde humain mais l'ingénieur qui lui succède conçoit et expérimente d'abord des armes, des machines à mort. B. Gilles[8] a fixé un type, l'« ingénieur de la Renaissance » (Vinci, di Giorgio, Tartaglia) : un homme de guerre au service d'un prince conquérant. Descartes lui-même n'a pas oublié la leçon. L'ingénieur ne change pas le monde mais, comme un autre Copernic, *le décentre*, le transporte ailleurs pour en exprimer la sève. La Mort surgit dans ce voyage, en habits de passeur sardonique. L'ingénieur-architecte-artiste de la Renaissance conserve par devers lui la dérision de Pantagruel et des Fossoyeurs de Shakespeare[9]. Avec les premiers silex, ce sont bien des crânes et des os que l'on rencontre parfois dans les fossés du temps. Pauvre Yorick : le monde n'a pas changé mais la poussière d'atomes s'est durcie en quelques figures, pour attester que la totalité et l'inhumanité n'ont pas baissé les armes.

Les techniques, les plus anciennes comme les plus récentes, installent ce vertige de l'*apeiron*, d'où l'opinion d'Héraclite : « Plus grandes les parts de mort, plus grandes les parts de vie qu'elles obtiennent en partage[10] », que Pascal confirme : « Nous avons beau enfler nos conceptions, nous n'engendrons que des atomes au prix de la réalité des choses[11]. » Des atomes ou des silex taillés. La différence est-elle si grande ?

La mémoire technique possède ses petits mondes — et ses anamnèses. À l'heure où la structure industrielle européenne se délite et cède à des pouvoirs financiers qui ne songent guère à réinvestir en elle les bénéfices obtenus mais à se gorger jusqu'à la nausée de cette éphémère abondance, *le « monde industriel » est devenu l'occasion d'une historicité extrapolée et d'un véritable mythe de l'éternité.* Il a acquis, pour le sens commun au moins, le statut d'une « essence ». Or, il s'agit d'une illusion. Bien sûr il existait (et il existe encore) des concentrations techniques impérieuses, sans portes ni fenêtres pour leurs servants, des ensembles pervers qui tournaient à leur rythme comme quelque automate dément. Mais l'âge industriel est proche et court ; les usines (textiles en particulier dans le Nord de la France et même en Angleterre) se sont répandues de manière diffuse, capillaire, bien loin de cette cohérence que nous renvoie leur image reconstruite.

C'est le second « cas », réputé significatif : au Creusot, modèle de système « bloqué » à l'époque glorieuse des Schneider, on pouvait, d'un belvédère bien choisi, voir la ville sans voir l'usine — tant les parcs, les rideaux d'arbres, la disposition de l'habitat permettaient cette imposture que n'explique pas toute la structure « carolingienne » (G. Duby) du pouvoir. En découvrant des archives industrielles vieilles de cent ans, on s'étonne à chaque instant de la méconnaissance quasi-totale de la réalité, de la disparité d'un monde tout entier reconstruit selon son mythe ou son utopie.

La ville, lieu privilégié des choses et des hommes nouveaux, n'est pas aussi conforme à ses fonctions qu'on le pense ; elle déborde d'elle-même et se dote comme à l'aveugle d'étranges prothèses. Aujourd'hui, lorsque la surface de certaines mégalopoles devient saturée et retrouve l'inhumanité fondamentale du technique à force de pression et de concentration, elle s'élève vers le ciel pour le « gratter » d'un doigt dérisoire (Chicago, les villes japonaises) ; parfois elle s'enfonce dans ses propres entrailles : les égouts, les métros, les ruines accueillent une « autre humanité » qui tente, comme les hommes errants de Rousseau, de survivre et d'y refaire un monde.

LE PROBLÈME AUJOURD'HUI

L'époque contemporaine accepte pourtant des *changements d'échelle* qui amènent à reconsidérer la sympathie primordiale du technique et du cosmique. L'utilisation potentielle (et réelle) d'armes capables de concerner la totalité des humains et de la terre elle-même, le sceau d'irréversibilité que l'industrie atomique grave en nos corps et nos âmes — ne serait-ce que par ses « déchets » — ne sont pas négligeables, pas plus que la mise en œuvre d'un génocide, artisanal puis rationnel, *délibérément total* et que seule la plus sinistre mauvaise foi permet de rapporter à d'autres exemples historiques. Plus simplement encore, un bruit de fond médiatique régit aujourd'hui nos vies et ne leur laisse pas même un instant le silence d'elles-mêmes. On pourrait, en ces cas, parler de vraie modification du Monde — et pas seulement d'expérimentations sur quelque Nature complaisante. Il faut être prudent et se garder encore de l'illusion de l'actualité dramatisée.

Le « monde humain » évolue, il serait absurde de ne pas le voir, et les techniques participent à ces changements. Les hommes gagnent et perdent leur « métier », notion délicate et dont G. Dumézil signale lui-même combien elle s'intègre mal à la tri-fonctionnalité[12]. Qui veut se dire aujourd'hui ouvrier sinon par bravade, artisan sinon par mythologie ? Les esclaves (terme né en Germanie au XIIIᵉ siècle pour désigner les serviteurs slaves), les ilotes, les hommes des « métiers sales » en Inde ont-ils gagné beaucoup aux changements même si certains d'entre eux possèdent un poste de télévision ? N'en revient-on pas, à travers la sarabande des inventions « décisives », à l'évidence première : *la liaison du technique et du cosmologique ne saurait être que métaphysique et fondée sur l'inhumanité et la totalité* que ni l'histoire, ni la morale, ni la politique ne sauraient vraiment prendre en charge ? On a proposé la Mort pour désigner cette hypostase qui est aujourd'hui une « frontière qui dure » ; elle qualifie également le silence intrinsèque de toute connaissance et de toute mémoire, le seul lieu de l'altérité radicale.

Mais il faut peut-être chercher ailleurs encore. Parce qu'il a été sous-évalué par une civilisation qui fonde sur ses effets sa puissance (et son mythe), le langage des techniques n'est guère en mesure de répondre à ses propres urgences. Financiers, politiques, prophètes parlent pour lui pour ne dire qu'eux-mêmes. Parce que le Monde, expression d'une totalité sans mesure humaine, s'évade sans cesse d'une raison qui veut le conquérir, la raison se réfugie vite dans le crime, le rite et le simulacre. Dans un étrange fragment des *Pensées*[13], Pascal déclare : « Je trouve bon qu'on n'approfondisse point trop l'opinion de Copernic. » Pascal a d'autres soucis sans doute et d'abord celui de l'immortalité de l'âme mais, ramené à son aune, le conseil vaut encore pour la philosophie.

L'homme contemporain hésite à poser les conséquences des productions automatiques que lui imposent ses machines. Les dualismes bien assis par la tradition se fissurent : quelle est la pertinence, aujourd'hui, de la distinction drastique entre nature et artifice ? Entre vie et mort ? La mort n'est plus, si elle le fut un jour, une rupture brutale, un instant : elle est devenue une durée, plutôt, *le passage a pris de la profondeur*. La vie s'est chargée pour l'animal et pour l'homme de revêtements plastiques qui indifférencient les deux états à mesure que l'autre perspective prend de l'ampleur. Toute « présence » au monde suppose, dès ses premières expressions, certaines prothèses et greffes, bientôt indissociables. S'il est une « essence du technique » comme le souhaite Heidegger, *c'est la Mort qui la qualifie* ; c'est elle qui, au long des développements technologiques, s'est condensée comme une propriété fondamentale qui n'est pas un « même » antérieur ou idéal mais un pouvoir de cohabitation des mixtes que l'existence nous propose. Elle s'applique à l'homme sans doute mais aussi à l'objet, au monde. Une mort indifférente et indifférenciée, un impensable trop pensé, une nouvelle version cosmique et technique d'abord de la question de l'« horreur du vide » dont l'horreur aurait été bien nettoyée par la science. Elle ne ressort entière que les jours de fête et de massacre.

1. G. BACHELARD : « Univers et réalité », in *L'Engagement rationaliste*, PUF, 1972, p. 103.
2. A. LEROI-GOURHAN : *L'Homme et la matière*, Albin Michel, 1943 p. 27 : « la tendance a un caractère inévitable. Elle pousse le silex tenu à la main à acquérir un manche ». P. 28 : « Le fait, à l'inverse de la tendance est imprévisible, fantaisie ».
3. Voir en particulier : « De l'existence, du fondement... » in : *Qu'est-ce que la métaphysique ?*
4. « La question de la technique » in *Essais et Conférences*, Gallimard, 1958, pp. 9-48.
5. Voir dans *La Connaissance de la vie*, le chapitre : « Machine et organisme » (pp. 101-127)... « On ne peut comprendre le phénomène de construction des machines sans s'engager (...) dans l'examen du problème de l'originalité du phénomène technique par rapport au phénomène scientifique. »
6. D. DIDEROT : *Lettre sur les aveugles à l'usage de ceux qui voient*. Œuvres philosophiques, Garnier, 1961, pp. 81-146. Le portrait signalé figure dans cette édition p. 100.
7. J.-J. ROUSSEAU. *Discours sur l'origine de l'inégalité*, Pléiade, pp. 141, 144.
8. BERTRAND GILLES. *Les Ingénieurs de la Renaissance*, Seuil, coll.-Points.
9. W. SHAKESPEARE, *Hamlet*, Acte V, scène 1.
10. M. CONCHE, *Héraclite*. Fragments, PUF, 1986, p. 127.
11. B. PASCAL, *Pensées*, éd. Lafuma, n° 390, p. 216, Brunschvicg, n° 72.
12. Principe formel par lequel Georges Dumézil éclaire la structure de notre culture : il y a une analogie profonde entre la triade mythique Jupiter/Mars/Quininus et la tripartition fonctionnelle souverain/guerrier/producteur qui, non seulement organise le monde romain, mais informe « de l'intérieur » l'ensemble du champ indo-européen (religions, récits épiques, langues, institutions...).
13. *Pensées* : éd. Lafuma n° 340, Brunschvicg, n° 218.
14. B. PASCAL. Ainsi de ses célèbres formules : « Dieu ne joue pas aux dés » ; « Dieu n'est pas vil, ni bas »...

———— *JEAN-CLAUDE BEAUNE* ————

**Professeur de philosophie à l'Université Lyon III.
Auteur, notamment, de : *La technologie introuvable*,
(Vrin, 1980) et : *Les spectres mécaniques* (Champ
Vallon, 1988).**

PIERRE LIVET

ENJEUX DE L'INTELLIGENCE

ARTIFICIELLE

LES MACHINES PENSENT-ELLES ? CETTE INTERROGATION DANS SON INCON-
GRUITÉ MÊME, CONDUIT À S'INTERROGER SUR LA NATURE DE LA PENSÉE
ET SUR LA PLACE DES OBJETS DANS NOTRE UNIVERS CULTUREL.

L'intérêt des philosophes en France pour l'Intelligence Artificielle
n'est pas d'aujourd'hui (on peut citer les réflexions de Jacques Bouveresse sur « le fantôme dans la machine », dans *La Parole mal-
heureuse*[1], ou la passion de François Dagognet pour l'image de
synthèse), mais l'IA n'a pas encore suscité autant de débats philosophiques qu'aux USA. Et en effet, comment un philosophe « sérieux »,
formé dans la tradition kantienne ou dans la tradition phénoménologique, pouvait-il admettre de se poser les deux questions auxquelles le débat avec l'IA semblait se réduire : « les machines peuvent-
elles penser ? » et : « les activités de l'esprit sont-elles d'essence technique ? » Un tel débat ne pouvait que ressasser des préjugés sur la
pensée et la conscience comme sur la technique, sans qu'on puisse
espérer renouveler ou raffiner les concepts mis en jeu. Longtemps,
l'appréhension de l'IA est restée seulement marquée par ce seul conflit de la technocratie et de l'humanisme. L'IA apparaissait comme
l'ultime prétention d'un programme d'expansion impérialiste de la
technique. Et, à vrai dire, la lecture de ses programmes initiaux pouvait justifier cette défiance. On comprend donc pourquoi l'un des premiers textes philosophiques sur l'IA traduit en France a été *L'Intelligence artificielle, mythes et limites*, de Hubert Dreyfus[2], critique en
règle des réalisations de l'IA (toujours impuissantes à atteindre les
objectifs annoncés), et prédiction de l'incapacité de l'IA à jamais
accomplir les mêmes tâches que l'intelligence humaine.

L'évolution de l'IA, l'échec de ses ambitions initiales, la réduction
de ses prétentions et la richesse des possibilités d'application qu'elle
offrait ont déplacé le débat. Si l'on peut toujours légitimement se
demander, comme le fait Pierre Lévy dans *La Machine universelle*[3],
pourquoi notre société attache tant d'importance à mécaniser toutes les tâches humaines, y compris intellectuelles, on peut aussi
ouvrir le débat vers d'autres questions : soit adopter sur l'IA la perspective de philosophes historiens des sciences et des idées (ou encore
de l'imaginaire qui les nourrit[4]), soit tenter de repérer dans l'IA les
résurgences de choix philosophiques classiques (ainsi, dans *Le Débat*
de novembre-décembre 87, Joëlle Proust retrouve dans le programme

de l'IA des thèmes kantiens. Enfin, on peut rechercher ce qui, dans les avancées de l'IA comme dans ses échecs, peut instruire le philosophe et sur les bonnes catégories pour nous connaître nous-mêmes, et sur le statut épistémologique novateur de cette étrange discipline.

LA QUESTION
DU DUALISME

Les fondateurs de l'IA ne s'embarrassaient pas de nuances. Pour Simon, nous sommes des machines de Turing[5] (puisque cette machine formelle peut arriver aux mêmes résultats que toute démarche intellectuelle rigoureuse). L'ordinateur est aussi une machine formelle. On peut l'étudier à un autre niveau que celui de ses circuits électriques, au niveau des opérations formelles et des fonctions qu'il peut réaliser, le niveau, dit Simon, du traitement de l'information (car l'ordinateur n'est pas seulement une machine à calculer, c'est une machine à traiter, à transformer des symboles). Un programme d'ordinateur peut donc imiter les opérations intellectuelles (leur être isomorphe) alors même que le fonctionnement physique de l'ordinateur n'a rien à voir avec celui de nos neurones. Cette imitation qui ne vaut qu'à un seul niveau de description se nomme *simulation*. Elle ne permet pas de réaliser la réduction du mental au physique (il faudrait passer par la neurophysiologie) mais elle la rend plausible : si des machines simulent nos comportements cognitifs, la machinerie neuronale pourra *a fortiori* les expliquer[6].

Développant à partir de là le point de vue « fonctionnaliste », Putnam pouvait relativiser le problème de la dualité entre corps et esprit[7]. La dualité entre mécanismes physiques et fonctionnement cognitif formel est analogue à la dualité entre la réalisation électronique d'une machine de Turing et son fonctionnement logique. Mais alors prenons l'argument : sauf à changer le sens des mots, dire que « la douleur est identique à une stimulation de telles fibres neuronales » est utiliser de façon déviante le mot « douleur ». L'accepter nous obligerait à prétendre bizarrement que la phrase : « l'état logique A bis de la machine de Turing est identique à l'activation du flip-flop n° 36 » est aussi une phrase déviante. Dire que les robots ont une conscience, qu'ils sentent ou qu'ils aiment, est une affaire de décision linguistique (qui revient à admettre ou non les robots comme membres de notre communauté linguistique), mais pas un problème philosophique intéressant.

Effectivement le problème du corps et de l'esprit posé en ces termes n'est pas intéressant, mais c'est peut-être parce que le fonctionnalisme est vide tant que l'on ne se demande pas concrètement comment repérer et décrire le niveau où un fonctionnement en simule un autre, et dans quelle mesure cette simulation a bien les mêmes propriétés que le comportement humain. À cet égard, l'IA a dû relativiser ses prétentions. Simon et Newell avaient conçu un programme qu'ils nommaient General Problem Solver parce qu'ils pensaient que, se plaçant au niveau formel, on pouvait simuler des procédés de résolution de problème applicables à *toutes* les situations. Il se révèle au contraire que l'IA marche bien dans des domaines limités, et pour des tâches *locales*. Et si l'on peut toujours espérer pouvoir transposer les procédures mises au point dans un domaine à d'autres types de travaux, on sait que l'on ne peut pas ajouter indéfiniment des informations et des procédures plus spécialisées à un programme pour le perfectionner : il devient incapable de gérer cette surabondance, les programmes ne résistant pas à un changement d'échelle dans leur complexité.

Les ambitions philosophiques de l'IA sont donc révisées en baisse, et Minsky en vient à penser[8] que l'IA n'a pas à imiter les démarches cognitives humaines et encore moins à les modéliser, mais seulement à inventer des programmes qui, tout en continuant d'être en connexion directe avec les activités cognitives humaines, ont leurs propres contraintes et leurs propres capacités. Les résultats des programmes continuent d'appartenir à la même classe, celle des tâches cognitives, mais leur mise en jeu et leur construction a ses impératifs propres.

UNE MACHINE PEUT-ELLE AVOIR DES REPRÉSENTATIONS ?

P arallèlement, les philosophes ne voient plus dans l'IA une façon d'éviter les problèmes philosophiques comme celui du rapport corps-esprit, mais plutôt une incitation à les reposer, ou à en formuler de nouveaux. On s'interroge sur la possibilité pour une machine d'avoir des représentations (c'est-à-dire d'employer des symboles en tenant compte du fait qu'ils se réfèrent à des entités, à un monde d'objets). Question que les ingénieurs de l'IA se posent au même instant, dans leur perspective propre. Il se révèle qu'il ne suffit pas d'indiquer à l'ordinateur comment dérouler la séquence des opérations qui tendent à le rapprocher de la solution d'un problème. Il faut encore qu'il possède une vaste étendue de « connaissances », qu'il sache comment les organiser en mémoire, et comment les faire intervenir dans ses procédures. Ainsi, pour analyser le rôle que peuvent avoir dans une phrase les mots « la craie s'est brisée », il faut savoir que la craie peut être un type de roche, formant des falaises, mais aussi un instrument d'écriture sur un tableau, instrument taillé dans cette roche[9].

Ce savoir ne peut plus être simplement décrit une fois pour toutes dans les stratégies de recherche d'une solution du problème. C'était l'idée initiale de Simon : au lieu d'envisager toutes les transformations possibles des données initiales, pour ensuite rechercher dans l'arbre ainsi construit celles qui aboutissaient à une solution, il fallait définir des « heuristiques », qui nous disaient quels chemins éviter de poursuivre dans l'arbre de recherche. Certes, on ne pouvait plus alors être sûr d'arriver à la solution optimale, mais on se donnait plus de chances d'arriver à une solution sous-optimale dans un délai raisonnable. Ainsi, au jeu d'échecs, ces heuristiques impliquaient la possibilité d'évaluer la valeur de chaque suite de coups. Elles inscrivaient donc dans le programme un savoir. Mais ce savoir était incorporé aux procédures du programme. Il était difficile de le modifier, ou simplement de l'isoler de ces procédures pour pouvoir se le représenter.

Au contraire, les « systèmes experts » actuels supposent une séparation entre la base de connaissances et le moteur d'inférences, c'est-à-dire les procédures automatiques qui appliquent cette connaissance à la résolution d'un problème. Mais reste à savoir comment organiser les connaissances pour qu'elles soient facilement mobilisables. Là encore, tout choix d'une organisation rend certaines opérations plus rapides, mais rend aussi les transformations de cette organisation difficiles, et donc diminue l'adaptabilité du système. Au lieu d'avoir un résolveur général de problèmes capable d'appliquer les mêmes stratégies à n'importe quel domaine, on a un système dont la compétence est doublement locale : il ne fonctionne que dans le champ couvert par sa base de connaissances (qu'on ne peut pas étendre indéfiniment), et il est limité par les procédures spécifiques de mobilisation et d'organisation des connaissances. Reste toutefois la possibilité d'utiliser des moteurs d'inférence similaires pour des bases de connaissances assez différentes.

Putnam a tiré la leçon de cette limitation de l'IA : La sémantique (le mode de représentation) d'une machine est locale[10]. Il suffit qu'aux relations entre symboles on puisse localement faire correspondre un état de chose. Au contraire l'interprétation humaine est globale : elle dépend de proche en proche de tout le système de croyances — et donc de catégorisations — que nous avons construit (par un apprentissage tout à la fois perceptif, moteur et culturel).

L'HYPOTHÈSE DU « MENTALAIS »

C'est là une critique implicite d'une thèse de Fodor : l'existence d'un langage de la pensée, langage interne ou *mentalais*. Hypothèse nécessaire, selon Fodor, au développement de la psychologie cognitive, qui se propose d'étudier les programmes que nous mettons en œuvre pour percevoir, parler, mémoriser et apprendre. La métaphore du programme permettait à la psychologie cognitive de se libérer et de la neurophysiologie (peu importe l'implémentation, la réalisation physique des programmes, il suffit de les décrire au niveau de leur fonctionnement formel) et du behaviorisme (un même comportement observable peut être expliqué par plusieurs programmes différents). Mais si ce niveau des programmes cognitifs existe, il faut un langage de programmation dans lequel les écrire, et le mentalais doit jouer ce rôle. La remarque de Putnam conduit à relativiser cette hypothèse. Le mentalais, comme tout langage d'une machine, ne peut avoir qu'une sémantique locale, et il ne rend pas compte de ces capacités humaines que sont l'interprétation, ou encore la conservation de la référence à un même objet à travers une traduction, donc à travers un changement de domaine de connaissance.

Fodor lui-même, sans renoncer vraiment au mentalais, a révisé en baisse les objectifs de la psychologie cognitive[11]. Il est illusoire d'espérer expliquer les processus cognitifs centraux, ceux qui nous permettent d'associer n'importe quoi avec n'importe quoi, et de passer par analogie d'un contexte de significations à un autre fort éloigné. Nous ne pouvons espérer rendre compte que des processus « modulaires » et « encapsulés », comme le seraient selon Fodor la perception et le langage, c'est-à-dire de processus relativement automatiques et peu sensibles aux informations générales.

Du coup, Fodor devient un critique de l'IA[12]. Elle se heurte en effet au « *frame problem* » (problème du cadre) : comment savoir, quand l'action ou le raisonnement d'un ordinateur transforment les conditions initiales, quelles sont les représentations qu'il doit biffer parce qu'elles ne sont plus pertinentes pour la suite de l'action. Fodor montre que le problème n'est pas seulement celui de tenir un agenda à jour, mais en général de savoir quels éléments sont pertinents pour confirmer une hypothèse. L'IA tente de résoudre ce problème en définissant des « *frames* », des cadres de représentation, qui nous indiquent par exemple que, s'il s'agit d'un chien, il est pertinent de se soucier de son nom, de sa race, de son propriétaire, etc. Mais ces cadres sont locaux. On peut bien sûr renvoyer d'un cadre à un autre, et du chien des Baskerville au roman policier. Mais dans un réseau de cadres, comment choisir le bon chemin, qui sélectionnera les cadres pertinents, eux tous et eux seuls ? Le problème du cadre se repose donc, et sauf à accepter une régression à l'infini, il faut admettre que les concepts de l'IA ne peuvent traiter que des problèmes locaux.

LE PROBLÈME DE L'INTENTIONNALITÉ

Mais une sémantique locale est-elle vraiment une sémantique ? Une relation à un monde est-elle une relation au monde ? Searle en doute. Pour lui, une sémantique suppose une intentionnalité : nous visons des objets, nous assignons des conditions de satisfaction à nos représentations (je perçois une voiture rouge si elle est bien là, garée devant ma maison). De plus, nous sommes, par notre corps, les causes de cette intentionnalité. Aucun programme d'ordinateur ne peut faire cela. Supposons un homme à qui l'on fait jouer le rôle de l'ordinateur ; on lui donne une liste de symboles (des caractères chinois), avec différents programmes : comment assembler ces symboles avec d'autres signes[13] ? L'homme qui ne connaît pas le chinois devient ainsi capable de « répondre » à des « questions » en chinois, puisqu'il sait comment associer convenablement les signes. Mais il ne comprend pas le chinois, il ne peut l'utiliser pour être cause d'une visée du monde, d'une intentionnalité.

Dennett relativise cette critique : certes aucun programme d'ordinateur n'est par lui-même, dans son statut simplement formel, suffisant pour produire causalement de l'intentionnalité. Mais la réalisation concrète, l'incarnation d'un programme pourrait le faire[14]. Dennett se satisfait en effet d'une notion pragmatique de l'intentionnalité. Il n'est pas nécessaire qu'un ordinateur ait des croyances, qu'il vise un monde, il suffit que lui prêter un comportement intentionnel permette de prédire correctement ses réactions. Ainsi j'attribue des croyances et un comportement intentionnellement rationnel à mon programme d'échec. Adopter cette perspective intentionnelle (intentional stance), ce n'est pas une décision arbitraire et subjective, puisqu'elle permet des prédictions correctes. Ce n'est pas non plus une nécessité ontologique : ces prédictions n'ont de sens que relativement à mes intérêts, mon engagement dans le jeu d'échec.

On ne peut donc réduire la notion d'intentionnalité c'est-à-dire l'éliminer pour la remplacer par un quelconque mécanisme. Mais attribuer l'intentionnalité à un ordinateur, ce n'est pas se résoudre purement et simplement à lui prêter une subjectivité, à placer un fantôme de sujet derrière la machine. Car, si nous voulons localiser ce sujet, nous devrons le décomposer en une armée d'homoncules[15]. Or si, chaque fois qu'un homoncule nous paraît trop proche du sujet humain, nous pouvons le décomposer en homoncules plus stupides, jusqu'à parvenir à des homoncules seulement chargés de pointer vers une adresse, ou d'effectuer une addition, nous aurions bien réussi l'équivalent d'une réduction de la subjectivité, sans pour autant avoir éliminé l'intentionnalité (qui demeure implicite quand nous décrivons la recherche d'une adresse comme la visée de cette adresse, quand nous attribuons à l'ordinateur un monde de représentation).

Le pari de Dennett, cependant, est qu'un ordinateur du type actuel (électronique, avec des opérations séquentielles) ne produira jamais causalement d'intentionnalité. Ceci pour une raison un peu étrange : les machines de ce type ne peuvent pas résoudre leurs problèmes de cadre assez vite pour être mises en prise directe et en phase avec les modifications de leur environnement[16]. La connexion n'est donc jamais directe (ainsi le météorologue, s'il veut calculer sur ordinateur ses prévisions avec suffisamment de précision, mettra trois jours pour prédire le temps qu'il fera demain). Seul un ordinateur implanté dans un système organique pourrait réaliser cette performance.

D'où l'intérêt de Dennett pour les « réseaux d'automates » (étudiés par Daniel Andler dans le numéro déjà cité du *Débat*) : chaque automate calcule une fonction simple (c'est un homoncule particulièrement stupide), mais il est relié à tous les autres, et les modifications qu'il envoie au réseau reviennent en boucle modifier son comportement. Lorsque cette rétroaction cesse de modifier l'état des automates, on a atteint un équilibre, que l'on peut corréler à une opération cognitive (par exemple, le réseau se stabilise en présence d'une lettre de forme déterminée). Ces réseaux calculent donc en parallèle, ce qui les rend un peu moins lointains du système nerveux, et d'un calculateur « organique ». Mais on ne voit pas bien comment ils pourraient, par exemple, posséder la générativité du langage, c'est-à-dire la capacité de multiplier indéfiniment des représentations articulées entre elles.

DÉFINIR LES CATÉGORIES
DE LA PENSÉE

O n le voit, l'IA ne comporte plus un seul programme, et la tâche du philosophe n'est plus de se demander si une machine peut penser. Car cette question nous enfermerait maintenant dans un cercle. Si nous arrivions à différencier l'activité cognitive des machines de l'IA de notre propre cognition, ce serait parce que ces machines nous auraient permis de déterminer par comparaison la différence spécifique de la pensée humaine. Mais alors la « pensée » des machines serait, comme notre pensée même, un des termes nécessaires à cette activité de comparaison, qui devient, elle, la pensée en général, la « vraie » pensée. Si au contraire nous finissions par reconnaître que notre pensée est du même genre que celle des machines, ce serait parce que nous aurions pu progressivement conférer aux machines les propriétés spécifiques de cette pensée (par exemple l'intentionnalité). Mais ces différences spécifiques n'existant que par comparaison avec la pensée des machines, nous aurions dans cette comparaison manifesté un genre supérieur de pensée, qui permet à notre pensée de communiquer avec celle des machines, tout en spécifiant les différences entre elles. Cette pensée ne serait pas seulement un genre commun (moins spécifié), mais une méta-pensée (qui posséderait des possibilités que ni la pensée des machines ni la nôtre n'avons !). Ainsi, soit les machines ne pensent pas (au sens humain), mais elles participent de la méta-pensée. Soit elles pensent (en leur sens et au sens humain), mais nous sommes obligés de supposer au-dessus de nos deux pensées réunies une méta-pensée.

La tâche du philosophe est donc bien, plutôt que de rester pris

dans ce cercle, de se demander en quoi différentes machines suggè-
rent différentes conceptions de l'intelligence, ou plus généralement,
de l'activité cognitive. Certes, l'IA tente toujours de comparer ses
performances à celle de l'intelligence humaine. Ainsi on essaie de
mettre au point des logiques non monotones : elles admettent, comme
nous le faisons souvent nous-mêmes, qu'une fois une proposition
jugée vraie sur la base des faits initialement connus, l'adjonction
de nouveaux faits pourra cependant invalider cette proposition. Ce
n'est pas vouloir copier le raisonnement humain, mais s'autoriser
de sa liberté (il s'affranchit des contraintes de la monotonie) pour
explorer de nouveaux domaines cognitifs. Ce faisant, nous enrichi-
rions notre conception de notre propre rationalité.

Le philosophe s'immisce donc dans ce double mouvement : le va-
et-vient entre les catégories nouvelles dont la praticabilité est tes-
tée par l'IA, et en retour, la redéfinition plus fine des catégories de
la pensée humaine ; entre ces débordements de l'IA au-delà du champ
cognitif humain, et l'exploration plus détaillée de ce champ. Étendre les possibilités cognitives au-delà de l'homme, c'est forcément
mieux analyser en retour la rationalité humaine, puisque toute capacité cognitive doit être compatible avec les nôtres (pour être cognitive, elle doit être reconnue). Mais l'IA ne se borne plus à vouloir
calquer les possibilités internes à la rationalité humaine. Elle développe les procédures que lui suggère la cognition humaine selon ses
propres méthodes, liées aux objets techniques dont elle dispose. Elle
construit des objets, des mécanismes cognitifs possibles. Le rôle du
philosophe serait alors de proposer des catégories génériques, qui
raccordent les divisions d'une connaissance humaine reconstruite et
celles d'une IA exploratrice, et de désigner leurs différences spécifiques.

Un tel travail est à portée de la main dans le domaine de l'analyse
du langage. Ainsi, pour comprendre la façon dont nous interprétons
des scènes racontées, Schank distingue trois sortes de « MOP's »
(*memory organization packets*, organisations de scènes possibles) :
physiques, sociaux et personnels[17]. Le philosophe doit poser la
question : comment se justifie cette tripartition ? Par la présence possible des trois aspects simultanément, par la nécessité de leur distinction dans l'interprétation, etc. Mais on pourrait confronter cette
division avec celle de Habermas (activité technique, stratégique, normative, expressive), et comparer les raisons avouées ou implicites
de ces deux divisions. Le travail de justification des catégories, travail proprement philosophique, ne peut plus se faire à partir d'un
fondement absolu (le sujet transcendantal), il se révèle relatif à la
multiplicité des catégories d'un temps, d'un langage. La confrontation avec l'IA, en nous faisant sortir du seul domaine humain, nous
permettrait peut-être de relativiser le relativisme culturel : les catégories relatives à des traitements mécaniques de l'information ne
sont pas directement relatives à nos enjeux culturels, même si le

choix pour l'étrangeté technique est un choix culturel. La confrontation de la philosophie et de l'IA nous permettra peut-être d'ouvrir notre monde culturel sur l'inconnu technique qui pourtant se décide en son sein.

1. Éditions de Minuit, 1971.
2. Traduction chez Flammarion, 1984, de *What computers can't do*, Harper and Row, 1972.
3. Éditions La Découverte, 1987.
4. Cf. le numéro 30 de *Milieux*.
5. Le principe des machines de Turing repose d'une manière générale, sur la notion de calculabilité élaborée par leur inventeur en 1936. Une machine de cette sorte comprend notamment un automate capable d'un nombre fini d'états et une tête de lecture/écriture. En lisant un signe écrit sur une bande infinie, la machine change d'état et peut réécrire un autre signe, donc calculer le résultat de l'application d'une fonction à une valeur. À la limite, des opérations complexes pouvant, par l'intermédiaire d'une programmation convenable, être représentées au moyen d'opérations élémentaires, la question de la discrimination d'une séquence algorithmique «agie » par la machine et d'un comportement intellectuel humain est une question sérieuse — objet d'exemplifications fameuses par Turing lui-même dans l'immédiat après-guerre. (N d R).
6. Herbert Simon, *Models of Discovery*, p. 265.
7. Cf. Hilary Putnam, *Mind, Language and Reality*, Cambridge Usty Press, 1975, pp. 325 à 429 (« Brains and behavior », « Minds and machines », « Robots : machines or artificially created life ? », « The mental life of some machines »).
8. Marvin Minsky, in *Semantic Information Processing*.
9. L'IA a dû traiter l'analyse syntaxique, sémantique, et les problèmes de savoir contextuels de façon intégrée, et donc aller « plus vite » que les théories linguistiques. Cf. les travaux de Winograd, *Language as a Cognitive Process*, Addison Wesley 1983, et Barr et Feigenbaum, *Le Manuel de l'Intelligence Artificielle*, trad. fr., Eyrolles 1986, pp. 226 et sqq.
10. Hilary Putnam, «Computational Psychology and Interpretation Theory », in *Realism and Reason*, Cambridge Usty Press, 1983, p. 150.
11. Jerry Fodor, *Modularity of Mind*, Bradford Book, 1983, traduit aux Éditions de Minuit.
12. *Ibid.* pp. 112 et sqq.
13. Cf. « Esprits, cerveaux et Programmes », traduit in *Quaderni*, n° 1, 1987.
14. Daniel Dennett, *The Intentional Stance*, Bradford Book, MIT, 1987, p. 326.
15. Daniel Dennett, *Brainstorms*, Harvester Press, 1981, pp. 122 et sqq.
16. Dennett, *The Intentional Stance*, pp. 330 et sqq.
17. Roger C. Schank, *Dynamic Memory*, Cambridge University Press, 1982, pp. 83 et sqq.

———————— *PIERRE LIVET* ————————

**Professeur de philosophie à l'Université de Provence.
Auteur de *Penser la pratique*, Klincksiek, 1979.**

ALAIN BOYER

CE QUE DIT LE LANGAGE

SI LE DIEU LANGAGE SUSCITE TOUS LES SACRIFICES, MONOPOLISE TOUS LES CULTES, CETTE RÉFLEXION NE DOIT PAS ÊTRE CONÇUE COMME LA VOIE ROYALE ET UNIQUE DE LA PENSÉE. EN FAIT ON PARLE TOUJOURS DE QUELQUE CHOSE, DU LANGAGE ET DE CE QUI LUI RÉSISTE : LA CHOSE.

Il n'est guère de points communs aux diverses traditions philoso-phiques contemporaines, sinon peut-être une commune fascination pour le langage : l'herméneutique, le « structuralisme », l'empirisme logique, la « philosophie analytique » s'accordent au moins sur ce point que la philosophie est avant tout réflexion sur des objets de langage. Le philosophe ne saurait, sous peine de naïveté, prétendre parler du « monde », son objet ne pouvant être autre que le discours ou les discours. À entendre certains, on pourrait croire qu'un cours de philosophie ne peut s'arrêter que sur l'affirmation magique et incantatoire de l'omnipotence, voire de l'omniscience de Lingua. Il est « bien connu » (comme dirait Hegel), qu'il n'y a pas de pensée, d'intelligence, de science, d'émotion, de passions, etc. sans « la Lan-gue ». Descartes l'avait bien vu : les bêtes ne parlent pas, donc ne pensent pas, donc n'ont pas d'âme, donc ne souffrent pas, etc. Mais que « fait » cette divinité ? Elle se mire et s'admire, se renvoie sa propre image, s'auto-célèbre. Du « tout est politique » au « tout est langage », on n'a fait qu'échanger un monisme contre un autre.

N'allez pas suggérer que ce Narcisse autonome pourrait peut-être « servir » : « se référer à », « parler de » quelque chose d'autre que de lui-même : quelle vulgarité ! Nos modernes sophistes tiennent sans doute que la « fonction métalinguistique » épuise la « fonction des-criptive », pour parler comme Jakobson. Illusion de croire qu'une œuvre littéraire, par exemple, puisse « dire quelque chose » d'une réalité extra-discursive ! On a déployé, « expliqué » une œuvre lorsqu'on a montré qu'elle n'avait point d'autre thème que le lan-gage, la littérature, ou encore, délice des délices, elle-même, bien sûr. D'ailleurs, en affirmant que « *esse est dici (aut dicere)* », « l'idéalisme fantaisiste » conduit à douter que l'affirmation d'une « réalité » extra-discursive ait un sens. Une certaine complaisance à l'égard de quel-ques formules bachelardiennes ambiguës permet de boucler la bou-cle : le « réel » n'existe pas, « tout est construit ». Dame ! Le Ver-rier n'a pas « découvert » Neptune, comme le croient les naïfs, il l'a inventée ! (Tout est *ad hoc* !).

Plus sérieusement, certains philosophes anglo-saxons n'hésitent pas, à partir de Peirce et Frege, à parler d'un « *linguistic turn* » après lequel il ne serait plus possible de concevoir la philosophie comme ontologie ou même comme théorie de la connaissance, mais seulement comme « théorie de la signification » (Dummett : *Frege*, vol. 1). L'auteur des *Fondements de l'arithmétique* eût-il admis cela ? Quoi qu'il en soit, bien des philosophes de langue anglaise semblent penser que cette « révolution » linguistique a fait long feu, et qu'il convient de s'intéresser de nouveau à la psychologie, au cerveau, à l'évolution... sans nécessairement passer par les fourches caudines de l'analyse du sens, des « jeux de langages » ou du « discours ».

LE LANGAGE
ET LA VÉRITÉ

Oublier la fonction référentielle du langage, c'est oublier la vérité, « Idée régulatrice » de cette fonction selon Popper. À partir du moment où je peux *décrire* des états du monde, je peux en « décrire » qui n'existent pas : je peux faire une *fausse* description, rêver, feindre, mentir, contester une relation, en opposer d'autres, etc. Oublier la référence, c'est oublier que les signes ne font pas que se signifier les uns les autres, qu'ils sont normalement utilisés pour viser, désigner des fragments du monde, autrement dit, isoler, dans le flux des choses, des relations effectives entre événements.

Que ces « faits » soient ainsi « révélés » par l'énoncé ne veut pas dire que l'énoncé les crée de toutes pièces : quelle différence faire entre vérité et fausseté si c'était le cas ? Je ne peux parler sans découper, ni découper sans théorie, comme le fait le bon cuisinier (selon les articulations), soit ; mais, je découpe « quelque chose » qui ne dépend pas de la forme de mon couteau. Comment s'insurger contre l'ignominie « révisionniste » si l'on commence à douter qu'un énoncé comme « *il y eut des chambres à gaz* » puisse désigner, « correspondre à » une réalité, dont personne, même les dieux comme disait Aristote, ne peut faire qu'elle n'ait pas « eu lieu » ?

Il y a quelque chose qui n'est pas du langage et qui fait que cet énoncé est vrai ou faux (a des conditions de vérité). En est-il de même de l'énoncé « *les propos de M. Faurisson sont scandaleux* », qui, manifestement, enveloppe un jugement de valeur ? C'est moins clair : si les valeurs ne sont pas des faits, aucun fait ne correspond à un jugement de valeur (ne le vérifie ou le falsifie). Pourtant, il est clair que l'énoncé en question est vrai si et seulement si les propos de M. Faurisson sont « effectivement » scandaleux, comme le veut la théorie de la vérité de Tarski : « p » est vraie si et seulement si p[1]. Revenons à M. Faurisson : la phrase en question est vraie seulement si effectivement « scandaleux » veut dire quelque chose comme « en contradiction totale avec les règles les plus élémentaires de la morale ordinaire et de la déontologie universitaire » : l'énoncé a bien alors des conditions de vérité.

Reste à savoir si la morale ordinaire est « bonne » ou s'il faut au contraire se donner le droit de mentir (par inhumanité), d'attenter à la mémoire des morts, de profiter des libéralités démocratiques pour instiller des doutes infondés et de la confusion dans l'esprit des jeunes gens, etc. Aucun fait ne saurait à lui seul me forcer à désapprouver l'injustice. Faut-il en venir au relativisme le plus inepte ? (Comment répondre à l'immoraliste qui va nous donner du « Tu quoque » : « Toi aussi, tes jugements sont arbitraires, tu ne juges que par respect non critique pour une morale toute relative et sans fondement ! » ?) Comment renoncer au dogmatisme (il y a des faits, par exemple religieux, qui fondent les valeurs) sans tomber dans le relativisme (toutes les valeurs se valent) ? Ce problème me semble trop grave pour être résolu par des arguments faisant appel exclusivement au langage.

AU-DELÀ
DU TOURNANT LINGUISTIQUE

Aucun fait de langage ne saurait *à lui seul* décider de la moindre question philosophique, sauf d'une question de philosophie du langage. Au surplus, le domaine de cette dernière n'est qu'une partie propre de celui de la philosophie. La lune est un objet bien lourd pour l'estomac de la représentation, comme dit Frege[2] : on pourrait en dire autant de celui de la langue. Il n'est en effet pas d'institution plus universelle, plus importante, plus riche de potentialité que le langage ordinaire : il « contient » par exemple toute la littérature (cf. l'OULIPO) et les discours prononcés à une époque donnée, aussi nombreux soient-ils, sont en fait de peu de poids si l'on considère l'ensemble des énoncés *possibles*[3]. Or tout moyen peut être aussi considéré comme une fin : le langage peut être étudié en tant que tel, mais aussi comme un exemple particulier de « capacité cognitive », dont l'analyse sera susceptible de nous aider à comprendre l'objet peut-être le plus complexe de l'univers : le cerveau humain (cf. l'école de Noam Chomsky). Mais ni l'action, ni la science, ni la morale ne se réduisent à des questions de langage.

Le retour du modèle économique, après une longue période de domination de la linguistique, exprime bien la vanité du « tout est signe » de naguère : parmi les problèmes les plus séduisants que posent les philosophes en 1988 figurent ceux de la rationalité ; pour certains la théorie de la rationalité est peut-être même en place de détrôner la sémantique, mise au poste de commande par le « *linguistic turn* ». L'étude des effets pervers, des paradoxes de la prédiction auto-créatrice (« effet Œdipe », selon le mot de Popper), de la faiblesse de volonté — incontinence — (*Akrasia* : cf. Aristote, *Éthique à Nicomaque*, VIII), la question de la délibération, les figures paradoxales qu'offre la théorie des jeux, la question de la justice distributive (cf. Rawls et l'utilitarisme : peut-on sacrifier le bonheur de l'un à celui des autres ?), les réflexions sur le bon usage des nouvelles techniques biologiques (cf. le livre de J. Testart et les travaux remarquables d'Anne Fagot-Largeault), etc. : l'agenda du philosophe est bien rempli, et ceux qui, périodiquement, annoncent la « mort de la philosophie » en seront pour leurs frais.

Attribuer *un* objet, *une* méthode, *un* style, *un* domaine à « la » philosophie paraît relever de l'illusion « essentialiste », comme s'il existait une *idée* de la philosophie pure et parfaite qu'il faudrait imiter. L'inflation du langage dans la pensée contemporaine me semble n'être que le dernier avatar de cet essentialisme, comme si aucun problème philosophique ne pouvait surgir d'autres occasions que des situations de parole. Dogmatisme.

LE RETOUR
AUX CHOSES ?

Qu'on m'entende bien : je ne tiens absolument pas la réflexion sur le langage pour quantité négligeable. Je soutiens simplement que cette réflexion ne doit pas être conçue comme la voie royale et unique de la sagesse, le *terminus a quo* et le *terminus ad quem* de la réflexion philosophique. Toute réduction de l'ensemble des tâches de cette dernière à l'une d'entre elles me paraît constituer le début d'une imposture : on en dirait autant de la réduction de la philosophie à l'histoire *des* philosophies — pourtant de si haute importance —, à l'histoire des sciences, à la politique. L'attitude inverse me paraît être également dommageable : je veux parler du ton « grand seigneur » que nous adoptons parfois lorsque nous daignons descendre des hauteurs « du » concept pour jeter un œil distrait sur les amusements de nos pauvres imitateurs, tâcherons de l'activité scientifique ou historique... En fait, la philosophie ne saurait survivre si elle ne cherche pas sa nourriture au moins en partie en dehors d'elle-même.

La philosophie des sciences de langue anglaise n'hésite pas à discuter franchement et sans coquetteries superflues de la question de la référence. La querelle porte en particulier sur l'interprétation des théories scientifiques lorsque celles-ci font intervenir des entités non observables (l'électron, la gravitation, ou encore les intentions, les désirs d'un individu, etc.). L'instrumentaliste tient que les théories ne sont pas des descriptions, mais des outils : on ne demande pas d'un marteau qu'il soit vrai ou faux, mais qu'il enfonce le clou. Les théories ne sont que des instruments servant à prédire, à simplifier les calculs. Croire qu'ils se réfèrent à quelque « chose en soi », c'est de l'idéalisme. La science ne dit rien de l'être. D'aucuns, sans doute par étourderie, en concluent qu'elle ne pense pas. En revanche, le réaliste se veut plus « naïf » : « Considère toujours avant tout les

157

théories comme des fins et non seulement comme des moyens ! »
Autrement dit, le scientifique cherche avant tout des théories expli-
catives vraies, qui donnent quelque accès à la structure profonde
— peut-être infiniment profonde — du monde, et il ne cesse, tel un
enfant ou un métaphysicien, de demander : « pourquoi ? ». Les théories parlent des choses cachées « dans le profond », comme dit Démo-
crite, elles sont vraies ou fausses et nous cherchons à éliminer celles qui sont fausses et à améliorer, préciser celles qui nous paraissent « aller dans le bons sens », nous faire comprendre un nouveau
mécanisme, la stabilité ou l'instabilité d'un système, etc.

L'argument favori du réaliste est assez simple : comment expliquer que certaines théories « marchent » si bien, si elles ne disent
rien de vrai ? Il paraît improbable qu'une théorie permette de faire
des prédictions merveilleusement précises si elle n'est pas en quelque sorte une « assez bonne » représentation de ce qui est (ce serait
trop dire cependant que d'en déduire qu'elle ne peut dès lors qu'être
vraie). Autrement dit, le miracle est très peu plausible. Mieux vaut
expliquer le succès prédictif des sciences en supposant qu'elles *parlent* de la nature, et qu'elles arrivent à se référer (plus ou moins
bien) à cette réalité indépendante. Nous sommes bien en train de
parler du langage, du *logos*, mais précisément, nous parlons de ce
qui lui résiste, de ce qui l'excède, de ce qu'il vise, de ce qu'il célèbre, déforme, influence éventuellement, en provoquant notre étonnement : la chose. Tout *n'est pas* langage...

---

1. Cette théorie n'a sans doute pas toutes les vertus que certains (Popper
surtout) lui ont prêtées mais il est vrai qu'elle montre que la notion de vérité
est indispensable, même si l'on ne dispose d'aucun critère du vrai (méthode
de décision pour savoir en nombre fini d'étapes si un énoncé donné est vrai),
et qu'elle n'est pas incohérente : les paradoxes *peuvent* être évités, tel le
fameux Menteur : « la phrase que vous êtes en train de lire est fausse » (en
revanche, substituez à « fausse » l'expression « dénuée de sens » et vous n'avez
plus de paradoxe, mais une simple contradiction dans les termes, une phrase
qui démontre sa propre fausseté : une philosophie qui dit d'elle-même qu'elle
est dénuée de sens n'est pas dénuée de sens, mais fausse, comme l'a fait
remarquer Popper à propos du *Tractatus* de Wittgenstein).
2. « Compte rendu de *Philosophie de l'arithmétique* de Husserl » *in : Écrits
logiques et philosophiques* (trad. Cl. Imbert), 1971, Seuil, p. 145.
3. Cette « rareté » est soumise à des principes : telle était la thèse de Foucault, qui fixait pour tâche à son « archéologie du savoir » la recherche des
règles de raréfaction du discours définissant une période donnée.

ALAIN BOYER

**Maître de Conférences à l'Université Blaise-Pascal de
Clermont-Ferrand.**

PIERRE JACOB

L'ANALYSE EN PHILOSOPHIE :

RÉDUCTION OU DISSOLUTION ?

LA PHILOSOPHIE ANALYTIQUE ALTERNE ENTRE UN IDÉAL RÉDUCTIONNISTE OU CONSTRUCTIONNEL ET UN IDÉAL THÉRAPEUTIQUE. UNE ATTITUDE QU'ON VERRA ICI À L'ŒUVRE À TRAVERS DEUX EXEMPLES : LA PHILOSO-PHIE DE LA PHYSIQUE ET CELLE DE LA PSYCHOLOGIE.

Tous les philosophes, qu'ils se réclament ou non de la philoso-phie analytique, sont attirés par les limites de ce qui est humaine-ment compréhensible. Les uns pour se complaire dans le mystère, les autres pour s'efforcer de le dissiper. Selon une vue répandue et qui ne manque pas de plausibilité, la philosophie est un dépotoir dans lequel la démarche scientifique relègue les questions ou les pro-blèmes résiduels auxquels elle ne sait pas (ou pas encore) répondre. Dans cette conception de la philosophie-dépotoir à laquelle souscri-vait Bertrand Russell dans *Les Problèmes de Philosophie* de 1912 (ch. 15), une question peut être mise au dépotoir tantôt parce qu'elle est prématurée tantôt parce qu'elle est mal formée. Une question est prématurée lorsqu'aucune science établie ne dispose des moyens expérimentaux et théoriques pour l'aborder. Grâce au progrès des connaissances, les questions prématurées bien formées sont extrai-tes du dépotoir les unes après les autres par les sciences appro-priées. Une question mal formée — qu'on qualifie volontiers de métaphysique — n'admet sinon aucune réponse, du moins aucune réponse sensée : le dépotoir est son destin. Vous pouvez mesurer la distance entre Paris et Marseille alternativement en kilomètres ou en miles. Quoique le nombre de kilomètres entre Paris et Marseille ne soit pas égal au nombre de miles entre Paris et Marseille, ce fait ne prouve pas que la distance entre Paris et Marseille varie selon que vous la mesurez en kilomètres ou en miles. Si quelqu'un s'obs-tinait à demander, du système métrique ou de son concurrent, lequel est le vrai système de mesure des distances ou lequel correspond *vraiment* à la réalité, nous jugerions sa question typiquement absurde ou dénuée de sens.

Mais quoiqu'il existe des questions manifestement (et démontra-blement) dénuées de sens, la frontière entre une question ou un pro-blème authentique et une question mal formée ou un pseudo-problème est souvent délicate à tracer car elle dépend elle-même d'une théorie d'arrière-plan. Personne n'ignore de nos jours qu'un marin assis au pied du mât d'un bateau en mouvement uniforme sur une rivière attribue correctement à un projectile en chute libre du haut du mât une trajectoire rectiligne et que conjointement un observateur situé sur la rive attribue non moins correctement au même projectile une trajectoire parabolique. Mais lorsque Galilée démontra que la question de savoir si la trajectoire du projectile est *vraiment* rectiligne ou si elle est *vraiment* parabolique est dénuée de sens, il provoqua un tollé chez ses contemporains qui tenaient ces questions pour authentiques. Avant l'avènement de la relativité restreinte, personne n'aurait soupçonné que la question de savoir si un événement à New York et un événement à Tokyo se sont produits *simultanément* n'a de sens qu'à condition que soit spécifiée la vitesse de l'observateur des deux événements.

Les philosophes qui recherchent avant tout des réponses publiquement communicables et objectivement compréhensibles répudieront comme dénuée de sens la question posée naguère par Thomas Nagel : « À quoi ressemble le fait d'être une chauve-souris ? »[1]. La chauve-souris, qui s'oriente dans son environnement par écholocation, a-t-elle une conception du monde, une expérience du monde ? Comment le savoir et comment la décrire en employant *nos* concepts ? Ceux qui préfèrent la profondeur de la perplexité à l'existence d'une réponse objective objecteront à ceux qui répudient la question de Nagel qu'ils assimilent purement et simplement ce qui est humainement compréhensible à ce qui est actuellement accessible au point de vue « à la troisième personne » de la démarche scientifique. Il n'est pas absurde de penser qu'une description des limites de ce qui est humainement compréhensible (ou de ce qui a un sens) risque elle-même d'être incompréhensible ou que les mots utilisés pour décrire les limites de ce qui est humainement compréhensible risquent de se vider de leur sens. D'aucuns dont Wittgenstein en ont conclu qu'il est plus sensé de se taire, d'indiquer ou de montrer les bornes du sens que de les énoncer explicitement[2]. Il leur a été objecté que c'est lorsqu'on s'approche des limites du sens que la parole prend tout son prix et que le risque de s'égarer dans le non-sens mérite d'être encouru[3].

QU'EST-CE QUE L'ANALYSE ?

Comme son nom l'indique, la philosophie analytique, qu'on caractérise volontiers et à juste titre par l'« ascension ou la montée sémantique », « le tournant linguistique », se réclame de l'analyse[4]. Analyser, c'est démonter quelque chose de complexe en parties plus simples. Sans doute, parce que l'idée d'analyse est à la fois voisine des idées de *résolution* d'une équation, de *solution* d'un problème authentique, de *réduction* d'un composé chimique en ses constituants et de *dissolution* d'un pseudo-problème, les philosophes analytiques alternent-ils entre un idéal constructionnel, un idéal réductionniste et un idéal thérapeutique[5].

Le prototype du philosophe qui souscrit à l'idéal thérapeutique est représenté par l'agnostique en théologie. Le croyant affirme et l'athée nie l'existence de Dieu. Parce qu'il ne sait pas à quelle entité le mot « Dieu » est censé faire référence, l'agnostique ne sait ni à quel genre de chose l'existence est attribuée par le croyant ni quelle forme peut revêtir l'existence de cette entité mystérieuse. L'agnostique tient donc pour inintelligible l'affirmation de l'existence de Dieu. Mais parce que la négation de l'existence de Dieu revient, selon lui, à adjoindre une négation à une assertion dénuée de sens, l'agnostique déclare ne pas mieux comprendre la négation athée que l'affirmation du croyant.

Parce qu'on peut tantôt essayer de réduire un concept réputé complexe (par exemple, le concept générique d'objet physique) à une combinaison de concepts réputés plus élémentaires (par exemple une combinaison de sensations), tantôt essayer de construire un concept complexe à partir de concepts plus élémentaires, l'idéal réductionniste et l'idéal constructionnel sont les deux faces d'une même médaille. Parce que la frontière est souvent floue entre une réduction, une révision (ou une réforme), une élimination et une dissolution, un philosophe engagé dans un programme réductionniste s'engage dans un programme révisionniste (ou réformiste), éliminativiste (ou thérapeutique).

On peut tenir pour suspecte une classe de propositions pour des raisons ontologiques, épistémologiques ou pour une combinaison de raisons ontologiques et épistémologiques. Lorsqu'un philosophe tient en suspicion une classe de propositions, il a à sa disposition deux stratégies analytiques, qui tirent l'une et l'autre leur justification de l'histoire des sciences. Il peut s'efforcer de montrer que les propositions suspectes tirent leur vérité d'autres propositions plus fondamentales et il peut faire valoir que les propositions suspectes ne sont pas des propositions authentiques. Comme le montreront deux exemples succintement présentés, l'un emprunté à la philosophie de la physique, l'autre à la philosophie de la psychologie, les philosophes analytiques oscillent typiquement d'une stratégie à l'autre.

LES ÉLECTRONS EXISTENT-ILS « VRAIMENT » ?

La théorie physique nous apprend que le courant électrique qui est causalement responsable du déplacement de l'aiguille d'un galvanomètre est composé d'électrons. Les électrons eux-mêmes sont inobservables à l'œil nu, mais le déplacement de l'aiguille sur le cadran d'un galvanomètre est observable à l'œil nu. Les positivistes logiques cherchaient un utopique critère de démarcation entre les propositions théoriques de la physique et ce qu'ils tenaient pour des pseudo-propositions dénuées de sens de la métaphysique idéaliste allemande post-kantienne. Ils espéraient l'avoir trouvé dans la vérifiabilité des propositions scientifiques : une proposition théorique de la physique tire sa signification cognitive des observations auxquelles elle donne lieu. Par exemple, une proposition exprimée par une phrase contenant le mot « électron » est corroborée ou infirmée selon que sont vérifiées ou réfutées les prédictions observables formulées au moyen de phrases contenant une expression faisant référence au comportement de l'aiguille d'un galvanomètre. Ils espéraient donc réduire le concept d'électron à celui du comportement de l'aiguille d'un galvanomètre ou construire le premier à l'aide du second. Autrement dit, une proposition sur les électrons devait tirer sa vérité (ou sa fausseté) de la vérité (ou de la fausseté) d'une proposition sur le déplacement de l'aiguille d'un galvanomètre. Les positivistes logiques renoncèrent aux idéaux réductionniste et constructionnel du programme vérificationniste lorsqu'il s'avéra qu'un concept théorique (comme électron) n'est réductible à des phénomènes observables qu'à la condition d'admettre d'autres propositions théoriques auxiliaires : par exemple, que la lumière grâce à laquelle nous *observons* le comportement de l'aiguille du galvanomètre se propage en ligne droite. Mais cette proposition n'est pas elle-même vérifiable au sens des positivistes.

En raison de l'échec des idéaux réductionniste et constructionnel, Carnap, représentant éminent du positivisme logique, épousa un idéal thérapeutique. À la question de savoir si un mot du vocabulaire théorique de la physique comme « électron » a une référence dans la réalité au même titre que le mot « aiguille » (d'un galvanomètre) ou si les électrons existent « réellement » dans la réalité, Carnap, soucieux non d'apporter une réponse mais de dissoudre la question, finit par plaider pour l'abstention sceptique[6]. S'il est approprié de s'abstenir d'affirmer et de nier que le mot « électron » sert à faire référence à une entité dans la réalité (ou que les électrons existent), alors les énoncés de phrases contenant le mot « électron » doivent être réputés dénués de condition et de valeur de vérité. Carnap épousait donc une version sémantique de *l'instrumentalisme* en vertu de laquelle les lois scientifiques ne sont pas des propositions authentiques servant à décrire ou à représenter la réalité à un haut niveau de généralité : ce sont des « instruments » de prédiction ou des règles d'inférence qui nous aident à dériver des prédictions observables qui sont, elles, vraies ou fausses.

Cette interprétation, qui est aujourd'hui rejetée par la majorité des philosophes des sciences, évoque la dissolution *émotiviste* des jugements de valeur éthiques recommandés par A.J. Ayer[7]. Selon l'émotiviste, la proposition exprimée par un jugement de valeur éthique comme « Tu as mal fait de voler » se réduit à la proposition exprimée par « Tu as volé » et l'expression évaluative, qui ne sert qu'à exprimer une émotion, ne fait aucune contribution au contenu propositionnel de l'énoncé initial. L'interprétation instrumentaliste des lois scientifiques se heurte à l'énigme suivante : une dérivation logique ne peut que transmettre aux conclusions la vérité des prémisses ou aux prémisses la fausseté des conclusions ; elle ne « crée » ni la vérité ni la fausseté. Si les lois scientifiques ne sont ni vraies ni fausses et si elles servent de prémisses dont sont dérivées logiquement des prédictions observables vraies ou fausses, d'où les prédictions tirent-elles leur capacité à être vraies ou fausses ?

LES ÉTATS MENTAUX SONT-ILS DES DISPOSITIONS COMPORTEMENTALES ?

Considérons maintenant le programme de réduction behavioriste des propositions sur les états mentaux aux propositions sur le comportement observable. Les êtres humains s'attribuent quotidiennement des états mentaux inobservables — des croyances et des désirs — pour expliquer leur comportement. D'une part les propositions qui sont supposées faire référence à des états mentaux comme les croyances et les désirs ont été tenues pour suspectes par des matérialistes qui supposaient que la réalité des états mentaux implique le dualisme entre l'esprit et la matière et par des empiristes inquiets de l'inobservabilité des états mentaux comme les croyances et les désirs. D'autre part selon la tradition cartésienne, je connais par introspection le contenu de certains de mes désirs et croyances conscients mais je ne connais par ce moyen aucun de vos désirs et croyances, que j'infère peut-être de votre comportement observable. Soit pour sauver le monisme matérialiste, soit pour éviter de postuler des entités inobservables, soit enfin pour combler le fossé entre ma connaissance de *mes* états mentaux et ma connaissance de *vos* états mentaux, un behavioriste peut donc essayer de réduire les propositions mentalistes à des propositions comportementales qui ne feraient référence qu'à des faits du comportement observable.

La proposition exprimée par « Jean a soif » fait référence à un état mental inobservable (un désir) de Jean. Pour un behavioriste, cette proposition est éliminable en faveur d'une proposition du genre de celle qu'exprime l'énoncé dispositionnel contrefactuel suivant : « Si Jean avait de l'eau, il en boirait ». Malheureusement pour la réduction behavioriste, s'il est vrai que Jean a soif, alors on ne peut en déduire que si Jean avait de l'eau à sa dispositon il en boirait, qu'à condition que Jean *croie* qu'en buvant de l'eau il étanchera sa soif. Autrement dit, la référence à l'état inobservable de soif n'est éliminable au profit du conditionnel observationnel qu'à condition de conjoindre à celui-ci un énoncé exprimant une proposition qui fait référence à un autre état mental inobservable de Jean — une croyance.

Imaginons cependant que nous disposions d'une réduction behavioriste. Dans cette hypothèse contraire aux faits, que démontrerait la réduction behavioriste ? Si la classe suspecte des propositions mentalistes sur les croyances et les désirs était réductible à la classe non suspecte des propositions comportementales, cela devrait-il lever la suspicion sur la classe des propositions suspectes ou la renforcer ? Devrions-nous nous abstenir d'employer des expressions comme « croyance » et « désir » dans nos explications et nos prédictions du comportement humain ? Réciproquement, s'il s'avérait que le contenu des propositions mentalistes suspectes déborde le contenu des propositions comportementales non suspectes, cela prouverait-il que le contenu supplémentaire et irréductible des propositions mentalistes suspectes est dénué de sens et que leur contenu authentique est épuisé par le contenu des propositions comportementales non suspectes ?

PEUT-ON CROIRE QUE LES CROYANCES N'EXISTENT PAS ?

I l y a dans l'histoire des sciences au moins deux grands modèles de « réduction » : le modèle de *l'oxygène* et le modèle du *gène*. Dans la théorie chimique de la combustion, le concept d'oxygène a remplacé purement et simplement le concept de phlogistique et le mot « phlogistique » a disparu du vocabulaire de la chimie. Quiconque croit à l'existence de l'oxygène croit *ipso facto* à l'inexistence du phlogistique. Pour expliquer les ressemblances héréditaires, Mendel postula des « facteurs » abstraits (plus tard baptisés « gènes ») transmis de génération en génération, que nous identifions aujourd'hui à des séquences d'acide désoxyribonucléique. Autrement dit, les « gènes » abstraits de Mendel ont reçu un substrat biochimique et leur existence a été corroborée.

Si le mental est suspect et si le mental *était* réductible au comportemental, préférerions-nous affirmer que le mental n'existe pas ou que le mental existe puisqu'il est identique au comportemental ? Parce que, selon lui, les propositions mentalistes tirent leur vérité subalterne de la vérité fondamentale des propositions comportementales, un behavioriste réductionniste pencherait pour la seconde réponse (ou le modèle du gène). Un behavioriste thérapeutique pencherait pour la première réponse (ou le modèle de l'oxygène) parce que, selon lui, une personne qui croit que l'énoncé d'une phrase contenant le mot « croire » ou le mot « vouloir » exprime une proposition authentique est atteinte d'un désordre intellectuel, dont elle ne guérira qu'à la condition qu'elle renonce à croire en l'existence des croyances et des désirs.

Comme en témoignent d'autres départements de la philosophie analytique — dont l'éthique —, c'est en général l'échec d'un programme de réduction qui sert de justification à un programme de dissolution. La dissolution émotiviste des jugements de valeur a tiré argument de l'échec présumé de la réduction utilitariste du bien à l'utile. Mais la dissolution recommandée par le behavioriste thérapeutique n'est-elle pas paradoxale ? Le prétendu malade peut-il renoncer à croire aux croyances sans *croire* qu'elles n'existent pas ? Si sa renonciation est auto-réfutante, sa cure risque fort d'être interminable.

1. T. NAGEL, *Questions mortelles*, PUF, 1983, ch. 12.
2. Les deux derniers aphorismes célèbres (6.54 et 7) du *Tractatus logico-philosophicus* de L. Wittgenstein.
3. K.R. POPPER, *Conjectures et réfutations, la croissance du savoir scientifique*, Payot, 1985, p. 113.
4. P. JACOB, « Qu'est-ce que la philosophie analytique des sciences ? », in J. Hamburger, *La Philosophie des sciences aujourd'hui*, Gauthier-Villars, 1986 et F. RÉCANATI, « Pour la philosophie analytique », *Critique*, 444, mai 1984.
5. P.F. STRAWSON, *Analyse et métaphysique*, Vrin, 1985, ch. I-II.
6. R. CARNAP, « Empiricism, Semantics and Ontology », *Revue Internationale de Philosophie*, 11, 1950.
7. A.J. AYER, *Language, Truth and Logic*, Dover, 1936, 1946, 1952.

© PASCAL DOLEMIEUX/VU

———————— *PIERRE JACOB* ————————

Chercheur au CNRS. Auteur notamment de *L'Empirisme logique*, Minuit, 1980.

CONTREPOINT

LA PAROLE ENSEIGNANTE

Tour à tour vilipendé pour sa fonction de normalisation sociale, souvent par ceux-là mêmes qui sont en charge de le dispenser, ou exalté pour les vertus critiques qu'il est censé développer, l'enseignement philosophique ne saurait se reposer sur la tranquille assurance d'être une discipline parmi d'autres. Aussi bien une vieille solidarité unit-elle la philosophie à l'enseignement : maître de sagesse, le philosophe, s'il n'a pas toujours été un professeur, a toujours fait de l'éducation un des objets privilégiés de sa réflexion. De cette ambivalence, les débats récents sur le rôle de l'enseignement de la philosophie témoignent éloquemment.

Atteint au premier chef par le déclin des « humanités », le professeur de philosophie se croit souvent assiégé, menacé par quelque volonté hostile et sournoise : et certes, celles-ci ne manquent pas, qu'elles proviennent d'un souci technocratique de rationalisation des contenus d'enseignement, de la concurrence de disciplines voisines et rivales (histoire et sciences humaines, le plus souvent), ou plus benoîtement d'un obscurantisme qui ne manque pas de se trouver des garants dans l'opinion commune. Il peut même arriver que ces trois orientations convergent en projet de liquidation pure et simple de la philosophie dans l'enseignement secondaire, comme ce fut le cas lors de la réforme Haby de 1975. Celui-ci donna lieu alors à une belle mobilisation des philosophes, oubliant pour un temps leurs propres querelles intestines pour défendre leur bien commun. Cette mobilisation devait trouver son aboutissement dans les États Généraux de la Philosophie, qui réunirent les 16 et 17 juin 1979 plus de mille personnes dans le grand amphithéâtre de la Sorbonne. Force est de constater pourtant que cet embrasement et cet unanimisme furent de courte durée. Certes, l'attachement du président de la République élu en 1981 aux humanités en général et à la philosophie en particulier avait fait reculer les menaces les plus précises. Mieux, la philosophie s'en trouvait confortée, puisque son enseignement se vit alors étendu à des sections techniques qui n'en disposaient pas auparavant. Mais on peut aussi supposer que, dissipés les mauvais rêves, les professeurs de philosophie se retrouvèrent en proie à des doutes internes, moins propices à manifestations publiques.

166

LA CLASSE DE PHILOSOPHIE

L'ambivalence des sentiments que suscite la philosophie (intérêt pas-sionné pour des problèmes et des discours portant sur les « grandes ques-tions », ou énervement devant la conceptualité philosophique, fascina-tion pour le personnage du « prof de philo », qui « branche » certains tan-dis qu'il « gonfle » d'autres) trouve naissance dans cette curieuse institu-tion, typiquement française : la classe de philosophie. En effet, rares sont les pays à être dotés d'un tel enseignement philosophique dans le secon-daire : ailleurs, la philosophie est l'apanage du supérieur, ou se trouve diluée dans un enseignement de « culture générale » ou de morale. Aucun pays n'accorde d'ailleurs une telle place, tant symbolique qu'effective, à l'enseignement philosophique. Il est bien sûr loisible d'évoquer l'héri-tage de Descartes (à la manière de ce philosophe américain s'étonnant de la vigueur philosophique de la culture française pour avoir entendu un garçon de café en traiter un autre de cartésien ; il est vrai que le garçon de café est aussi, depuis Sartre, un personnage éminemment phi-losophique). Mais plus directement, l'enseignement philosophique actuel provient de la IIIe République, où il connut son âge d'or[1]. Devant le public choisi des lycées, dans une République qui avait mis tout son espoir dans l'institution scolaire, le professeur de philosophie était tout à la fois le garant, le champion et le symbole d'une liberté de penser chèrement acquise[2]. Jamais le mot de Kant, qu'on n'apprend pas la phi-losophie, mais à philosopher, ne fut mieux illustré que par ces grands professeurs que furent Darlu, Lagneau, Alain, et qui restent les modèles implicites ou explicites de tout prof de philo[3]. Alors s'est mise en place une doctrine, qui imprègne encore les programmes actuels (un idéalisme platonico-cartésien fortement relevé de criticisme kantien), une méthode, fondée sur les trois piliers que sont le cours magistral, le commentaire de texte et la dissertation, et une posture : celle d'une parole qui pense « devant » d'autres, et cherche moins à imposer, expliquer ou convain-cre qu'à susciter un geste analogue[4].

LA DOUBLE VOCATION DE LA PHILOSOPHIE

On ne taxait pas encore les philosophes de « chiens de garde[5] » et, dans la République du même nom, la « philosophie des professeurs[6] » ne sentait pas le fagot. Mais on n'a semble-t-il pas assez prêté attention au fait que dès cet âge d'or, la philosophie se trouve partagée entre deux exigences. Celle du couronnement des études, que lui fait sa place émi-nente en terminale, mais qui ne s'adresse qu'à une petite élite, dont la formation de base reste largement héritière des traditions « cultivées ». Et celle d'une imprégnation pédagogique de l'ensemble de l'institution scolaire, qui se marque plus particulièrement dans l'enseignement pour tous du primaire, dont les promoteurs sont pour une bonne part philosophes[7] : là, la philosophie ne dispose d'aucune place assignée, elle est partout et nulle part, et se voue à une mission, la formation du citoyen. Déjà se trouvaient posées les prémisses d'une tension entre une pratique « libérale », mais élitiste, de l'enseignement philosophique et une inspiration émancipatrice, mais « mercenaire » de l'instruction publique.

Féconde dans les débuts de la IIIe République, cette tension devait s'aggraver par la suite. Rien d'étonnant dès lors qu'elle ait connu son acmé au moment même où s'achevait l'unification des deux systèmes d'enseignement, le primaire et le secondaire, sous le ministère de René Haby. L'émoi provoqué alors, et la quasi-unanimité de la défense de la philosophie, n'allèrent pourtant pas sans conflits, dont témoignent les publications d'époque[8]. Mais le partage entre « traditionnalistes » et « avant-gardistes », incarnés pour les premiers par l'Inspection Générale de philosophie et pour les seconds par le Greph, et marqué par des prises de position divergentes sur les sujets du baccalauréat, les programmes et surtout l'extension de l'enseignement de la philosophie, masque autant qu'il révèle le vrai clivage. À preuve, la conjoncture qui domina les années 82-86, dont les points forts furent la question de la formation des maîtres, la réforme des premiers cycles universitaires, le rapport Prost sur les lycées et la réforme Chevènement des programmes du primaire. On vit se défaire les anciennes alliances, et s'en recomposer de nouvelles dont la moins étonnante ne fut pas celle de l'Inspection Générale, de militants trotskystes, et d'un ministre républicain autour du programme de restauration de l'élitisme libéral[9]. L'unanimisme avait éclaté, et le Greph y perdit sa vigueur. La place de l'enseignement de la philosophie dans les Écoles Normales d'instituteurs suscita un dernier débat[10] (ce qui n'est guère surprenant si l'on songe à la place centrale, dans le conflit entre les deux fonctions de la philosophie, des professeurs de philosophie en École Normale), avant de connaître une victoire à la Pyrrhus, par l'octroi d'un programme important dans la formation des instituteurs.

Le calme actuel ne doit pas faire illusion : pour un temps, le débat sur la culture a déserté la classe de philosophie pour l'étal d'Apostrophes. Mais celle-ci est plus que jamais sur la sellette : confortée institutionnellement, elle hésite entre deux options, dont furent révélatrices les attitudes des enseignants de philosophie et celles des philosophes de la plume face au mouvement des étudiants et des lycéens de l'automne 1986. Si pour certains l'enseignement de philosophie est le dernier rempart face à la barbarie montante, d'autres savent qu'une longue tradition veut que les réformateurs du système éducatif soient des philosophes plutôt que des technocrates : s'ils contestent sa place dans l'enseignement, ils en veulent moins à la philosophie qu'ils ne se font une autre idée de sa fonction. À se vouloir trop étroitement solidaire d'un héritage d'humanités qui, après tout, était jadis l'apanage de ses adversaires, la philosophie se condamne sans doute à devenir résiduelle dans l'enseignement, quelque héroïque que soit cette attitude. Inversement, à troquer sa propre tradition contre les hypothétiques effets d'une formation générale à teinture philosophique, elle risque de laisser la proie pour l'ombre. Cet inconfort est peut-être aussi sa chance, qui permet au professeur de philosophie de n'être ni gourou, ni répétiteur, mais d'adopter cette éthique de la parole qu'évoque Michel de Certeau : « Il parle pour l'Autre, comme on parlerait à son bonnet, en pure perte. Mais il parle « grâce à » cette foule iconoclaste qui brise et disperse l'image de lui-même qu'il pourrait attendre en retour de ce qu'il lui fait produire. (...) "Il" dépend d'auditeurs dont, en principe, il n'espère ni son plaisir ni son identité[11]. »

1. JEAN-LOUIS FABIANI, *Les philosophes de la République*, Minuit, 1988.
2. S. DOUAILLER, C. MAUVE, G. NAVET, J.-C. POMPOUGNAC, P. VERMEREN, *La philosophie saisie par l'État*, Aubier, 1988.
3. Cf. ANDRÉ CANIVEZ, *Jules Lagneau, professeur et philosophe. Essai sur la condition du professeur de philosophie jusqu'à la fin du XIXᵉ siècle*, Publication de l'Université de Strasbourg, 1965 ; ALAIN, *Souvenirs concernant Jules Lagneau*, Gallimard. Sur Alain, on lira MICHEL ALEXANDRE et aussi le témoignage de JEAN PRÉVOST, *Dix-huitième année*, Gallimard.
4. Cette continuité est mise en évidence par HUGUETTE BOUCHARDEAU dans sa thèse, *Une institution : la philosophie dans l'enseignement du second degré en France*, Lyon, 1975, multigraphié. Jacques Rancière met aussi en cause cette image dans « D'où savons-nous que nous sommes si critiques ? » *in La grève des philosophes*, Osiris, 1986. Cf. également, du même auteur, *Le maître ignorant*, Fayard, 1987.
5. PAUL NIZAN, *Les chiens de garde*, Rieder, 1932. Rééditions Maspéro, puis La Découverte.
6. FRANÇOIS CHÂTELET, *La philosophie des professeurs*, Grasset, 1970.
7. J. Ferry lui-même était fort imprégné de positivisme, comme en témoigne la thèse de L. Legrand ; et Buisson, Pécaut, Compayré sont philosophes. La tradition se poursuit à la génération suivante avec Paul Lapie.
8. *États généraux de la philosophie*, Flammarion, coll. Champs, 1979. Greph, *Qui a peur de la philosophie ?*, Flammarion, coll. Champs, 1977. Groupe de travail des professeurs de philosophie en École Normale, *La philosophie dans le mouroir*, Solin, 1979, Cf. aussi l'article de Guy Coq et la table ronde « Qui a peur de la philosophie ? », in *Esprit*, février 1980.
9. Les auteurs du méchant pamphlet intitulé *Le poisson rouge dans le perrier*, Critérion, 1984 s'étaient en effet illustrés quelques années auparavant par des manuels de philosophie d'un gauchisme particulièrement sectaire. Quant à l'Inspection Générale de philosophie, ses positions sont exposées dans un colloque au titre vigoureusement soixante-huitard : *École, Philosophie, même combat !*, PUF, 1985.
10. Cf. *Recherches*, n° spécial, *Les crimes de la philosophie*, 1985 et *La grève des philosophes*, Osiris, 1986.
11. MICHEL DE CERTEAU, « Lacan : une éthique de la parole », in *Histoire et psychanalyse entre science et fiction*, Gallimard, coll. Folio-essais, 1987, p.173.

JOËL ROMAN

KANT

HARLINGUE-VIOLLET

« Kant me semble avoir fondé les deux grandes traditions critiques entre lesquelles s'est partagée la philosophie moderne. Disons que dans sa grande œuvre critique Kant a posé, fondé, cette tradition de la philosophie qui pose la question des conditions sous lesquelles une connaissance vraie est possible et, à partir de là, on peut dire que tout un pan de la philosophie moderne depuis le XIXᵉ siècle s'est présenté, s'est développé comme l'analytique de la vérité.

« Mais il existe dans la philosophie moderne et contemporaine un autre type de question, un autre mode d'interrogation critique : c'est celle que l'on voit naître dans la question de l'*Aufklärung* ou dans le texte sur la Révolution ; cette autre tradition critique pose la question : qu'est-ce que notre actualité ? Quel est le champ actuel des expériences possibles ? Il ne s'agit pas là d'une analytique de la vérité, il s'agira de ce qu'on pourrait appeler une ontologie du présent, une ontologie de nous-mêmes, et il me semble que le choix philosophique auquel nous nous trouvons confrontés actuellement est celui-ci : on peut opter pour une philosophie analytique de la vérité en général, ou bien on peut opter pour une pensée critique qui prendra la forme d'une ontologie de nous-mêmes, d'une ontologie de l'actualité. »

Michel Foucault, premier cours de l'année 1983 au Collège de France, in *Magazine Littéraire* n° 207, mai 1984, p. 39.

« *Le genre humain est-il en constant progrès vers le mieux ?* Dans l'espèce humaine, il doit survenir quelque expérience qui, en tant qu'événement, indique en cette espèce une disposition et une aptitude à être *cause* du progrès vers le mieux (...). Il faut donc rechercher un événement qui indique, toutefois d'une manière indéterminée sous le rapport du temps, l'existence d'une cause de ce genre et aussi l'action de sa causalité dans l'humanité (...) ; cependant, de manière que cet événement n'en soit pas lui-même la cause, mais ne doive être regardé que comme indication, comme *signe historique (signum rememorativum, demonstrativum, pronosticum),* pouvant ainsi démontrer la *tendance* de l'humanité...

« Cet événement ne saurait consister en actions ou méfaits importants commis par les hommes (...). Non, rien de tout cela. Il s'agit seulement de la manière de penser des spectateurs qui se trahit *publiquement* dans ce jeu des grandes révolutions et qui, même malgré le danger des inconvénients sérieux que pourrait leur attirer une telle partialité, manifeste néanmoins un intérêt universel, désintéressé toutefois, pour les joueurs d'un parti contre ceux de l'autre, démontrant ainsi (à cause de l'universalité) un caractère de l'humanité en général et aussi (à cause du désintéressement) un caractère moral de celle-ci, tout au moins en son fond, qui non seulement permet d'espérer le progrès vers le mieux, mais constitue même un tel progrès, dans la mesure où il peut être actuellement atteint.

« Que la révolution d'un peuple spirituel que nous avons vue s'effectuer de nos jours réussisse ou échoue (...) — cette révolution, dis-je, trouve néanmoins dans les esprits de tous les spectateurs (qui ne sont pas engagés dans ce jeu) une sympathie d'aspiration qui touche de près à l'enthousiasme et dont la manifestation même exposait au péril, qui par conséquent ne pouvait avoir d'autre cause qu'une disposition morale du genre humain. »

E. Kant, Le conflit des facultés, 1798, 2e sect.
§§ 5-6, t. J. Gibelin, Vrin, pp. 99-101.

« Penser de manière critique n'est possible que lorsque les points de vue de tous les autres s'offrent à être examinés [...]. En d'autres termes, c'est adopter la position du citoyen du monde de Kant [...]. Cette position n'indique pas comment *agir*. Elle ne dit même pas comment appliquer la sagesse, qui résulte de l'adoption d'une « position générale », aux particularités de la vie politique [...] Le citoyen du monde selon Kant est réellement un spectateur du monde [...] ».

« Parce qu'il n'est pas engagé dans l'action, le spectateur peut percevoir le dessein de la providence ou de la nature qui reste caché à l'acteur. Ainsi nous avons d'un côté le spectacle et les spectateurs, et d'un autre les acteurs et tous les événements singuliers et contingents, tout ce qui arrive au hasard. Dans le contexte de la Révolution française, il apparut à Kant que la vue du spectateur portait en elle la signification ultime de l'événement, même si elle ne procurait aucune maxime pour l'action. »

Hannah Arendt, Lectures on Kant's Political Philosophy,
R. Beiner (ed), 1982, Chicago, pp. 53-52.

« Ce qui est important dans la Révolution, ce n'est pas la Révolution elle-même, c'est ce qui se passe dans la tête de ceux qui ne la font pas ou en tout cas qui n'en sont pas les acteurs principaux, c'est le rapport qu'ils ont eux-mêmes à cette Révolution dont ils ne sont pas les agents actifs. L'enthousiasme pour la Révolution est signe, selon Kant, d'une disposition morale de l'humanité ; cette disposition se manifeste en permanence de deux façons : premièrement dans le droit de tous les peuples de se donner la constitution politique qui leur convient et deuxièmement dans le principe, conforme au droit et à la morale, d'une constitution politique telle qu'elle évite, en raison de ses principes mêmes, toute guerre offensive. Or c'est bien la disposition portant l'humanité vers une telle constitution qui est signifiée par l'enthousiasme pour la Révolution (...)

« Qu'est-ce que l'*Aufklärung* ? Qu'est-ce que la Révolution ? » sont les deux formes sous lesquelles Kant a posé la question de sa propre actualité. Ce sont aussi, je crois, les deux questions qui n'ont pas cessé de hanter toute la philosophie moderne depuis le XIXe siècle du moins une grande part de cette philosophie. Après tout il me semble bien que l'*Aufklärung*, à la fois comme événement singulier inaugurant la modernité européenne et comme processus permanent qui se manifeste dans l'histoire de la raison, dans le développement et l'instauration des formes de rationalité et de technique, l'autonomie et l'autorité du savoir, n'est pas simplement pour nous un épisode de l'histoire des idées. Elle est une question philosophique, inscrite depuis le XVIIIe siècle dans notre pensée [...] c'est la question même de cet événement et de son sens (la question de l'historicité de la pensée de l'universel) qu'il faut maintenir présente et garder à l'esprit comme ce qui doit être pensé. »

Michel Foucault, ibid., pp. 38-39.

« Il est clair, tout d'abord, que l'histoire est en son fond radicalement contingente, comme est contingent le réel qui évoque, quand bon lui semble, les principes de notre réflexion. Il ne saurait donc y avoir pour Kant ni philosophie de l'histoire au sens hégélien, ni science de l'histoire au sens marxiste, comme le suggère on ne peut plus nettement ce passage célèbre du *Conflit des facultés* : « Peut-être aussi que si le cours des choses humaines nous paraît si insensé, cela tient au mauvais choix du point de vue sous lequel nous le considérons... » (...) Par suite, la théorie du dessein de la nature, qui évoque pourtant la théorie hégélienne d'une ruse de la raison, n'a nullement, à la différence de ce qui a lieu chez Hegel, le statut d'une vérité philosophique. Elle n'est, pour reprendre encore une expression de Kant, qu'un « fil conducteur » pour la réflexion de l'historien. Il est donc tout à fait erroné de s'en servir, comme le fait Leo Strauss, pour étayer une interprétation qui ferait de Kant un penseur par avance hégélien et historiciste.

« N'ayant ainsi que le statut d'un horizon de sens possible, la ruse de la nature kantienne n'exclut pas que l'on adopte sur l'histoire un autre point de vue : le point de vue éthique (...). En faisant un usage « esthétique », réfléchissant, des points de vue théorique et éthique, Kant annonce au contraire une distinction qui sera centrale dans les philosophies critiques de l'histoire, de Dilthey à Weber : celle de l'explication et de la compréhension. »

Luc Ferry : « Kant : Critique de la faculté de juger »
in Dictionnaire des œuvres politiques, PUF, Paris, 1986, p. 411.

« L'enthousiasme que [les spectateurs] éprouvent est selon Kant une modalité du sentiment sublime (...) Cet enthousiasme est la *Begebenheit* [l'occurrence, l'événement] recherchée dans l'expérience historique de l'humanité pour pouvoir valider la phrase : « L'humanité progresse continûment vers le mieux. » Les grandes mutations, la Révolution française, ne sont pas, en principe, sublimes par elles-mêmes. Comme objet, elles sont semblables à ces spectacles de la nature (physique) à l'occasion desquels le regardeur éprouve le sublime. (...)

« Il doit en aller ainsi de la Révolution, et de tous les grands bouleversements historiques : ils sont l'informe et le sans-figure dans la nature humaine historique. Éthiquement, ils ne sont rien de validable [...]. Il faut dire de (l') enthousiasme qu'il est un analogue esthétique d'une ferveur républicaine pure. Ce n'est donc pas n'importe quelle phrase esthétique, mais celle du sublime extrême qui peut révéler que l'humanité est en progrès constant vers le mieux [...]. Le sublime constitue une « comme si » présentation de l'Idée de société civile et même cosmopolitique, donc de l'Idée de moralité, là où pourtant elle ne peut pas être présentée, dans l'expérience. C'est ainsi que le sublime est un signe. (...)

« Comme la *Begebenheit* à laquelle Kant était confronté avait pour occasion la Révolution française, celle que nous aurions à penser, comme philosophes et comme politiques moraux, et qui n'est nullement homologue à l'enthousiasme de 1789 (puisqu'elle n'est pas éveillée par l'Idée d'une fin, mais par l'Idée de plusieurs fins ou même par les idées de fins hétérogènes), cette *Begebenheit* de notre temps, donc, induirait une nouvelle sorte de sublime, encore plus paradoxal que celui de l'enthousiasme, où ne serait pas senti seulement l'écart irrémédiable entre une Idée et ce qui se présente pour la "réaliser", mais l'écart entre les diverses familles de phrases et leurs présentations légitimes respectives. Les occasions données à ce « sens communautaire » très cultivé s'appelleraient : Auschwitz, un abîme ouvert quand il faut présenter un objet capable de valider la phrase de l'Idée des droits de l'homme ; Budapest 1956, un abîme ouvert devant la phrase de l'Idée du droit des peuples ; la Kolyma, un abîme ouvert devant la phrase du concept spéculatif (illusoire) de la dictature du prolétariat ; 1968, un abîme ouvert devant la phrase de l'illusion « démocratique » qui cachait l'hétérogénéité du pouvoir et de la souveraineté. Chacun de ces abîmes, et d'autres, devrait être exploré avec précision dans sa différence. Reste que tous libèrent le jugement, en même temps qu'il faut juger sans critère pour les sentir, et que ce sentiment devient à son tour signe d'histoire. Mais cette histoire politique, il faudrait désormais la juger *comme si* elle avait fait un pas de plus dans le progrès, c'est-à-dire dans la culture de l'habileté et de la volonté. Car ce n'est pas seulement l'Idée d'*une fin* qui s'indiquerait dans notre sentiment, mais déjà l'Idée que cette fin consiste dans la formation et l'exploration libre des Idées, que cette fin est le commencement de l'infini des finalités hétérogènes. »

Jean-François Lyotard, *L'enthousiasme. La critique kantienne de l'histoire*, Galilée, 1986, pp. 58-75 et 108-109, 114.

© LUC CHOQUER/VU

PAUL RICŒUR

J'ATTENDS
LA RENAISSANCE

entretien avec
PAUL RICŒUR

Né en 1913, P. Ricœur a enseigné successivement à la
Sorbonne puis à Paris X, et parallèlement à
l'Université de Chicago. Directeur de la *Revue de
métaphysique et de morale*, président de l'Association
Philosophique Internationale, il a publié de nombreux
livres au carrefour de la phénoménologie, de
l'herméneutique et de l'analyse du langage. Principaux
ouvrages : *La philosophie de la volonté* (I, 1949 ; II,
1960, Aubier), *Temps et Récit* (I, 1983 ; II, 1984 ; III,
1985, Seuil), *Du texte à l'action* (1986, Seuil).

Autrement. - **Votre premier livre
publié est une étude consacrée à Jaspers, en collaboration avec Mikel
Dufrenne (*Karl Jaspers et la philosophie de l'existence*, Le Seuil, 1948).
Comment vous êtes-vous intéressé à
Jaspers ?**

Paul Ricœur. - Gabriel Marcel
avait publié avant-guerre les premières études en français sur Jaspers, en particulier un grand article sur les situations-limites, qui
m'avait considérablement frappé
car je commençais alors à me
préoccuper du problème de la
culpabilité. Puis quand nous
fûmes prisonniers de guerre,
Mikel Dufrenne et moi-même,
nous eûmes la chance de disposer
de la totalité des textes alors
publiés de Jaspers. Notre attachement à Jaspers était lié au refus
de reproduire l'erreur de nos prédécesseurs, les anciens combattants de l'autre guerre, qui
avaient brutalement rejeté tout ce
qui venait d'Allemagne. Nous pensions que les vrais Allemands
étaient dans les livres, et c'était
une façon de nier les Allemands
qui nous gardaient. La vraie Allemagne c'était nous et non pas
eux. En publiant ce livre, nous
avons en quelque sorte liquidé
notre histoire de captivité.

Quand après la guerre, Jaspers a
publié des œuvres comme *Les
grands philosophes*[1] ou *Von der
Wahrheit*[2], nous n'avons plus
suivi. Il s'est alors produit, même
partiellement, il faut le reconnaître, une substitution de Heidegger
à Jaspers, que j'ai maintenant tendance à remettre en question : à
bien des égards, Jaspers avait des
critères éthiques et politiques,
inhérents à sa pensée, constitutifs
pour ainsi dire, qui font mieux
percevoir l'élision de l'éthique qui
me paraît de plus en plus caractériser la pensée de Heidegger.
Jaspers reste pour moi, rétrospectivement, un regret et un trouble,
car j'ai parfois le sentiment de
l'avoir un peu abandonné en chemin, de n'avoir pas poursuivi
cette rencontre d'après-guerre.

L'avez-vous personnellement rencontré ?

Oui, à deux reprises. Juste après
la guerre, à Heidelberg, puis
Schuldfrage[3], à Bâle. Il avait
alors rompu avec l'Allemagne :
tandis qu'il avait supporté l'Allemagne nazie, il n'avait pas supporté l'Allemagne démocratique
qui ne se repentait pas ; il avait
rêvé d'une sorte de conversion
collective, d'aveu collectif de responsabilité. Je l'avais rencontré

en Suisse, juste après avoir publié notre livre : je ne dirais pas qu'il ne l'avait pas aimé, mais il le trouvait trop systématique, trop marqué peut-être par l'esprit didactique et français, alors que lui se voyait plus comme un torrent aux berges instables, que nous avions canalisé.

Dans les mêmes années, vous avez rencontré la phénoménologie de Husserl ?

J'en avais eu vent dès avant la guerre, chez Gabriel Marcel aussi, chose curieuse. J'ai alors lu les *Recherches logiques*. C'est d'ailleurs un des fidèles du « vendredi » chez Gabriel Marcel, Chastaing, qui m'a orienté vers Husserl. Enfin, détenu en Allemagne, j'ai eu la chance d'avoir les *Ideen* de Husserl dont j'ai traduit le premier volume[4]. Je possède encore l'exemplaire des années de captivité, que j'ai réussi à ramener en dépit de bien des aléas : la traduction était faite dans les marges car nous n'avions pas de papier. En traduisant Husserl j'ai été obligé de faire un certain nombre de choix de traduction, que je ne ferais pas aujourd'hui de la même façon : par exemple je n'osais pas traduire *Seiende* par « étant », mais par « ce qui est ». Quoi qu'il en soit, ce livre est resté pour moi tout à fait fondamental.

Dans *Du texte à l'action*[5], on peut lire un article intitulé « De la phénoménologie à l'herméneutique », où j'explique que le passage par la phénoménologie n'est pas aboli par un développement qui tient davantage compte de la pluralité des interprétations, quoique chez Husserl, on trouve l'idée qu'il y a des essences univoques sur lesquelles on peut tenir un discours cohérent.

Vous êtes venu à l'herméneutique plus tard.

J'y suis d'abord venu par un problème, à l'occasion de mon travail sur la symbolique du mal qui fait suite à un essai de phénoménologie classique sur le volontaire et l'involontaire[6]. Dans ce dernier, je proposais de faire pour le domaine pratique ce que Merleau-Ponty avait fait pour la perception. Je retourne d'ailleurs maintenant aux mêmes questions par le biais de la théorie de l'action. Dans le travail sur le volontaire et l'involontaire je misais sur des structures bien lisibles : on peut exprimer en termes intelligibles ce qu'est un projet, un motif, un pouvoir-faire, une émotion, une habitude, etc. : ce sont, en un sens, les chapitres d'une psychologie phénoménologique. Mais il restait un point opaque qui était la mauvaise volonté et le mal.

Il m'a paru alors qu'il fallait changer de méthode, c'est-à-dire interpréter des mythes, et pas seulement le mythe biblique mais aussi les mythes de la tragédie, de l'orphisme, de la gnose. C'est par ce détour symbolique que je suis entré dans le problème herméneutique. Certains problèmes n'avaient pas la clarté, la transparence que j'avais cru discerner dans ce que Merleau-Ponty aurait appelé les « membrures » de l'acte volontaire. D'où deux questions : 1) qu'en est-il du sujet qui ne se connaît que par ce détour par les mythes ? Quelle est cette *opacité* à soi-même qui fait qu'il faut passer, pour se comprendre, par l'interprétation de grands récits culturels ? 2) Inversement, quel est le statut de l'opération *interprétante* qui sert de médiation entre soi et soi-même dans cet acte réflexif ? Là, j'ai fait le parcours par Schleiermacher, Dilthey, Heidegger, Gadamer. Cette trajectoire herméneutique me paraissait doubler la trajectoire néo-kantienne, par Kant, Fichte, Schelling, Hegel. Je croisais également Nietzsche qui m'intéressait par sa critique de la transparence et de la rationalité maîtresse d'elle-même. Toute cette recherche a été guidée par la question : qu'en est-il du sujet à travers ces différentes révolutions ? Comment passer d'une position qui reste relativement cartésienne chez Husserl, au nom d'une sorte d'immédiateté à soi-même, à l'aveu d'une opacité croissante dont témoigne le détour par les mythes ?

Le deuxième choc, parallèle à celui de la tradition herméneutique, fut celui de la psychanalyse, mais pour des raisons voisines. Ayant travaillé sur la culpabilité avec l'aide des grands mythes, je me suis demandé s'il n'y avait pas une autre lecture, très différente, qui ramenait du côté de l'inconscient et non pas du côté de la grande tradition textuelle. Cela a été l'occasion de mon travail sur Freud[7], très motivé par l'échec d'une philosophie du cogito. Échec double, sur le front de la lecture des mythes et sur celui du déchiffrage de l'inconscient. C'est ainsi que j'ai été conduit à mon problème ultérieur, celui de la pluralité des herméneutiques et de leurs conflits.

Qu'en est-il de ce conflit des interprétations ? J'entrais dans un jeu dialectique entre faire crédit à un texte ou au contraire s'en méfier. Cette dialectique soupçon-confiance a joué pour moi un rôle très important. La défiance systématique avait des racines nietzschéennes et freudiennes, marxistes aussi, mais curieusement je n'ai jamais été profondément troublé par Marx : je ne lui reconnaissais pas la puissance d'ébranlement que je trouvais chez Nietzsche ou Freud. Je me suis intéressé à Marx pour d'autres raisons : pour le problème de l'idéologie comme forme trompeuse de connaissance. Mon dernier livre, consacré aux rapports entre « idéologie et utopie »,

exprime assez bien l'essentiel de mon rapport à Marx, qui est plutôt un rapport tranquille, tandis que j'ai toujours jugé Nietzsche plus roboratif.

Enfin il y eut le « tournant linguistique », qui vous a conduit à vous intéresser de plus près à ce qu'il est convenu d'appeler la « philosophie anglo-saxonne ».

Le tournant linguistique, je l'ai fait à l'intérieur de l'herméneutique, car réfléchir sur les mythes, c'était se tenir dans le langage. Comme dans mes travaux sur la symbolique du mal et sur Freud, je me servais beaucoup des notions de symbole et de symbolisme, je me suis aperçu que mon propre usage du mot symbole manquait de fondation linguistique. Il me fallait repartir de Saussure, et surtout de Benvéniste : j'ai retenu de ce dernier la notion de l'irréductibilité du discours au mot, et donc de la linguistique de la phrase à la linguistique du signe. Parallèlement, je rencontrais la philosophie analytique, sous ses deux formes : analyse du langage ordinaire ou philosophie des langues bien faites, des langues logiques. J'ai toujours trouvé beaucoup d'appui dans la tradition d'Austin, Strawson, etc., qui partent de ce qu'on dit, de l'idée qu'il y a dans le langage ordinaire des richesses incroyables de sens. Cette conjonction entre la phénoménologie, la linguistique et la philosophie analytique dans son aspect le moins logiciste, m'a donné des ressources d'hybridation auxquelles je dois beaucoup. La philosophie analytique continue toujours à me fasciner par son niveau d'argumentation. C'est ce qui tient en respect chez elle : le choix des arguments, des contre exemples, de la réplique. Quelquefois l'objet analysé est plus mince que l'instrument de l'analyse : c'est souvent ce que nous percevons en France, nous qui parvenons mal à nous ouvrir à cette rigueur argumentative. Car sa contrepartie est la professionnalisation de l'activité philosophique. C'est un effet dont je suis un peu la victime : ne plus écrire pour le grand public mais écrire pour le meilleur spécialiste dans sa discipline, celui qu'il faut convaincre.

Comment se fait-il que vous ayez partagé votre temps entre les États-Unis et la France ? Est-ce le fruit d'un hasard, ou bien y avait-il aux États-Unis des possibilités de travail qui vous ont attiré ?

On ne sait jamais ce qui est hasard et ce qui est destin. Je suis souvent frappé par le fait que l'anecdotique devient le nécessaire après-coup. Quand je suis revenu d'Allemagne après ma captivité, cherchant où me refaire une santé, j'ai enseigné pendant trois ans au Chambon-sur-Lignon, dans un petit collège protestant de montagne, où des quakers américains pacifistes étaient venus en aide à des enseignants et éducateurs français ayant fait de la résistance non violente en aidant les Juifs. La première fois que je suis allé aux États-Unis ça a été dans un collège quaker. Les quakers furent le premier chaînon américain, durant la période de reconstruction, dans le petit cadre du protestantisme français. Puis j'ai enseigné à New York jusqu'à ce qu'en 1970 on m'associe, à titre de professeur visitant, à la *Divinity School* et au département de philosophie de l'Université de Chicago. J'ai alors partagé mon temps, dans la proportion de deux tiers un tiers, entre la France et les États-Unis. J'y continue encore mon enseignement.

Vous avez eu des responsabilités universitaires en France. Quelles réflexions vous inspire la comparaison des deux systèmes universitaires ?

La comparaison rend d'abord manifeste l'indigence du système français : elle est tout simplement cruelle. Certes, j'enseigne à Chicago dans un cadre très sélectif, avec des étudiants en études doctorales : on n'a pas le droit d'avoir plus de vingt-cinq étudiants à la fois, de diriger plus de cinq thèses, etc. Ce n'est tout simplement pas comparable à ce que j'ai connu à la Sorbonne, que j'avais d'ailleurs déjà quittée pour Nanterre, avant de prendre une retraite anticipée.

Je n'étais pas bien dans ce système, pour des raisons pédagogiques : c'est un système qui ne fait pas assez crédit aux étudiants, qui ne leur donne pas les moyens de faire de la recherche. Un étudiant américain n'a pas plus de vingt heures de cours, tandis qu'un étudiant français en a souvent beaucoup plus, dans certaines disciplines jusqu'à trente-cinq heures ; son travail consiste à ingurgiter des cours et à les régurgiter ; aucun rapport avec les textes, avec la bibliothèque. C'est une question qui me trouble beaucoup : comment se fait-il que des sociétés par ailleurs très semblables, des sociétés industrielles avancées, aient produit des systèmes éducatifs aussi différents ? C'est là où la marque de l'histoire est sans conteste la plus forte. À tel point que nos systèmes sont quasiment incommunicables, même en Europe. Les systèmes éducatifs sont les plus difficiles à réformer. Avec ce paradoxe qu'un système éducatif devrait être le plus prospectif, puisque par définition on a affaire à des gens qui seront opératoires dix ans ou vingt ans plus tard. Or nous avons tendance à enseigner comme nous avons été enseignés ; il y a quelque chose de très régressif dans la position d'enseignant. Dans les systèmes où l'on fait beaucoup plus crédit à l'innovation, comme le système américain, on est davantage amené à réfléchir à sa pratique et à la créer, à l'inventer. Vous pouvez faire un séminaire court, un séminaire où vous ne parlez jamais, un séminaire où vous parlez à deux ou à trois : tout est permis, tant qu'il vient des étudiants.

Vous avez été très actif dans l'Institut international de philosophie dont vous avez été président : quel rôle joue ce genre d'institution ?

C'est un milieu coopté : il y a neuf Français, cinq Anglais, neuf Américains, etc., soit cent dix ou cent vingt membres au total. L'Institut tient chaque année un congrès sur un sujet assez technique ; cette année le thème sera : « signifier et comprendre ». Il y a une dominante anglo-américaine évidente, mais aussi une forte contrepartie continentale : Gadamer et Habermas pour l'Allemagne, et du côté français, Granger, assez proche de la tradition anglo-américaine, mais aussi Aubenque et Levinas. C'est un milieu de discussion de très haut niveau, mais aussi un lieu de rencontre, plus que ne le sont les grands congrès internationaux. Les congrès internationaux de philosophie qui ont lieu tous les cinq ans sont plus largement ouverts, tandis que ceux de l'Institut sont plus sélectifs. Mais l'Institut est aussi le seul lieu où la philosophie analytique qui tend à être dominante, méprisante parfois, accepte un vis-à-vis. Inversement, les philosophes « continentaux » y ont découvert l'extrême variété de la philosophie dite « analytique » et des possibilités d'hybridation avec la philosophie dite « continentale ».
Le mariage entre le transcendantalisme d'origine kantienne et le pragmatisme anglo-saxon, dont témoigne par exemple le travail d'Habermas, est à cet égard un événement culturel très important

qui, par ailleurs, n'est pas sans danger dans la mesure où il tend à établir un pont aérien américano-allemand par-dessus notre tête. De ce point de vue je ne suis pas sûr que ruminer l'héritage heideggerien soit la meilleure façon de garder le contact avec le monde germanique, pour l'empêcher de basculer complètement dans l'univers américain. La pensée allemande souffre d'ailleurs de certains défauts qu'elle partage avec la pensée française : le repli sur l'histoire, la sempiternelle récapitulation de la tradition (Kant, Fichte, Schelling, Hegel), avec quoi brisent des gens comme Habermas, Luhmann, qui sont moins accablés par la tradition historique que nous. Je ne dis pas cela négativement, car on court de l'autre côté le risque d'une pensée sans mémoire.
Bloom, paraît-il, a traité Rawls d'inculte[8]. Mais la philosophie française a de la peine à sortir de deux impasses : la relecture des classiques avec le souci, certes, de mieux en mieux comprendre, et d'autre part l'incapacité à s'intéresser à des objets nouveaux. On s'interroge indéfiniment pour savoir si la philosophie n'est pas morte, si elle est possible pour elle-même ; il ne faut pas faire indéfiniment la philosophie de la philosophie mais en sortir pour penser sur quelque chose, rompre avec ce côté glose et marginal, même au sens très fort que Derrida a donné à ce mot « marge », mais qui revient toujours à écrire dans la marge des grands.

Cela avait pourtant été la tentative de la phénoménologie au départ ?

En effet, il s'agissait de se mettre en face d'objets et de phénomènes déterminés, afin de s'interroger de manière régionale sur des positivités sans positivisme. Cette absence de souci des positivités m'inquiète dans la philosophie française contemporaine : elle laisse le champ libre à une épistémologie qui adopte les positivités des autres ; l'exemple brillant en est maintenant Granger qui déclare que la philosophie n'a pas d'objet, que ce sont les sciences qui ont un objet[9]. Je crois qu'il faut que nous retrouvions un objet. Par exemple : que signifie être un vivant dans le monde, agissant, souffrant, parlant ? Je défendrais l'idée d'une anthropologie philosophique, qui est souvent traitée par le mépris, notamment par ceux des héritiers de Heidegger qui condamnent une lecture anthropologique de Heidegger. Au contraire, ce que je trouve grand chez Heidegger, c'est l'anthropologie philosophique.

N'y a-t-il pas cependant un aspect positif dans la critique des anthropologies philosophiques non thématisées à l'œuvre dans les sciences humaines, comme par exemple chez Levi-Strauss, ou encore chez Piaget ? Ce sont des anthropologies de « l'homme neuronal », qui postulent un réductionnisme fondamental.

Oui, mais comment dénoncer le réductionnisme, si on ne peut lui opposer certaines positivités irréductibles ? Toutefois ce que je critiquerais le plus, ce n'est pas tant l'idée de la mort de l'homme que celle dont elle est la contrepartie : que l'homme est récent. Dans l'*Éthique à Nicomaque* d'Aristote, les livres 3 et 6 dessinent une anthropologie philosophique qui vise à montrer comment est ontologiquement possible la capacité éthique et politique de l'homme. Quelle espèce d'être doit être l'homme pour qu'il soit capable de décision et donc d'être aussi un sujet politique ? Une philosophie politique construite sur le vide d'une anthropologie me paraît condamnée à être purement procédurale : le seul thème politique est alors la cohérence procédurale, ce qu'on a pu justement reprocher à Rawls. Mais l'argument de Rawls s'appuie aussi sur ce qu'il appelle les « convictions bien pesées » (ce qui est une très bonne traduction de *considered convictions*) : celles-ci reposent, je crois, sur un certain invariant de la formalité éthique. Il y a des convictions communes : on a toujours su qu'une personne n'était pas une chose, et la responsabilité du philosophe est de dire quels sont les traits différentiels qui font qu'une personne est digne de respect tout simplement parce que c'est une personne. Quand vous regardez les questions actuelles d'éthique médicale, elles montrent la fécondité du formalisme kantien pour penser ces problèmes. Je me méfie de l'idée hégelienne selon laquelle il faut remplacer le principe moral par la *Sittlichkeit*, sous prétexte qu'il est vide. Et si celle-ci est corrompue ? La *Sittlichkeit* n'a pas empêché l'avènement du nazisme : ce qui a résisté c'est la *Moralität* intègre de quelques personnes, comme Bonhœffer et d'autres, fondée sur une certaine idée de l'homme. De ce point de vue aussi, je serais en rupture avec l'idée heideggerienne qu'il y a eu une seule métaphysique et qu'elle est terminée. Je crois au contraire qu'il y a eu des métaphysiques, et que nous avons toujours à choisir notre camp. Je ne vois rien de périmé dans la philosophie du passé. Il y a des positions diverses, ouvertes sur des Renaissances inattendues : qui pouvait penser qu'au douzième siècle l'Europe serait platonicienne ? J'attends la Renaissance.

Rencontrez-vous ici la réflexion de Levinas ?

Je lui dois beaucoup, mais je résiste sur deux points : d'abord sur l'idée que l'éthique doit se faire sans ontologie sous prétexte que l'ontologie serait totalitaire (là je crois qu'il est beaucoup trop tributaire de Heidegger, et peut-être de Nietzsche, au-delà de Heidegger). Je ne suis en effet pas sûr que l'idée d'être doive s'épuiser dans une représentation synoptique, virtuellement totalitaire, en tous cas fermée sur le Moi, et que l'Autre devrait briser par effraction. N'y a-t-il pas une ontologie possible de l'acte et de la puissance ? N'est-il pas possible de rénover une telle ontologie avortée ? La tradition philosophique en conserve certains indices, certaines promesses, par exemple avec le *conatus* de Spinoza, ou le dynamisme leibnizien, ou encore chez Schelling. Il ne faut pas aligner l'ontologie sur la substance ou l'essence. Des ontologies vacantes et inachevées peuvent être appropriées à des alternatives éthiques et s'articuler sur des problématiques de l'altérité comme celle de Levinas.

La deuxième résistance naît du fait que le primat de l'altérité est poussé si loin par Levinas qu'il tend à retirer au « je » toute consistance. Lorsque Levinas dit que la responsabilité requiert de moi une passivité absolue, que je suis le récepteur d'un acte qui n'est pas le mien, et qu'il ne faut pas que cette passivité se retourne en acte car je redeviendrais le maître, il nous force, certes, à penser, en redressant le bâton dans l'autre sens, par opposition à l'égologie husserlienne. Mais s'il n'y avait pas dans la subjectivité une capacité d'initiative, comment répondre « me voici » ? Comment l'autre pourrait-il éveiller en moi de quoi lui répondre s'il n'y avait pas, dans la subjectivité, une sorte de latence capacitaire qui est celle d'un agir ? Ce qui nous ramène à l'antinomie kantienne : qu'est-ce qu'un sujet capable de faire ? Telles sont mes résistances quand je lis Levinas. Elles expriment en même temps ma dette. Moi aussi je lutte contre l'idée que je suis le maître du sens. Je l'ai écrit en parlant de « cogito blessé ».

Je perçois en outre chez de nombreux philosophes français une tendance à donner congé aux sciences humaines, qui me paraît très dangereuse ; quand la philosophie s'exile des sciences constituées, elle ne peut plus être alors en dialogue qu'avec elle-même. Or toutes les grandes philosophies ont été en dialogue avec une science : Platon avec la géométrie, Descartes avec l'algèbre, Kant avec la physique, Bergson avec l'évolutionnisme. Pour une anthropologie philosophique, les vis-à-vis sont les sciences de l'homme. On se débarrasse trop vite des sciences constituées avec un argument anti-positiviste, qui est en passe de devenir un argument paresseux. Il faut conquérir le droit de répondre aux arguments que l'on juge positivistes. Si nous n'offrons que l'auto-destruction de la philosophie par elle-même, nous laissons le champ libre aux positivismes ; on voit aujourd'hui les scientifiques contraints de se faire une philosophie provisoire, parce que les philosophes désertent l'objet philosophique. Cela m'inquiète : je vois dans ce retrait à la fois une arrogance et une excessive modestie. Je suis choqué par des propos comme ceux qui ouvrent le livre de Lacoue-Labarthe par exemple[10], sur l'impossibilité de continuer la philosophie.

Le discours de la nudité éthique chez Levinas d'un côté, et de l'autre, le discours de la fin de la philosophie, laisseraient au milieu un vide permettant la reprise par les sciences de thèmes abandonnés par la philosophie.

En effet, il y a des objets qui sont totalement délaissés, même par la philosophie analytique, dès qu'on s'écarte du champ de l'épistémologie. Par exemple, l'objet de l'historien : qu'est-ce qu'un être passé ? Cela me paraît une question philosophique puisque le passé n'est pas un observable, et que ce n'est pas non plus une fiction : alors quel est son statut ? Qu'est-ce que « avoir été » pour un événement dont on continue de parler ? Ce qui est en jeu c'est le statut ontologique du passé en tant que tel. J'ai essayé de traiter des problèmes de ce genre dans *Temps et récit*[11], et je ne vois pas pourquoi ils auraient été frappés d'obsolescence par la mort récente d'un type de discours. Ou alors il faut faire un autre métier. Si nous gémissons sur la falsification du langage, il faut dire ce que serait un langage non falsifié. Si nous critiquons la domination de la technique, alors que serait un rapport à la nature restauré ? Je me sens opposé à la fois à ceux qui disent que la philosophie est morte comme thématique et à ceux qui disent, comme Levinas, qu'il faut faire une philosophie sans thématique. Ma conviction est que Levinas dit autre chose. Le type de discours qu'il rend possible par ses refus est aussi important que ce qu'il récuse. Il rétablit un autre espace où on peut reparler du « je », du moi, de l'identité, dans un discours qui peut prendre appui sur les travaux anglo-saxons consacrés à l'identité personnelle. Exemple : l'identité est-elle le non-changeant ? L'ipséité et la mêmeté se recouvrent-elles ? Que signifie la deuxième personne, sinon qu'elle est capable de dire « je » pour elle-même ? On est là, tout de suite, en débat avec la linguistique, avec la théorie des déictiques, des significations sui-référentielles, ou encore avec la distinction entre l'intensionnel et l'extentionnel. Les outils linguistiques sont tout à fait appropriés à ce genre de réflexions qui sans cela sont condamnées à rester déclaratives ou proclamatives.

À ce propos, je ne vois pas comment on pourrait constituer une philosophie politique et penser la démocratie, c'est-à-dire le régime qui fait place aux conflits et à la négociation, donc où la participation à la décision est maximale, si l'on ne peut dire ce qu'est un être de décision. C'est un problème anthropologique : qu'est-ce qu'un être qui prend une décision dans un contexte social, avec d'autres que lui-même ? Si je dis que je suis l'otage de l'autre, comme le pense Levinas, qu'est-ce que je peux faire ? Quelle politique faire ? Levinas est amené lui-même à valoriser le tiers, c'est-à-dire le sans visage. J'entre dans une relation de justice lorsque j'ai des devoirs et des droits à l'égard de gens que je ne rencontrerai jamais : ceux qui trient mon courrier et me le font parvenir dans les vingt-quatre heures... Le lien social est fait de tous ces sans visage. Quel est le statut du sans visage ? Le chacun, qui est le distributif, le *je* allemand, qui n'est pas le on, comme dans l'expression « à chacun son dû ». C'est à cause du problème de la justice que je me suis intéressé à Rawls : comment peut-on établir une relation de justice dans une distribution inégale ? Toutes les distributions inégales ne sont pas moralement équivalentes. Or, où peut trouver racine l'idée qu'il faut respecter le partenaire le plus défavorisé d'une distribution inégale, si on n'a pas une certaine conception de la personne insubstituable ?

Rawls, dans ses premières pages, affirme que la justice est la vertu des institutions. Il y a donc une irréductibilité du phénomène des institutions : les règles du vivre ensemble ne sont déductibles ni de l'auto-position d'un sujet, et de ce point de vue on a raison d'invoquer Levinas, ni non plus de l'injonction en deuxième personne. J'aimerais relier la réciprocité dans la distribution de tâches ou de rôles et la notion du chacun : l'institution distribue des rôles et ainsi engendre le « chacun ». Mais l'opérateur de distribution est autre que ces rôles. On retrouverait le tiers lévinasien et même l'Ancien Testament : la veuve et l'orphelin, dont parle Levinas. La veuve et l'orphelin ne me sont pas forcément connus, ce sont des situations sociales. Dans les sociétés tribales une veuve était celle dont le mari ne laissait pas de frère pour l'épouser, donc celle qui ne pouvait pas être reprise dans le système de parenté. C'est le type même du tiers, le sans visage par excellence. C'est à leur égard qu'on a un devoir de justice. Tant que les règles tribales fonctionnent, on n'a pas à se poser la question de la justice. Les choses n'ont pas foncièrement changé. Aujourd'hui encore, il y a des oubliés de la distribution. Ce qui devrait pourtant nous étonner, c'est que nous pensons qu'ils ont un droit. Sur quoi se fonde ce droit, sinon sur le fait, pas toujours perceptible, que ce sont des personnes ? Il va donc falloir retrouver en eux les ressources et les capacités d'une personne. Il nous faut pour cela les concepts de capacité, de disposition, qui sont encore une fois des concepts appartenant à une anthropologie ; et mettre en jeu des ressources ontologiques telles que *dynamis, energeia*.

Quand vous dites qu'il y a là quelque chose à penser, est-ce aussi matière à intervention publique ? Le philosophe doit-il intervenir dans le débat public ?

Oui, quoique le lieu approprié ne soit pas toujours la scène politique au sens étroit. C'est plutôt dans des lieux comme la vie associative, car il s'agit de la reconstruction d'une société civile qui ne coïncide pas avec la société politique. À l'égard du quart monde ce sont les actions de proximité qui sont efficaces. On est ici confronté à un objet social beaucoup plus complexe, pour reprendre les analyses d'Edgar Morin, que tous les modèles qu'on pourrait lui appliquer pour le corriger : il faut décrire l'objet complexe mais intervenir là où on est. Les stratégies globales sont à trop grosses mailles, il faut des stratégies plus fines, qui reposent sur les rapports de voisinage, etc. Il y a des ressources de générosité endormies qu'il faut réveiller en jouant sur des passions qui sont des passions bonnes. *(Propos recueillis par J.R. et E.T.)*

1. KARL JASPERS, *Les grands philosophes*, UGE, col. 10-18, 4. vol.
2. KARL JASPERS, *Von der Wahrheit*, (de la vérité), Munich, 1947.
3. KARL JASPERS, *Die Schuldfrage*, trad. fr. *La Culpabilité allemande*, éd. de Minuit.
4. E. HUSSERL, *Ideen*, trad. Paul Ricœur, *Idées directrices pour une phénoménologie pure*, Gallimard, 1950, rééd. tel, 1985.
5. *Du texte à l'action, Essais d'herméneutique*, II, Le Seuil, 1986.
6. PAUL RICŒUR, *Philosophie de la volonté, I. Le volontaire et l'involontaire*, Aubier, 1950. *II. Finitude et culpabilité, 1. L'homme faillible, 2. La symbolique du mal*, Aubier, 1960, 1988.
7. PAUL RICŒUR, *De l'interprétation, Essai sur Freud*, Le Seuil, 1965. Cf. aussi *Le conflit des interprétations, Essais d'herméneutique I*, Le Seuil, 1969.
8. JOHN RAWLS, *Théorie de la justice*, Le Seuil, 1987. Allan Bloom, *L'âme désarmée*, Julliard, 1987.
9. G.G. GRANGER, *La connaissance philosophique*, Odile Jacob, 1988.
10. P. LACOUE-LABARTHE, *La fiction du politique*, Bourgois, 1988.
11. PAUL RICŒUR, *Temps et récit*, Le Seuil, 3 vol., 1983, 1984 et 1985.

© RENÉ BURRI/MAGNUM

4

LE PHILOSOPHE DANS LA CITÉ

La présence philosophique ne se mesure pas à l'aune des débats publics, mais le philosophe ne saurait y rester sourd, sauf à méconnaître la communauté qui le porte et à renier les destinataires de sa pensée. Mieux, il lui incombe de penser cet être-ensemble, d'élucider la nature du lien politique et juridique, d'affronter les paradoxes et les ambivalences qui surgissent de l'effort pour symboliser les conflits. Ce faisant, il doit se défaire de la nostalgie de l'Un, de la pureté des idéaux, de la transparence de la pensée. C'est à ce prix que sa parole peut être autre chose que profération visionnaire ou injonction militante.

DE LA SCIENCE

AU DROIT

LA RÉSURGENCE D'UNE PRÉOCCUPATION PHILOSOPHIQUE CENTRÉE SUR LE DROIT, CES DERNIÈRES ANNÉES, A HEUREUSEMENT RENOUÉ AVEC UNE INTERROGATION SUR LE JUSTE ET L'INJUSTE. MAIS N'EST-CE PAS LÀ UN REPLI TROP FAIBLE SUR L'UNIVERSALISME JURIDIQUE ?

Celui qui jette un regard rétrospectif sur l'histoire intellectuelle de ces vingt dernières années ne peut manquer de voir que quelque chose a changé dans la manière de faire de la philosophie en France. On n'y commente plus les mêmes auteurs, ce n'est plus le même style du discours, ce ne sont plus aussi tout à fait les mêmes objets.

Un domaine d'étude dominait l'activité philosophique jusqu'au milieu des années 70, c'était l'épistémologie. C'est aujourd'hui la morale (tout à la fois éthique, philosophie juridique et politique) qui tient ce rôle. Dominer, cela ne signifie pas que tout le monde « fait » aujourd'hui de la philosophie du droit quand tout le monde « faisait » naguère de l'épistémologie. Dans la période précédente, la politique occupait bien les esprits, mais c'était l'épistémologie qui fournissait les critères au regard desquels on évaluait la pertinence d'une doctrine de philosophie sociale. La relecture de Marx par Althusser fournit l'exemple type de cette manière de poser les problèmes. S'il valait la peine de lire le *Capital*, c'était parce que c'était une œuvre qui satisfaisait à ce que l'on estimait être les « critères de scientificité ». Dans un ton qui rend bien l'esprit de l'époque, Althusser écrivait ainsi :

> « Cette œuvre gigantesque qu'est le *Capital* contient tout simplement l'une des trois plus grandes découvertes scientifiques de toute l'histoire humaine : la découverte du système de concepts (donc de la théorie scientifique) qui ouvre à la connaissance scientifique ce que l'on peut appeler le "Continent-Histoire". Avant Marx deux continents d'importance comparables avaient été "ouverts" à la connaissance scientifique : le Continent-Mathématique par les Grecs du Vᵉ siècle, et le Continent-Physique par Galilée[1]. »

Cette épistémologisation de la philosophie atteignait jusqu'à des disciplines aussi traditionnellement universitaires que l'histoire de la philosophie. Étudier un texte, cela revenait souvent à traquer le « modèle épistémologique » sur lequel il était construit (on ne disait pas écrit). Ce qu'un texte disait importait finalement assez peu, pourvu qu'on lui trouvât un cousinage avec les sciences de son temps. Quand on lisait dans Hobbes que l'homme était un loup pour l'homme, il fallait moins y voir une interprétation des conditions du lien social, que l'écho dans la doctrine politique de Hobbes de la physique des chocs.

Aujourd'hui par un renversement de tendance symétrique, c'est à la science d'être appelée à comparaître devant l'éthique. Et la philosophie est désormais plus préoccupée de savoir quels sont les prolongements éthiques des recherches des savants que d'interroger la nature des procédures théoriques selon lesquelles elles sont conduites. C'est ce que montrent par exemple les débats autour des manipulations génétiques. Comment les exigences éthiques sont-elles venues prévaloir sur les préoccupations épistémologiques, quels sont les causes et les motifs qui ont ainsi conduit à ce renversement des perspectives dans la manière de poser les problèmes en philosophie ?

LA CRITIQUE
DE L'HISTOIRE

Une explication semble à la fois simple et pertinente : elle consiste à faire remarquer que les représentations de l'action morale et politique qui en appellent à la légitimité de la science, ont succombé au double coup de l'accusation d'historicisme qui leur a été faite et à la révélation des dangers politiques qu'elles recèlent.

Que veut-on dire quand on parle d'historicisme ? Qu'il soit ici permis de manquer de respect à l'originalité d'auteurs souvent considérables (Strauss, Arendt, Popper ou Aron), et de négliger les différences. Le trait commun des critiques anti-historicistes est d'articuler deux thèmes. Dans un premier temps elles font valoir que les doctrines historicistes, dans leur appel à une science de l'histoire, sont des tentatives de rationalisation intégrale des affaires humaines. L'histoire des « historicistes » n'est plus alors que l'effet du développement d'une rationalité anonyme et secrète, rusée (Hegel et Marx), ou, dans une autre version, elle est le processus progressif de l'arraisonnement du temps par la raison technicienne (les Lumières). Dans les deux cas l'histoire prend la figure d'un destin que l'individu subit tragiquement, dans l'oubli et la dépossession de soi, de sa liberté. Dans ce premier thème critique, on s'en tient à un pur constat du mode de fonctionnement des doctrines historicistes.

Il vient s'y adjoindre un second thème, qui est, quant à lui, franchement critique. Si les différentes formes d'historicismes doivent être condamnées, dit-on, c'est moins pour ce qu'elles disent que pour ce qu'elles autorisent. Leur défaut est en effet qu'à les suivre dans leur déni de la réalité de la liberté des individus, elles conduisent au totalitarisme : qu'on leur reproche d'en être la cause directe et quasi-matérielle (Staline est *dans* Marx), ou plus modestement de rendre possible leur légitimation. Le totalitarisme serait donc comme le rejeton monstrueux de cette union, arrangée par la philosophie, entre la science et le monde éthique dont les doctrines historicistes fournissent le modèle.

Sur ces critiques de l'historicisme on fera deux remarques. La première c'est qu'elles sont, comme on l'a vu, plus une critique des conséquences qu'une critique de la validité interne des théories incriminées. On ne demande pas si ces théories sont vraies ou fausses, inconsistantes ou non, mais si elles sont moralement et politiquement dangereuses. Certes, celui qui a pratiqué un peu la philosophie, sait que c'est un peu bête d'interroger une doctrine sur sa vérité, mais il reste qu'on n'aura pas invalidé une doctrine (nous ne disons pas réfuté), sous prétexte qu'elle est dangereuse. On pourrait se contenter dans ce dernier cas d'en interdire la lecture aux enfants. Or de telles invalidations n'ont pas eu lieu. Il n'a pas été dit, par exemple, que Marx quant au fond, « avait tort ». Au contraire on a pu entendre des penseurs, qui n'étaient toutefois pas philosophes, comme Braudel ou Lévi-Strauss, persister à dire que Marx leur avait été utile dans leur travail. Et l'on trouverait sans difficulté, des hommages à la « partie scientifique » de l'œuvre de Marx, émanant d'auteurs aux convictions politiques opposées[2]. Cependant on a cessé de le lire. Voyez la couche de poussière qui s'est accumulée sur le rayon « marxisme » de votre bibliothèque. L'histoire récente de la philosophie s'indique ici comme l'histoire de problèmes qu'on traite moins qu'on ne les oublie.

Notre deuxième remarque porte sur les conditions de cet oubli dans la philosophie française. Il convient de relever ici une bizarrerie chronologique : le déclin du marxisme et de pensées dites historicistes n'est contemporain ni de la formulation de leurs critiques, ni de la « révélation » des dangers du totalitarisme. Popper écrit *La société ouverte et ses ennemis* en 1944, il ne sera traduit qu'en 1979. La première édition de *Droit naturel et Histoire* de Strauss est de 1954, elle s'épuisera lentement jusqu'à ce que la demande récente ne décide les éditeurs à le faire reparaître, en 1987. De la même façon l'œuvre de Soljénitsyne n'a été une révélation du caractère totalitaire de l'URSS que pour ceux qui avaient le regard singulièrement obstrué. Quelles que soient leurs options politiques, ceux qui voulaient savoir savaient. On peut donc légitimement s'interroger sur les raisons de cette soudaine lucidité philosophique et politique. Pourquoi l'œuvre politique de Popper n'est-elle devenue traductible que si tardivement ? Pourquoi Strauss a-t-il mis tant de temps à devenir lisible chez nous ? Pourquoi Soljénitsyne a-t-il pu se faire entendre là où ni Kravtchenko ni Trotsky n'y étaient parvenus ? Pourquoi enfin a-t-on redécouvert la problématique du droit et défini si récemment la défense des droits de l'homme comme tâche philosophique ? On pourrait incriminer, comme cela se fait parfois, le provincialisme de la pensée française toujours en retard d'une actualité philosophique. Il nous semble cependant qu'il y a là des raisons plus profondes qui tiennent à la manière de concevoir le travail philosophique et que met en évidence la désaffection du modèle épistémologique dont nous parlions plus haut.

UNE ATTENTE DÉÇUE

Il faut d'abord en revenir au succès passé de ce modèle, aux raisons de ce privilège accordé à la scientificité. Qu'attendait-on de la science ? On attendait qu'elle satisfasse ce que l'on estime être un des intérêts les plus essentiels de la philosophie, et qui la définit comme discours : qu'elle mette concrètement en évidence la possibilité pour la raison humaine d'énoncer des vérités universelles. La science devait manifester l'existence d'une essence stable, d'un socle dur, des choses. Derrière cet intérêt pour la science, on découvre une sorte de hantise cartésienne d'avoir à fonder le savoir et les pratiques sur un discours de validité universelle, dont le contenu porterait sur une réalité elle-même constante. Cependant deux difficultés ont empêché cette attente d'être satisfaite.

La première est que pour des raisons contingentes mais bien réelles la philosophie a perdu le contact, qu'assurait l'épistémologie, avec les sciences. L'épistémologie est en effet une discipline difficile, décourageante à pratiquer sérieusement dès lors qu'il ne s'agit plus d'étudier la science d'il y a trois siècles mais celle qui est en train de se faire. Désormais les travaux de valeur en épistémologie et en histoire des sciences sont le fait quasi exclusif des savants eux-mêmes (Jacob, Prigogine, Atlan, Ekeland) qui, après tout, en savent toujours plus long sur leur métier que les philosophes qui auraient bien aimé leur faire la leçon mais ont toujours eu du mal à dépasser, au mieux, le niveau d'une licence de mathématiques.

La deuxième difficulté est que les savants envoyèrent aux philosophes de tout autres messages que ceux qu'on attendait. La philosophie était en effet en retard d'une révolution scientifique. La réalité que met en évidence la science contemporaine (si l'on peut encore désigner d'un seul mot des savoirs si divers) est tout le contraire de cette réalité continue de la science classique, réglée par des lois universelles. C'est au contraire une « nature complexe et multiple »[3]. Prigogine et Stengers décrivent ainsi l'état du savoir scientifique :

> « Les sciences de la nature décrivent désormais un univers fragmenté, riche de diversités qualitatives et de surprises potentielles (...). Ce ne sont plus d'abord les situations stables et les permanences qui nous intéressent, mais les évolutions, les crises et les instabilités[4]. »

Cette définition de la science comme savoir des crises ne pou-

189

vait que conduire à une crise de la philosophie qui avait fait de la science son modèle et sa référence. On lui avait assigné une tâche, démontrer par le fait qu'il y avait des vérités universelles et que la raison pouvait les dire, et justement la science ne jouait pas le jeu. Non pas qu'elle fût soudainement prise de folie, mais au contraire parce que sa sagesse la conduisait à se particulariser, et le monde avec elle.

C'est dans cette déception à l'égard de la science que se trouve selon nous le motif profond qui réorientera les travaux de nombre de philosophes vers la sphère du droit. Comme si l'on cherchait à investir le droit des attentes que la science avait déçues. Car c'est autant le fait même de ce soudain intérêt pour le droit que la manière dont on s'est tourné vers lui, qui sont ici expressifs.

LA TENTATION DU RETOUR

Foucault dès avant 1975, s'était déjà intéressé au droit, avec *Surveiller et punir*[5]. Mais le point de vue qui guidait ses recherches était différent de celui qui est aujourd'hui couramment adopté. On peut poser de multiples questions sur le droit. On peut voir en lui d'abord sa dimension régulatrice, son pouvoir d'énonciation des règles et des contraintes qui norment les comportements des individus et des groupes sociaux. Une telle orientation pose alors comme programme de recherche l'examen des effets positifs, sociaux, du droit et cherche à évaluer la sphère juridique au regard des pratiques historiques qui lui sont liées. C'est, en gros, dans cette voie que s'était engagé Foucault et après lui ceux qui se sont inspirés de son travail[6].

Mais le droit peut aussi faire l'objet d'un autre questionnement qui s'interroge moins sur ses formes positives que sur son fondement et sa légitimité. C'est cette seconde orientation qui prévaut aujourd'hui. Elle ne pouvait que prévaloir dès lors qu'on posait que ce qui est proprement philosophique, c'est l'exigence de validité universelle des discours et des pratiques. Les philosophes ne pouvaient s'engager dans l'axe de recherche tracé par Foucault sans devoir par là remettre en question la représentation qu'ils ont de leur propre activité philosophique, entendue comme la tâche d'une connaissance universelle. Car ce que montrait Foucault, dans un mouvement parallèle au développement des sciences, c'est qu'il n'est de rationalité et de légitimité que positives et non juridiques, par suite particulières. L'examen de la sphère du droit du point de vue de ses pratiques, découvrait des dispositifs historiques de pouvoir, des formes particulières et concrètes d'organisation et de composition des forces à l'œuvre dans la société. Tout autre chose donc que des formes légitimes ou illégitimes de rendre à chacun ce qui lui est dû.

190

Ainsi la plupart des protagonistes des débats qui animent aujourd'hui la philosophie politique et juridique (Rawls *vs* Nozick, Strauss *vs* Ferry-Renaut), quelle que soit l'âpreté de leurs oppositions ont au moins ceci de commun qu'ils ne doutent pas que la question importante et authentiquement philosophique soit celle du fondement du droit, de sa légimité au regard du jugement d'une raison universelle. La question des effets positifs du droit est considérée comme non philosophique et laissée à l'appréciation des sociologues. Si le droit est ainsi devenu l'objet privilégié de la philosophie, c'est parce qu'il a semblé après le processus d'éclatement et de particularisation de la raison scientifique, comme le dernier lieu théorique où une raison universelle pouvait se manifester. On peut penser qu'il y a là comme un mouvement de retraite par laquelle la philosophie chercherait à préserver son identité devant la menace que font peser sur elle des objets qui se refusent à l'universalité dont elle se sent en charge. Il est ainsi désagréable de constater que quand le réel innove et invente, quand de nouveaux savoirs apparaissent, de nouvelles pratiques se font jour, les philosophes ne trouvent rien de mieux à faire que brandir l'étendard du « retour à » : retour à Kant, retour à Locke, retour à Platon, quand ce n'est pas le retour à la Bible elle-même. Il est certes toujours utile de connaître ses classiques, mais on sait bien que quand l'histoire se répète, et l'histoire des idées n'y fait pas exception, la deuxième fois, ça n'est pas sérieux.

Si la tâche de la philosophie est de maintenir les intérêts universels de la raison, sa tâche non moins urgente est de penser la vérité effective des choses. C'est-à-dire, puisque telle est notre actualité, penser le réel dans sa diversité, le particulier dans sa particularité. Ce qui fait le plus cruellement défaut à la philosophie aujourd'hui, ce n'est pas tant l'universalité de son discours, elle en serait au contraire un peut trop pourvue, c'est cette capacité d'attention au détail des choses, que Bergson appelait la précision. Et pour être précis avec une réalité inédite, il ne faut pas craindre d'inventer. Ce qui n'est jamais facile et toujours risqué.

1. L. ALTHUSSER, « Avertissement au lecteur du *Capital*, in Marx, *Le Capital*, T 1, p. 7, Garnier-Flammarion, Paris, 1969.
2. Cf. R. BOUDON, *La place du désordre*, p. 141, PUF, Paris, 1984.
3. I. PRIGOGINE et I. STENGERS, *La nouvelle alliance*, p. 15, Gallimard, Paris, 1979.
4. *Ibid.*
5. MICHEL FOUCAULT, *Surveiller et punir*, Gallimard, 1975.
6. Notamment F. EWALD. *L'État providence*, Grasset, Paris, 1986.

GILLES ACHACHE

Enseigne la philosophie à l'université de Paris IX-Dauphine.

LA PENSÉE
DU POLITIQUE

IL REVIENT À LA PHILOSOPHIE POLITIQUE PLUTÔT QU'AUX SCIENCES SOCIA-
LES DE PENSER LE POLITIQUE. ELLE SEULE PEUT METTRE EN ÉVIDENCE
QUE LA DÉMOCRATIE S'OPPOSE AU TOTALITARISME SANS POUR AUTANT SE
CONFONDRE AVEC LE LIBÉRALISME.

Autrement. - Relevant ce qu'elle dia-gnostiquait comme un vieil antago-nisme entre « philosophie » et « poli-tique », Hannah Arendt refusait de se dire « philosophe », se voulant d'abord « penseur politique ». Vous assumez, vous, la responsabilité d'une « philo-sophie politique », notamment en regard du positivisme des « sciences politiques ». Jugez-vous caduque la tension entre philosophie et politi-que ? Quelle peut être la spécificité d'une telle philosophie politique ?

Claude Lefort. - Il est exact qu'Arendt a longtemps refusé de se laisser désigner comme philo-sophe. Pourquoi ? Parce que, me semble-t-il, elle prétendait penser la politique en rupture avec toute la tradition philosophique de l'Occident. Seulement, pour rom-pre avec la tradition, il fallait la connaître et l'interroger, ce qui est encore de toute évidence une manière de se rattacher à la phi-losophie. Quand par exemple elle s'attache à démontrer que Marx, Nietzsche et Kierkegaard n'ont fait que conserver les prémisses de la philosophie platonicienne alors qu'ils s'employaient à en renverser les thèses (notamment que Marx n'a fait que transporter la théorie dialectique dans l'action), toute son argumentation est proprement philosophique.

D'une manière générale, dans tous ses travaux, elle se réfère aux penseurs de l'Antiquité, à Machia-vel, à Rousseau, à Hegel, plus encore à Kant, et quelles que

soient ses dénégations, elle exerce une pensée philosophique qui d'ailleurs n'est souvent accessible qu'à des lecteurs philosophes. Bref, le détachement vis-à-vis de la philosophie ne serait possible que si on décidait définitivement de l'ignorer, ce qui n'est pas du tout le cas de Arendt. Enfin, dans son dernier ouvrage, elle assume manifestement une tâche de phi-losophe. Je crois donc que la dis-tance qu'elle veut prendre par rapport à la philosophie tient avant tout à son refus décidé d'élaborer un système, à sa con-viction que la pensée ne peut s'exercer qu'au contact de l'événe-ment et en réflexion sur l'opinion qui, ici et maintenant, affronte les questions du vrai et du faux, du juste et de l'injuste, etc. À cet égard, je me sens très proche d'elle, mais il me semble que son erreur est de vouloir extraire des œuvres philosophiques un petit nombre de thèses qui permettrait de définir leur enseignement et de leur appliquer à bon compte une grille d'interprétation.

Cependant, toute œuvre déborde considérablement les thèses aux-quelles on veut la réduire. Or cette erreur se paye : contraire-ment à son inspiration, Hannah Arendt tend à traiter de Platon par exemple, mais de Marx bien davantage encore, d'une façon extrêmement réductrice, et simpli-fie considérablement le travail d'une pensée qui accueille la contradiction et qui va dans plusieurs sens à la fois. En particulier, je trouve qu'elle opère une simplification outrancière de la pensée de Marx, par exemple dans sa manière de confondre ce qu'il dit du travail en général et du travail aliéné au sein de la société capitaliste.

Je ne suis donc pas prêt à raisonner en termes de rupture avec la philosophie. Il y a certes une tradition philosophique, mais je ne crois pas que cette tradition puisse se ramener à l'enchaînement de systèmes conceptuels dérivant d'un discrédit inaugural de la *vita activa* et du désir d'occuper la position du *Kosmotheoros*. Cette tradition se manifeste dans la poursuite d'une interrogation qui transgresse les limites de tout domaine particulier, ébranle toute croyance établie, et prétend s'ouvrir un accès à la vérité par la rigueur de son propre mouvement.

En ce sens-là il n'est pas exact de dire que nous vivons dans une ère de mutation radicale, et que toute recherche philosophique est comme frappée de caducité par les événements de notre époque. Je n'assumerai pas pour autant la responsabilité d'une « philosophie politique », que vous me prêtez. On ne se situe pas dans la philosophie politique comme on se situe dans le cadre de la biologie moléculaire, par exemple. La philosophie politique n'est pas une discipline, elle ne compose pas un espace fermé qui se définirait par le dialogue des philosophes entre eux. Ce qui m'étonne toujours, c'est l'idée que l'on pourrait circonscrire la philosophie à l'histoire critique des systèmes philosophiques, ou la philosophie politique à l'histoire des doctrines politiques. La philosophie politique est certes, pour une part, une réflexion qui prend en charge toute une recherche antérieure,

mais elle est aussi, pour une autre part et indissociablement, une interrogation du temps dans lequel on vit. Si l'on peut se risquer à dire quelle est sa spécificité, je crois qu'on ne peut le faire qu'en l'opposant à l'esprit des sciences sociales ou des sciences humaines en général. La science tend à se définir en fonction de la délimitation d'un objet de connaissance ; il y a par exemple une sociologie qui veut se retrancher de la psychologie, de l'histoire, et cela dès sa naissance ; et à l'intérieur même de la sociologie, il y a des sociologies particulières, politique, juridique, religieuse, économique. Ce sont là autant d'objets censés contraindre la pensée à s'assujettir à des impératifs d'exactitude et de définition, et censés exiger du sujet connaissant qu'il demeure dans l'extériorité par rapport à son objet d'étude.

La philosophie politique me paraît procéder d'une autre exigence. Elle est guidée, depuis son origine, par le souci de comprendre ce que signifie le fait que les hommes vivent en société, par celui de repérer dans la diversité des établissements humains où règnent l'idée d'une identité commune et la volonté d'indépendance, un petit nombre de *formes de société*, par celui de découvrir les critères qui sont au fondement de cette distinction, de déceler ce qu'est — soit relativement, soit absolument — le meilleur type de vie ou le meilleur régime. Sans doute la question du pouvoir est-elle au centre de l'interrogation du philosophe. C'est que, quelles que soient ses divisions internes, toute société s'ordonne sous un pôle qui lui assure sa cohésion et sa permanence dans le temps. Du pouvoir, l'on ne saurait dire qu'il est extérieur à l'ensemble social : il a une face visible, il apparaît dans la puissance qu'un maître ou un groupe détient ou simplement exerce, dans les appuis dont ils

193

jouissent dans une fraction plus ou moins étendue de la population, dans les moyens matériels utilisés pour maintenir l'autorité. Mais l'on ne saurait dire davantage que le pouvoir est dans la société, comme un organe particulier encore que central, car de quelque manière qu'il se traduise dans la réalité, sa fonction est instituante ; la distance qu'il entretient avec l'ensemble social ne se mesure pas seulement en termes de rapports de force (le pouvoir auquel tous sont assujettis étant le plus fort), elle est signe d'un écart de la société par rapport à elle-même, d'une transcendance qui lui rend sensible son identité à travers la multiplicité de ses manifestations. En ce sens le philosophe ne peut se satisfaire de la séparation établie, d'un point de vue scientifique, entre la politique (entendue comme l'ensemble des activités et des relations qui touchent à l'exercice du pouvoir) et, d'autre part, l'économie, le droit, les mœurs, etc. Pas plus qu'il ne peut se satisfaire de la séparation entre domaine public et domaine privé. Si importantes que soient les questions relatives à la manière dont est définie et exercée l'autorité politique, à l'agencement des institutions dans lesquelles elle se manifeste, ces questions ouvrent sur d'autres qui portent sur la représentation du fondement du pouvoir, ici et là, sur le statut de celui ou ceux qui sont censés l'incarner ou bien ne sont que les délégués des citoyens. Ce sont des questions qui portent sur la nature des critères dominants du légitime et de l'illégitime, de la compétence et de l'incompétence et elles incitent à scruter les liens du politique et du religieux ou du politique et de l'éthique, plus généralement du politique et du métapolitique. Or sitôt qu'on prend en charge une telle interrogation on ne peut plus dissocier l'analyse politique de celle des rapports sociaux, car la division des classes et des divers groupements permanents dans la société n'est pas le produit brut d'un mode de production qui, lui-même, refléterait un état donné de la technique ; cette division dépend de la représentation des acteurs, de la manière dont elle s'exprime, elle se modifie aussi en fonction d'une expérience partagée des principes qui règlent la coexistence, c'est-à-dire qui commandent la notion de ce qui est légitime et illégitime, de ce qui est conforme à la nature ou à la nécessité de fait ou bien leur est contraire, de ce qui est du domaine du possible ou de l'impossible, de ce qui est du domaine du connaissable ou soustrait, voire interdit à la connaissance.

Ces remarques sont trop hâtives. Je ne veux pas dire que toute la vie sociale est déterminée par le mode de définition et de représentation du pouvoir. J'observe comme chacun que le développement de la technique (qui, disons-le au passage, ne relève pas d'un déterminisme en soi, mais dans le style que nous lui connaissons est lié au capitalisme moderne) suscite des comportements et des croyances similaires dans des formes de société différentes. Je veux seulement remettre en évidence l'idée de forme de société, annoncée dans la théorie grecque de la *politeia*, et que font oublier les discours contemporains sur la civilisation industrielle ou bien sur l'ère de la technique.

Un mot encore pour souligner la portée de la philosophie politique à présent. On oppose volontiers démocratie et totalitarisme, après avoir longtemps largement méconnu le sens de cet antagonisme. Cette opposition est en effet fondamentale. Mais pour la concevoir vraiment, il faudrait explorer les traits de la démocratie, déceler ses ambiguïtés, comprendre d'abord quelle mutation elle a marqué à son origine, dans le moment où se faisait pour la première fois reconnaître la notion d'un pouvoir sans garant transcendant, d'un pouvoir dépossédé de la prétention à la connaissance des fins dernières de la société et de la Loi comme telle. Il faudrait tenter de mesurer les effets de cette mutation sur tous les registres de la vie sociale et comment elle affecta notre expérience du temps, de la vérité et du langage. En fait, c'est une tâche que Tocqueville avait entreprise, mais il n'a guère été suivi. C'est pourtant en renouant avec sa tentative et en cherchant à déchiffrer les effets contradictoires auxquels soumet l'épreuve moderne d'une indétermination du pouvoir, du savoir, du droit, qu'on pourrait se donner les meilleures chances de comprendre comment advient cette autre mutation que constitue le régime totalitaire — dans ses versions nazie, fasciste ou « socialiste », car c'est l'indétermination qu'il veut abolir, non par un retour en arrière, mais par une révolution, qui puise son énergie à la source des révolutions modernes, et s'affirme comme *la* révolution antidémocratique.

Il semble en effet qu'aujourd'hui tout le monde reconnaisse que le grand partage qui sépare les sociétés modernes oppose la démocratie d'un côté au totalitarisme de l'autre. Pourquoi dites-vous qu'on continue à l'éluder ? Par ailleurs, ces deux formes politiques apparaissent ensemble avec la modernité, d'où la tentation pour certains de lire le totalitarisme comme la vérité de la démocratie moderne. Y a-t-il à vos yeux une parenté secrète entre elles deux, et sinon, comment rendre compte de leur contemporanéité ?

On admet de plus en plus que c'est le grand partage, mais cela n'induit pas à réinterroger la genèse de la démocratie moderne,

ses contradictions, les menaces qu'elle porte en elle-même de sa propre destruction, comme les transformations dont elle ne cesse d'être le théâtre en raison de l'irruption continue de masses nouvelles dans la vie publique. La vision d'un clivage entre totalitarisme et démocratie se résume souvent à l'opposition de la liberté et du despotisme. Or certes cette opposition est fondamentale, je dirais même qu'elle se repère en tout temps, mais si l'on s'en tient à une formule si générale, on ne saisit plus ce qui distingue la pensée démocratique de la pensée libérale.

La pensée libérale, qui fait volontiers un objet idéal de ce que fut l'État au XIXe siècle, est fortement réticente, non pas devant le suffrage universel qu'elle a bien dû finir par admettre et qui aujourd'hui n'est plus contesté, mais devant l'essor de droits sociaux et de droits culturels qui lui paraissent défigurer les droits fondamentaux, ou, plus généralement, devant le développement d'une culture de masse qui lui paraît avant tout marquer la dégradation des valeurs libérales. C'est seulement si l'on fait retour sur la dynamique de la révolution démocratique au sens où en parlait Tocqueville que l'on peut tenter d'explorer critiquement les traits de notre société sans s'en tenir à un langage purement moraliste, ou, pour mieux dire, à l'affirmation de valeurs abstraites qui, me semble-t-il, nous désarme plutôt qu'elle ne nous mobilise face au totalitarisme.

Il n'y a aucun doute à mes yeux qu'il y a dans la démocratie des tendances qui se prêtent à l'image d'une société homogène, où chacun serait délivré de sa responsabilité, où précisément l'épreuve d'une altérité incernable, qui est celle de la démocratie, et qui peut atteindre à l'insoutenable, serait enfin éliminée. Mais quand vous

195

allez jusqu'à demander : le totalitarisme ne donnerait-il pas la vérité de la démocratie ?, je crois qu'il faut se méfier de ce genre de formules. D'abord il faut bien entendre que le totalitarisme donne figure à la révolution anti-démocratique. Vous dites que ces deux types de sociétés ont surgi dans la modernité : en fait il y a d'abord la révolution démocratique, qui a surgi au tournant du XVIIIᵉ siècle, et qui a connu au XIXᵉ siècle son mouvement décisif d'accélération et de légitimation, et il y a ensuite, au XXᵉ siècle, le totalitarisme, qui me paraît en effet trouver ses prémisses dans un univers où toutes les hiérarchies ont été démantelées, un univers *nivelé*, comme dit encore Tocqueville, du moins qui tend à s'uniformiser, à s'homogénéiser.

Mais sous ses formes fascistes, nazies, ou encore « socialistes », le totalitarisme est expressément antidémocratique. On ne peut pas dire qu'il accomplit la démocratie : elle est sa cible, pour autant qu'elle est cette société qui ne peut jamais s'assurer de ses contours, qui accepte tacitement l'abandon de repères derniers de certitude et l'indétermination de son avenir. Je crois qu'il y a là un clivage si important qu'il ne saurait aucunement se laisser masquer par le fait qu'il y a dans la société démocratique de quoi se prêter au totalitarisme. J'ajoute que le totalitarisme s'est instauré dans des sociétés qui ne bénéficiaient pas d'une tradition démocratique. Il faut que le sentiment de la division sociale, de l'hétérogénéité, de la diversité irréductible des modes de vie et des croyances, vienne à s'imprimer dans une culture et devienne familier, que cette culture soit comme une seconde nature pour les hommes, pour que la démocratie devienne autre chose qu'un système d'institutions à défendre, qu'elle ne se résume plus au pluripartisme et au parlementarisme, mais qu'elle soit comme l'*élément* dans lequel chacun se rapporte aux autres.

De fait, nous pouvons observer la difficulté de peuples qui, tout en cherchant à trouver le chemin de la démocratie et tout en l'ayant à plusieurs reprises rencontré, — je pense au Chili, à l'Argentine, au Brésil — ne réussissent pas à tirer parti de leurs nouvelles libertés, tant celles-ci sont peu enracinées dans les mentalités et dans les mœurs. La question des mœurs, qui avait une importance cruciale au XVIIIᵉ siècle et a été bien enterrée, demeure assurément une question politique.

À suivre cette pente-là l'opposition entre pensée libérale et pensée démocratique peut s'avérer extrêmement radicale.

La pensée libérale a pour référent essentiel la liberté individuelle et cherche donc jusqu'à nos jours à construire des modèles à partir des relations entre les individus, sous le postulat que l'individu se définit par sa liberté d'initiative ; bref, le social est toujours conçu comme de l'inter-individuel. La distinction entre pensée libérale et pensée démocratique se fait bien sentir au début du XIXᵉ siècle. Avec la pensée démocratique, s'affirment tout à la fois l'image de l'individu, l'image du peuple et l'image de l'humanité. Ce qui ne veut pas dire que dans les faits, la démocratie ignore les pratiques liées à l'intérêt d'un groupe social dominant, ou l'intérêt de la nation, et qu'elle ne se soit pas accommodée du colonialisme. Il n'empêche qu'il y a dans la pensée démocratique et dans l'expérience démocratique une dynamique qui interdit de rabattre la relation sociale sur la relation inter-individuelle et qui fait que le citoyen est habité par une tension entre l'image qu'il a de lui comme individu, l'image du peuple qui n'est ce qu'il est que par des institutions libres et l'image d'une humanité dont les membres ne sauraient en principe se voir refuser les droits dont on jouit soi-même.

Cette pensée est au plus haut point sensible dans l'œuvre de Michelet qui rejette la thèse de ceux qui prétendent que la Révolution française se réduit à l'affirmation des droits de l'individu. Ce qui énigmatiquement surgit tout à la fois, dit-il, c'est la pensée de l'humanité, la pensée du peuple, quelles que soient ses différenciations internes, et la pensée du Sujet, qui s'affirme dans son indépendance propre. Or je ne crois pas du tout que ces vieilles questions soient dépassées : cette expérience du semblable, quoique sans cesse contrariée, sans cesse démentie, continue de se développer au spectacle de l'oppression et de la misère qui règnent dans le monde, mais, bien plus que sous l'effet de la compassion, en raison de l'impossibilité de fonder l'idée d'une différence de nature entre les hommes.

Pour le formuler autrement je dirais que le libéral est humaniste, au sens où l'individu doit accomplir en lui-même son « humanitas », sa qualité d'homme, tandis que le démocrate est humaniste au sens où l'humanité existe aussi dans son extension et pas seulement comme un attribut de l'individu accompli. La pensée démocratique, en dépit de son opposition à ce qu'a été le socialisme (dans la mesure où il paraissait nécessairement conduire à une absorption de l'individu dans le peuple Un), ne peut pas édifier ces espèces de remparts propres à la pensée libérale pour laquelle il y a une « bonne culture », un « bon savoir », une « juste compétition », etc. La pensée libérale est toujours tentée de circonscrire à l'intérieur de la société réelle la « vraie société »,

je ne dirais pas l'élite, ce qui évoque une vision aristocratique, mais cette société composée des hommes qui ont seuls « droit à ... » (c'est-à-dire à être des sujets sociaux) ; elle rejette en dehors ceux qu'on appelait autrefois les barbares, les hommes démunis, incultes, ceux qui ne sont pas en état, et qui par là même ne sont pas *en droit* de participer aux débats publics, de convoiter les honneurs publics. La pensée démocratique ne peut pas mettre de ces freins au changement : elle est nécessairement faite pour accueillir les nouveaux droits, les nouvelles revendications ; elle ne peut pas maintenir une opposition de principe entre les « ayants droit » et les autres.

Je précise qu'*en réalité*, des clivages s'opèrent en fonction de la défense d'intérêts : il suffit d'évoquer les problèmes des pays du tiers monde. Il semble qu'aujourd'hui d'ailleurs ces questions ne relèvent pas d'un débat simplement théorique, mais soient des questions proprement politiques : qu'il s'agisse des problèmes de l'éducation, de la culture ou des rapports des nations démocratiques avec les pays africains ou asiatiques, y a-t-il ou non des critères permettant de dresser des barrières qui tiennent à distance les masses inquiétantes ? Je dis cela en ayant pleinement conscience des menaces que fait peser, sur tous les registres de la vie, l'irruption des masses dans la vie publique. Mais ces masses, il est impossible de leur barrer le chemin. On ne peut pas répondre au danger par la dénégation pure et simple.

En s'appuyant sur Tocqueville, certains analystes de la société contemporaine ont cru discerner une affirmation croissante de l'individualisme, qui irait jusqu'à un narcissisme généralisé. Qu'ils condamnent cette évolution (Lasch, Sennett) ou qu'ils l'approuvent (Lipovetsky), ils font de l'« individua-

lisme démocratique » le vecteur d'une dissolution du politique. Vous avez vous-même souligné la pertinence des analyses tocquevilliennes, en rappelant qu'il distingue entre isolement et indépendance. L'individualisme démocratique n'est-il pas ainsi plus ambivalent que ne le pensent ces auteurs ?

C'est un fait que Tocqueville tient l'individualisme pour un des effets les plus remarquables de ce qu'il appelle la révolution démocratique. Encore faut-il se souvenir que pour lui le fait fondamental c'est l'égalité des conditions : celle-ci est l'envers de la destruction des hiérarchies et l'instauration d'une expérience neuve de l'autre comme semblable. De là, chez lui, l'idée que cette destruction des hiérarchies induit à un repli sur soi dans l'espace et dans le temps : les générations se défont l'une de l'autre : la famille, qui était autrefois, dit-il, comme un homme immortel, se rabat sur « l'ici et le maintenant », se réduit à sa plus simple expression. Il y a une tendance à la dissociation sociale, chacun se trouvant induit à circonscrire son champ de désir et son champ d'expérience à ses propres intérêts et à ses relations avec ses proches. Mais cela n'est pour lui qu'une face de cette révolution démocratique car, il ne faut pas l'oublier, c'est la destruction des hiérarchies qui donne à chacun le pouvoir de décider de sa propre vie, de s'affranchir, de s'émanciper des autorités établies et par là même aussi des préjugés qui faisaient de son existence un destin, et ainsi le pouvoir d'assumer sa liberté. En ce sens, la loi qui s'abattait autrefois d'en haut sur les hommes n'est désormais loi que si elle se trouve intériorisée par le sujet et s'éprouve dans la faculté de juger. Les deux versants de la révolution démocratique sont inséparables.

À supposer que ce mouvement vers l'indépendance, vers l'initiative, vers la capacité de faire et de juger par soi-même disparaisse, c'est tout simplement la démocratie qui s'évanouit et c'est un despotisme qui s'instaure. Il est bien vrai que Tocqueville, à un moment, a été jusqu'à dire que ce despotisme pouvait s'accommoder des formes extérieures de la démocratie : voilà qui pourrait justifier les interprétations de ceux qui aujourd'hui pensent que sous couvert des libertés formelles et de la reconnaissance de la différence des opinions, se produit un affaissement continuel de la société, sa pulvérisation en myriades d'individus. Mais Tocqueville lui-même était beaucoup trop averti pour s'en tenir à cette opinion extrême : il a dit et répété que si ce mouvement de dissociation s'accomplissait, c'est aux pieds d'un nouveau maître que le peuple retomberait. En d'autres termes, il a été sensible au plus haut point, et nous devons l'être aussi, à la tension qui existe au sein de la démocratie entre l'épreuve de la liberté et l'attrait de la similitude qui induit finalement au narcissisme, au culte d'un moi imaginaire.

Vous avez dans plusieurs articles insisté sur la force symbolique du droit, et de la proclamation des droits de l'homme, qui ont donc à vos yeux une valeur politique. Mais ce qui s'esquisse le plus souvent sous le titre de « politique des droits de l'homme » est une politique libérale de défense, condamnant les atteintes à ces droits, une politique de « résistance », ou une nouvelle version du « citoyen contre les pouvoirs ». La valeur politique que vous attribuez aux droits de l'homme n'excède-t-elle pas ces limitations ?

En effet, les droits sont conçus dans la perspective libérale comme les droits des individus, leur permettant de se défendre contre les empiètements de leur liberté par l'autorité de l'État. Or, j'ai insisté sur le fait que, même si l'on s'en tient aux droits fondamentaux tels qu'ils ont été élaborés dans les grandes Déclarations, il faut convenir qu'ils donnent consistance à un espace public : loin que les individus soient alors définis comme des atomes, c'est une possibilité même de leur mise en relation qui se trouve ainsi instituée. Les droits à la liberté d'expression ne sont pas, comme Marx l'insinue, des substituts au droit de propriété (d'être propriétaire de son opinion) : ce sont des droits qui signifient que la parole peut être non seulement exprimée, mais qu'elle peut être transmise et entendue, qu'elle peut susciter réponse. Il y a dans le droit à l'expression une incitation à la mise en rapport, à la communication qui est un phénomène fondamental de la socialisation démocratique. Le droit à la sécurité n'est pas, là encore, un droit qui vient masquer le droit de propriété (d'être propriétaire de sa personne), mais c'est un droit qui assure la liberté de mouvement ; comme il est dit dans la Déclaration : la liberté *de faire tout* ce qui ne nuit pas à autrui. Autrement dit, c'est la condition même d'une ouverture latérale aux autres, d'une participation de chacun à un espace commun. Et c'est en raison même de la signification proprement politique de ces droits qu'ils ont pu venir étayer de nouvelles revendications, lesquelles, qu'elles soient sociales, économiques ou culturelles, ont toujours pour sens de pouvoir donner à de nouveaux groupes un pouvoir d'accès à un espace auparavant limité à un petit nombre.

S'il y a une dynamique des droits, au point qu'on ne peut trancher (quoiqu'on doive les distinguer) entre les droits fondamentaux et les droits subséquents, c'est parce que les revendications qui les fondent les uns et les autres procèdent d'une demande de *reconnaissance publique* de la part de ceux qui les formulent, c'est-à-dire de beaucoup plus que d'un désir de satisfaire des intérêts. Cette demande est manifeste lors des mouvements de minorités qui ont caractérisé notre époque, à commencer par le mouvement des femmes. Il me semble qu'on méconnaît la logique démocratique, lorsqu'on s'arrête à l'image d'un État-providence qui renforce sans cesse sa puissance en prenant en charge la gestion de nouveaux besoins. Ce dernier phénomène, si important soit-il, fait oublier la fécondité d'un débat indéfiniment relancé sur les frontières du légitime et de l'illégitisme — un débat essentiellement politique, au sens où nous entendons ce terme. *(Propos recueillis par J.R. et E.T.)*

© C. HARBUTT/ARCHIVE PICTURE/RAPHO

CLAUDE LEFORT

Professeur à l'École des Hautes Études en Sciences Sociales. Auteur notamment de *L'invention démocratique*, Fayard et Livre de Poche, 1981, et de *Essais sur le politique*, Seuil, 1985. Dirige la collection « Littérature et politique » chez Belin.

JEAN-LUC NANCY

LE SENS EN COMMUN

LA PHILOSOPHIE AIME À REVENDIQUER SA RUPTURE D'AVEC « LE SENS
COMMUN ». POURTANT, ELLE EST INDISSOCIABLE D'UNE COMMUNAUTÉ.
COMMENT PEUT-ELLE TENIR ENSEMBLE LES EXIGENCES DU SENS ET CEL-
LES DE LA COMMUNAUTÉ ?

Comment ne pas faire, d'abord, cette remarque : un philosophe
parle de l'être-en-commun, de la communauté, et il en parle à la communauté, et pas seulement à la petite collectivité des philosophes
de métier. Or, il n'en parle pas dans les formes de la communication les plus habituelles et les plus compréhensibles. N'est-ce pas
une contradiction ? Pas du tout. Si la philosophie pouvait communiquer clairement et simplement à la communauté sa vérité de communauté, pourquoi y aurait-il besoin de philosophie ! Celle-ci serait
dissoute dans une transparence de la communauté à elle-même. Mais
la communauté n'est pas ainsi transparente, et c'est précisément cela
que la philosophie, ici, essaie de dire. Elle essaie d'articuler ce qui
ne peut pas se dire dans la transparence. Elle n'est donc pas « obscure », là où elle l'est, par choix, mais par nécessité : pour assumer
cette obscurité à soi-même qui fait aussi la communauté. Et le texte
du philosophe, à lui seul, est peu de chose : il est ce qu'en fait la
lecture, l'usage en commun. Car c'est la communauté qui *pense*.

Philosophie et communauté apparaissent comme indissociables. Il
y aurait, semble-t-il, non seulement une communication, mais une
communauté nécessaire de la philosophie et de la communauté. Cela
vaut pour toute notre tradition, aussi bien que pour notre compréhension la plus ordinaire de ces mots : « philosophie », « communauté ». La communauté est le thème de tous les thèmes de la philosophie. Avant que celle-ci se donne aucun « objet », elle serait un
fait de la communauté, le « philosopher » aurait lieu *en* commun,
dans et par cet *«en»*.

En admettant que la philosophie représente le questionnement, ou
l'affirmation du sens, on devrait dire que la communauté donne la
modalité de ce questionnement, ou de cette affirmation : comment
partager le sens, ou ce *logos* qui par lui-même signifie déjà *partage*
(partition et répartition, dialogie, dialectique, différence de l'identique...). Le sens est commun, communiquant, communiqué, en commun par définition. A supposer que mon existence « ait » un « sens »,
il est ce qui la fait communiquer et ce qui la communique à autre
chose que moi. Le sens fait mon rapport à moi en tant que rapporté
à de l'autre. Un être sans autre (ou sans altérité) n'aurait pas de
sens, ne serait que l'immanence de sa propre position (ou bien, ce

qui reviendrait au même, de sa propre supposition infinie. Le sens du *sens* est : s'affecter d'un dehors, être affecté d'un dehors, et aussi affecter un dehors. Le sens est dans le partage d'un « en commun ». Réciproquement, il semble bien que quelque chose comme une « communauté » implique une philosophie, ou de la philosophie, le partage articulé d'un sens qui donne lieu, précisément, à la communauté.

Cependant, cette compréhension des choses est aussitôt combattue par une autre, tout aussi traditionnelle et ordinaire. La communauté ne se reconnaît pas dans la philosophie. Elle y voit une attitude, ou une technique, séparée, isolée, « élitiste » (court-circuitant la communication), et qui ne lui propose guère que des utopies de communauté, dont elle n'a rien à faire. Ou bien, c'est l'inverse : la philosophie et la communauté se reconnaissent trop bien, s'identifient dans la mise en œuvre d'un être commun et la communauté y étouffe, tandis que la pensée s'y dissout (on a nommé cela « totalitarisme »).

LA « FIN DE LA PHILOSOPHIE » ET DE LA COMMUNAUTÉ

*I*ntroduisons une autre considération, moins ordinaire, mais qui pourtant commence à faire partie de notre pensée commune, je veux dire : « la fin de la philosophie ».

Des philosophes en ont fait un thème, et peut-être le thème de tous les thèmes contemporains. La « fin de la philosophie » signifie au moins que la philosophie se connaît parvenue à son accomplissement (c'est donc tout autre chose que sa disparition), à l'accomplissement de l'ordre entier des significations que pouvait commander sa demande de sens. Tout le signifié possible est signifié. De ce fait, le sens ultime du sens philosophique est avéré : sous toutes ses formes (savoir, histoire, langage, sujet, etc. — et communauté), ce sens n'est rien d'autre que *la constitution sensée du sens par lui-même*, autrement dit, l'identité de l'être et du sens, ou la présence à soi de l'être comme subjectivité absolue[1].

Rien de fortuit si l'idée de communauté fournit l'exemple le plus clair de cette pensée dernière (et donc première, fondamentale) de la philosophie, de cet achèvement de pensée. Qu'elle soit communauté des amants, de la famille, d'une Église ou d'une nation souveraine, elle est représentée comme ce qui se constitue de soi, par la présence à soi : en elle, le lien et la liaison sont purement contemporains, sont une seule intériorité tournée vers elle-même. C'est bien ainsi que nous pensons, comme invinciblement, aussi bien l'amour que le contrat social. Et plus généralement, nous représentons la communauté du sens — sa communication et sa communion — comme contemporaine de la présence réelle de tous et de toutes choses, comme la vérité interne de cette présence et comme sa loi de production (y compris lorsqu'on pense qu'une Histoire réalise cela progressivement, ou bien que le sens n'apparaît que « hors » de « ce » monde, ou bien encore qu'il n'y a de sens que de « ce » monde...)

C'est à cette logique que se marque la « fin » de la philosophie — et de la communauté selon la philosophie : l'être commun se constitue de lui-même comme son propre sens. Ce sens est donc nécessairement celui d'une *Fin* : but et achèvement, fin de l'histoire, humanité accomplie. Seule la fin est auto-suffisante. La communauté s'achève, en échec persistant ou en catastrophe terrifiante : l'amour, l'État, l'histoire n'ont de vérité que dans la mise à mort. L'être du sens, le sens de l'être sont leur propre et commun sacrifice.

PENSER
LA LIMITE

Que la philosophie touche à sa « fin », cela veut donc dire qu'elle touche à la limite à laquelle elle n'a jamais cessé d'être vouée, la reconnaissant et s'y dérobant simultanément : la saisie de l'être comme sens, du sens comme être. Ce qui pose la question de l'*existence*. Et la question de savoir si, comment et jusqu'où il s'agit même d'une « question ». Car ce que la philosophie elle-même délivre, parvenue à sa limite, c'est que l'existence *n'est pas* une auto-constitution du sens, mais nous offre plutôt l'être excédant le sens, ne coïncidant pas avec lui et *consistant dans* cette non-coïncidence... (du moins, aussi longtemps que l'être est présumé le lieu du sens, et d'un sens présentable dans une identité idéale : par exemple la communauté, le sens commun). C'est donc la limite où la communauté elle aussi se suspend ; il n'y a pas d'auto-communication du sens, et la communauté n'a rien, ou n'est rien de commun.

Elle n'a même pas — surtout pas — de co-humanité, et pas non plus de co-naturalité ou de co-présence avec qui que ce soit d'un monde qu'elle se rend inhabitable à mesure qu'elle l'investit. A la limite — de la communauté, de la philosophie — le monde n'est pas un monde — c'est un amas, peut-être immonde (forces économiques, sociales, intérêts, survies, misères en tout genre, et lambeaux de rêves communautaires flottant autour de la gestion du collectif...).

Nous en sommes là — c'est ce qui fait notre *époque*, une époque qui ne peut se penser, en somme, que comme une limite d'époque, si une « époque » est une forme ou un aspect du « monde ». Les significations sont suspendues. Nous ne pouvons plus dire : « voici le sens, voici la co-humanité, et voici sa philosophie — ou ses philosophies, dans leur compétition féconde... ». Et le geste de la philosophie s'offre en effet à nu, à vide, comme à réinventer, non pour découvrir d'autres significations, mais pour n'être plus qu'à la limite : un geste vers le sens du sens, vers une extériorité inouïe, inappropriable. On sait cela seulement : le sens ne peut pas s'approprier le réel, l'existence ; il n'est pas l'auto-constitution sensée de l'essence du réel.

Tel est le « sens » de tous les « thèmes » majeurs de la pensée contemporaine, qu'il s'agisse de « l'être », du « langage », de « l'autre », de la « singularité », de « l'écriture », de la « mimesis », des « multiplicités », de « l'événement », du « corps », etc. Il s'agit toujours, et sous tant de formes, pas nécessairement compatibles, de ce qu'on pourrait nommer un réalisme de la vérité inappropriable. (Ce qui ne veut pas dire « absente »).

LA LOGIQUE
DE L'ÊTRE-AVEC

Mais de quelle façon la vérité serait-elle désormais « présente », si la constitution d'un sens commun, et de l'être-commun du sens, est abandonnée sur sa limite ?

La « fin » de l'appropriation du sens de la communauté (de « l'amour », de « la famille », de « l'État », de la « communion », du « peuple ») devrait peut-être nous donner quelques indications. A cette limite sur laquelle nous sommes, il reste malgré tout — et il apparaît donc — ceci : que « nous » y sommes. L'époque de la limite nous abandonne ensemble sur la limite, car sinon, ce ne serait pas une « époque », ni une « limite », et « nous » n'y serions pas. Nous sommes *en* commun dans ou devant la déliaison du sens commun. Au moins, nous sommes les uns avec les autres, ou ensemble. Cela apparaît comme une évidence de fait, à laquelle nous ne pouvons donner aucun statut de droit (nous ne pouvons la rapporter à aucune essence de co-humanité), mais qui persiste et qui résiste, de fait, dans une sorte d'insignifiance. Pouvons-nous essayer de déchiffrer cette insignifiance ?

Nous sommes *en* commun, les uns *avec* les autres. Que veulent dire ce « en » et cet « avec » ? Ou encore, que veut dire « nous » — que veut dire ce pronom qui, d'une manière ou d'une autre, doit être inscrit en tout discours ?

« Avec », « ensemble » ou « en commun » ne veut évidemment pas dire « les uns dans les autres », ni « les uns à la place des autres ». Cela implique une extériorité. (Même dans l'amour, on n'est « dans » l'autre qu'à l'extérieur de l'autre, et l'enfant « dans » sa mère est lui aussi, quoique tout autrement, extérieur dans cette intériorité. Et dans la foule la plus rassemblée, on n'est pas à la place de l'autre). Mais cela ne veut pas non plus simplement dire « à côté », ni « juxtaposés ». La logique de l'« avec » — de l'être-avec, du *Mit-sein* que Heidegger fait contemporain et corrélatif du *Dasein* — est la logique singulière d'un dedans-dehors. C'est peut-être la logique même de la singularité en général. Et ce serait ainsi la logique de ce qui n'appartient ni au pur dedans, ni au pur dehors. (Ceux-ci, à vrai dire, se confondent : être purement dehors, hors de tout ab-solu, ce serait être purement en soi, à part soi, à soi-même sans même la possibilité de se distinguer comme « soi-même »). Une logique de la limite : ce qui est entre deux ou plusieurs appartenant à tous et à aucun, ne s'appartenant pas non plus.

La logique de l'être-avec ne correspond à rien d'autre, tout d'abord, qu'à ce qu'on pourrait appeler la phénoménologie banale des ensembles inorganisés de personnes. Les voyageurs d'un même compartiment de train sont simplement les uns à côté des autres, de manière accidentelle, toute extérieure. Il sont sans rapport entre eux. Mais ils sont aussi bien ensemble en tant que voyageurs de ce train, dans ce même espace et pour ce même temps. Ils sont entre la désagrégation de la « foule » et l'agrégation du « groupe », l'une et l'autre à chaque instant possibles, virtuelles, prochaines.

Cette suspension fait l'« être avec » : un rapport sans rapport, ou bien une exposition simultanée au rapport et à l'absence de rapport. Une telle exposition est faite de l'imminence simultanée du retrait et de la venue du rapport, dont le moindre incident peut décider — ou bien sans doute, plus secrètement, qui ne cesse pas de se décider à chaque instant, dans un sens et dans l'autre, dans la « liberté » et dans la « nécessité », dans la « conscience » et dans l'« inconscience », décision indécidée de l'étranger et du prochain, de la solitude et de la collectivité, de l'attirance et de la répulsion.

DES SINGULARITÉS QUI S'EXPOSENT LES UNES AUX AUTRES

Cette exposition au rapport/non-rapport n'est pas autre chose que l'exposition des singularités les unes aux autres. (Je dis : des singularités, car ce ne sont pas seulement, comme une description facile le laisserait croire, des individus qui sont en jeu. Des collectivités entières, des groupes, des pouvoirs, des discours s'exposent ici, et « dans » chaque individu aussi bien qu'entre eux. La « singularité » désignerait précisément ce qui, chaque fois, forme un point d'exposition, trace une intersection de limites, sur laquelle il y a exposition). Être exposé, c'est être sur la limite, là où il y a à la fois dedans et dehors, et ni dehors, ni dedans. Ce n'est pas encore être « face à face », cela est antérieur au dévisagement, à sa captation, à sa capture de proie ou d'otage. L'exposition est d'avant toute identification, et la singularité n'est pas une identité : elle est l'exposition elle-même, son actualité ponctuelle.

C'est être « en soi » selon un partage de « soi » (division et distribution) constitutif de « soi », une ectopie généralisée de tous les lieux « propres » (intimité, identité, individualité, nom), qui ne sont tels que d'être exposés sur leurs limites, par leurs limites et comme ces limites. Cela ne signifie pas qu'il n'y aurait rien de « propre », ni que le propre serait essentiellement affecté d'un « clivage » ou d'une « schize ». Cela signifie plutôt que le « propre » est sans essence, mais exposé.

L'*être* ne serait donc jamais « l'être », mais toujours modalisé dans l'exposition. Ce mode d'être, d'exister, présuppose qu'il n'y a pas d'être commun, pas de substance, d'essence ni d'identité communes. Mais il y a être *en* commun. Le *en* (le *avec*, le *cum* latin de la « communauté ») ne désigne aucun mode de la relation, si la relation doit être posée entre deux termes déjà fournis, entre deux existences données. Il désignerait plutôt un être en tant que relation, identique à l'existence même, à la venue de l'existence. Mais ni « être », ni « relation » ne suffisent à nommer cela. Il faudra plutôt se résoudre à dire que l'être est *en* commun, sans jamais être commun.

Rien de plus commun que d'être : c'est l'évidence de l'existence. Rien de moins commun que l'être : c'est l'évidence de la communauté. Chacune partage l'autre, et lui retire son évidence. L'être n'est pas de soi sa propre évidence, n'est pas égal à soi, ni à son sens. C'est ça, l'existence, c'est ça, la communauté, et c'est ça qui les expose. Chacune est la mise en jeu de l'autre. L'*en* jeu de l'*en* commun : ce qui donne jeu, et jour, à la pensée.

L'en jeu de l'en commun. Penser cela, sans relâche, telle est la « philosophie », ou ce qui en reste à sa fin, si elle reste en commun.

L'être « est » le *en* qui divise et qui adjointe à la fois, qui *partage*, la limite où ça s'expose. La limite n'est rien : elle n'est rien que cet *abandon* extrême dans lequel toute propriété se trouve tout d'abord livrée à l'extérieur (mais à l'extérieur d'aucun intérieur...). Peut-on penser cet abandon dans lequel *nous* advenons ? En vérité, cet abandon est bien antérieur à la naissance, ou bien il n'est pas autre chose que la naissance elle-même, l'infinie naissance jusqu'à la mort qui la finit en accomplissant l'abandon. Et cet abandon n'abandonne pas à autre chose qu'à l'être-en-commun, c'est-à-dire pas à *la* communication, ni à *la* communauté, comme si elles étaient des instances de réception, ou d'enregistrement. Mais l'abandon lui-même « communique », il communique la singularité à elle-même par un infini « dehors », et *comme* ce « dehors » infini. Il fait advenir le propre (personne, groupe, assemblée, société, peuple, etc.) en l'exposant. Cet avènement, Heidegger le nommait *Ereignis*, c'est-à-dire « propriation », mais aussi et d'abord « événement » : l'événement n'est pas ce qui a lieu, mais la venue d'un lieu, d'un espace-temps comme tel, le tracement de sa limite, son exposition.

L'EXPOSITION DU SENS

Peut-on exposer cette exposition ? Quel concept convient ici ? S'agit-il de représenter, de signifier, de mettre en scène ou en jeu ? Y faut-il du discours, des gestes, de la poésie ? — Peut-on présenter le sens de l'*en*-commun par lequel seulement du sens en général est possible ?

Si on le fait, si on assigne et si on montre l'être (ou l'essence) de l'*en*-commun, et si par conséquent on présente la communauté à elle-même (dans un peuple, un État, un esprit, un destin, une œuvre), le sens ainsi (re)présenté défait à l'instant toute l'exposition, et avec elle le sens du sens lui-même. Mais si on ne le fait pas, si l'exposition elle-même reste inexposée, c'est-à-dire en fait si on représente qu'il n'y a rien à présenter de l'*en*-commun, sinon la répétition d'une « condition humaine » qui n'accède même pas à une « co-humanité » (condition plate, ni humaine, ni inhumaine), le sens du sens s'abîme aussi bien, tout bascule dans la juxtaposition sans rapports et sans singularités.

Quoi qu'on fasse, cependant, ou qu'on ne fasse pas, rien n'a lieu, véritablement, que cette exposition. Toutefois, si rien n'a lieu que cette exposition — c'est-à-dire si l'être *en* commun résiste invinciblement à la communion et à la désagrégation —, cette exposition, cette résistance ne sont ni immédiates, ni immanentes. Elles ne sont pas un donné qu'il n'y aurait qu'à affirmer. Il est certain que l'être-en-commun insiste et résiste — faute de quoi je ne serais même pas en train d'écrire, ni vous en train de lire. Mais cela n'entraîne pas qu'il suffise de le dire pour l'exposer. La nécessité de l'être-*en*-commun n'est pas celle d'une loi de physique, et qui veut l'exposer doit aussi s'y exposer (c'est ce qu'on peut appeler « pensée », « écriture », *et* leur partage).

Il y aurait donc désormais une tâche indissociablement, et peut-être même indiscernablement « philosophique » et « communautaire » (une tâche de pensée et de politique, si ces mots peuvent convenir sans autre examen), qui serait la tâche d'exposer l'inexposable *en*. De l'*exposer*, c'est-à-dire de ne pas le présenter ou le représenter sans que cette (re)présentation soit elle-même, à son tour, le lieu et l'enjeu d'une exposition : pas sans que la « pensée » s'y risque et s'y abandonne à la « communauté », et la « communauté » à la « pensée ».

Cela peut immédiatement évoquer la figure d'une « communauté pensante », d'une abbaye de Thélème ou d'un cénacle romantique se concevant comme république (et comme république de rois). Mais il n'est pas question d'être « tous philosophes » (comme il est arrivé à Marx de l'espérer), pas plus qu'il n'est question de faire « régner » la philosophie (comme le voulait Platon). Ou bien, il s'agit de l'une et de l'autre chose à la fois, l'une contre l'autre (c'est alors une pensée sur la limite, où on ne sait ce que « philosophie » désigne), mais en tant que l'enjeu ne serait pas de fournir le sens, ni même d'en poser la question comme une question d'être : quel *est* le sens ? Quel sens *a* l'être, s'il est l'être-en-commun ? L'enjeu serait celui de s'exposer au partage de l'*en*, à ce partage du « sens » qui tout d'abord *retire* l'être au sens et le sens à l'être — ou bien qui ne les identifie l'un à l'autre, et chacun comme tel, que par l'*en* du « commun ».

Le sens, j'*en* suis, et j'y suis donc sur le mode exclusif de l'être-en-commun. Un *ego sum, ego existo* qui ne serait effectif qu'en exposant comme sa plus propre évidence le partage, la partition de cet être existant. (Déjà l'évidence est posée par Descartes lui-même comme évidence commune, partagée de tous et de chacun avant toute accession à une pensée d'évidence).

J'*en* suis : l'existence a lieu exposée à *cet en*. Inséparable, donc, d'un *nous existons*. Et plus qu'inséparable : ayant sa provenance dans une énonciation *en* commun où c'est l'*en* (et aucun sujet déterminable selon les concepts de la philosophie) qui énonce et qui s'énonce — la présence venant à soi en tant que limite et partage de la présence. Exposant inexposable que *nous* exposons pourtant en commun.

LA DÉMOCRATIE

On sera tenté de dire : voilà une description du *statu quo*, sinon de n'importe quel agencement social et politique, du moins de la démocratie. (Ou bien, et de manière plus sournoise, c'est la description d'une sorte de noumène démocratique retranché derrière tout phénomène socio-politique). Il n'en est rien. Ce qui n'est pas la démocratie, ou bien n'expose rien (la tyrannie, la dictature), ou bien présente une essence de l'être et du sens communs (l'immanence totalitaire). Mais la démocratie, pour sa part, expose seulement qu'une telle essence est inexposable. Nul doute que ce soit un moindre mal. Cependant, l'*en*-commun, l'*avec* s'y déporte : de l'inappropriable exposition, on passe — à la fois par la logique de l'inexposable et contre elle — au spectacle de l'appropriation générale. (Le « spectacle » : ce mot pour désigner une exposition retournée, appropriée, sans abandon — ce que les Situationnistes, sans doute, tentaient de viser sous ce même mot. Quant à l'appropriation générale, elle ne peut l'être qu'en étant immédiatement particulière et privative). Appropriation du capital, de l'individu, de la production et de la reproduction (de la « technique ») *en tant que* « en-commun », tenant lieu de l'avoir-lieu de l'en-commun. La démocratie manque donc, non pas à représenter l'en-commun (comme si c'était une opération extérieure), mais à l'exposer, c'est-à-dire à s'y exposer, à *nous* y exposer, à nous exposer à « nous-*mêmes* ».

L'histoire — une histoire qui n'est même pas « de l'histoire » mais toujours notre actualité — nous a appris quels risques sont attachés à une critique de la démocratie (rien de moins que l'extermination, l'expropriation pure et l'exploitation sans frein). La tâche est donc sans doute de déplacer l'idée de « critique » elle-même. Mais l'histoire nous apprend aussi quel est le risque de ce qu'on appelle toujours « démocratie » : se résoudre à une appropriation violente et plate, même pas identifiable (sinon comme « technique » — un peu au sens où on parle de « mesures techniques »...), de l'*en* de l'être-en-commun. Déserter la brèche de l'*en*.

S'il ne doit donc pas s'agir d'une « critique » de la démocratie en un sens convenu (et surtout pas en un sens « anti-démocratique » !), il ne peut pas non plus être question d'en rester à une simple « évidence » démocratique. Mais il devrait s'agir de rapporter la « démocratie » à son propre lieu d'énonciation et d'exposition : à l'*en*-commun de ce « peuple » dont elle porte le nom sans peut-être avoir encore trouvé la voie, ni la voix, de son articulation.

« Philosophie » et « communauté » ont ceci en commun : un impératif catégorique, antérieur à toute morale (mais politiquement sans équivoque, car le politique en ce sens précède toute morale, au lieu de lui succéder et de l'accommoder), de ne pas lâcher sur le sens *en* commun.

1. HEGEL : « l'absolu est sujet », c'est-à-dire que cela qui est *en soi*, séparé de tout, (qui est le tout), et ne dépendant de rien, est en tant que tel « pour soi » et « par soi ». Son rapport à soi fait son être, et son être-seul. L'histoire de la philosophie contemporaine, par Marx, Nietzsche et Husserl jusqu'à Heidegger, Wittgenstein et Derrida, n'a pas opéré sur une autre nécessité que celle-ci, qui retourne contre elle-même la nécessité hégélienne : rien n'apparaîtrait jamais comme « l'être », ni comme l'idée, l'idéal ou la question d'un « sens de l'être », si un *fait* de l'être n'était pas irréductiblement antérieur ou extérieur à son « sens », ou, autrement dit, si une *venue en présence* de l'être n'était pas irréductible à toute présence-à-soi, et ne survenait pas toujours au cœur de cette présence-à-soi, comme son écart et sa différence/différance (ou comme ce *pli* de l'être que Deleuze reprend pour le plier encore et le multiplier). — Autrement dit, pour se servir d'une autre formule hégélienne célèbre : si « le réel est rationnel », il faut bien, en dernière analyse, que ce ne soit pas « en raison » d'une identité du réel et du rationnel (sinon, pourquoi énoncer une tautologie ?), mais précisément en raison d'une différence du réel et du rationnel — et ce qu'on appelle « la raison », à la fois en tant que sens et en tant que pensée, devra consister dès lors dans l'articulation de cette différence. Ce qui ne demande rien de moins que de repenser toute notre pensée du « réel » (du sensible, du corps, de la matière, de l'histoire, de l'existence — de l'être), aussi bien que de la « raison » (du langage, de la représentation, de la science, de la philosophie). Ce n'est pas peu à faire. Nous n'en sommes qu'aux prémices — et il ne s'agit pas seulement d'une tâche « rationnelle » à déployer, mais d'une histoire (des événements de la communauté), d'une venue « réelles », dont on ne peut programmer que le caractère improgrammable. — En un sens, la « philosophie » ne s'est jamais trouvée aussi exposée à l'événement effectif, dans l'être-en-commun effectif. Et ce numéro de la revue *Autrement* en est un signe, ou mieux, un événement.

——————— *JEAN-LUC NANCY* ———————

**Maître de conférences à l'université de Strasbourg.
Dernières publications :** *La Communauté désœuvrée*,
Christian Bourgois, 1986 et *L'oubli de la philosophie*,
Galilée, 1987.

MARTINE MESKEL

LA TÂCHE DE

LA COMMUNAUTÉ

PAR-DESSUS LE MARCHÉ

LA COMMUNAUTÉ ESTHÉTIQUE EST MOINS CELLE DE LA CONTEMPLATION DES ŒUVRES D'ART QUE CELLE DE LEURS COMMERCES. LA VALEUR ESTHÉTIQUE SE PLIE À LA VALEUR D'ÉCHANGE. TELLE POURRAIT ÊTRE LA VÉRITÉ QUE PORTE L'ART MODERNE.

> « Plus encore que dans une optique, je me suis établi dans l'expérience d'un rythme. »
> Walter Benjamin, *Corr.* I p. 404.

Mettre en jeu ou en abîme le « marché de l'art » sera ici notre perspective pour reposer la question de savoir en quoi la communauté est concernée par l'art. Car s'il existe entre l'art et la communauté des liens puissants, si les logiques de l'art sont des logiques communautaires, ces logiques aujourd'hui se déclinent en termes de marché et d'économie. Une « bourse de l'art » enveloppe son efficacité affairiste d'un idéalisme tonitruant, mais les grands organes de diffusion des œuvres parviennent mal à masquer la dimension financière de l'art. Dans la mesure où ces stratégies commerciales ne sont pas sans conséquence pour le « destin de l'art » ou la répartition classique de l'art et du public — il y aurait une économie de sa réception : accueil, appropriation et échange —, les déplacements opérés par Walter Benjamin nous seront précieux pour interroger la circulation de l'art et de la communauté dans des réseaux d'observation réciproque et de désir mutuel, dans l'échange parfois de leurs déterminations, moyennant des transformations de valeurs.

Plus précisément, par rapport à ce que l'on appelle justement « le commerce avec les œuvres », nous contournerons les problématiques de la nostalgie qui déplorent la disparition d'un « monde commun » délimitant le lieu du politique par exclusion des intérêts privés ou de l'activité économique, et sa substitution par une société de loisirs avide de biens culturels élaborés en vue de la seule consommation ; qui déplorent par conséquent une dénaturation des œuvres d'art corrélative du divertissement et des appétits dévoreurs de la réification généralisée, où l'aliénation du public ne fait plus de doute.

Ces théories de la destruction de l'expression artistique par les exigences mercantiles et idéologiques sont fondées sans doute : le souci contemplatif de la chose publique se satisfait mal d'une propriété, perdant, par l'argent, sa valeur d'usage privée au profit d'une valeur d'échange sociale. Pourtant, si nous sommes pris dans une économie de circulation des marchandises, si l'espace communautaire est devenu le marché, ce lieu public où tout se règle selon la valeur d'échange, peut-être faut-il saisir la chance de ce qui s'énonce sous la forme de la « liquidation générale des valeurs », pour penser sans compter la tâche de la communauté à venir. Au lieu de contempler une communauté perdue qu'on aimerait pouvoir retenir, conserver avec parcimonie, avec ce sens de l'épargne qui tente de mettre de l'ordre dans la dépense en vue de capitaliser un revenu, de le soustraire à l'escalade d'une surenchère infinie, peut-être faut-il s'absorber dans la liquidation, et d'abord sous sa forme financière. Rompre avec la tradition ecclésiale de la malédiction attachée à l'argent pour concevoir ensemble et en mouvement tradition et innovation, art et communauté.

QUAND L'INTELLIGENCE VA AU MARCHÉ

S'il n'est plus possible de contenir cette matière première de l'économie qu'est l'argent, ce n'est pas la lamentation qui prendra en charge l'épargne. D'autant plus qu'épargner c'est aussi éviter. Ne pas penser (avec) l'argent, se dispenser de l'affrontement avec les forces du monnayable afin de préserver un espace de beauté et de liberté, en cherchant finalement des assurances à bon compte dans l'immobilité mythique d'une culture qu'on ménage, qu'on voudrait laisser subsister comme en réserve, en face du bric-à-brac de la dissipation où l'on a du mal à s'orienter, à se retrouver.

Penser la liquidation des valeurs, indissociable de la circulation de l'argent, avec la technique par-dessus le marché — « non pas au-dessus du marché, ce serait un leurre... » (J. Derrida, *La Vérité en Peinture*, p. 185) — : telle nous apparaît l'épreuve à laquelle Benjamin s'est affronté dans ses tentatives d'élaborer une « esthétique matérialiste » qui accepte la destructivité de la technique quand « l'intelligence va au marché », faute de bénéficier de quelque auguste protection, depuis que son crédit ne suffit plus à répondre de sa valeur.

Ne pouvant plus utiliser le secours des garanties à fonds perdus, c'est en effet sur le marché qu'elle va chercher à gagner les faveurs profanes, à s'adresser aux masses et *s'exposer* à la charge brutale des foules. Or quand l'intelligence va au marché, « en vérité pour y trouver un acheteur » (*Poésie et Révolution*, p. 133), de par son emportement même, elle ne peut qu'être attentive au débit, à l'écoulement ; donc à une sorte de perméabilité, comme si les choses, les œuvres, les marchandises, avaient cette faculté curieuse de se laisser emporter, traverser par quelque liquide. Et ce, au moment où la technique a fait voler en éclats toute sécurité ou certitude, toute

Sicherheit, et mis en place des relais médiatiques qui dressent « une cloison étanche entre l'information et la tradition » ; au moment aussi où les changements de rythme de la production ont rendu les hommes « imperméables à l'expérience ».

Dès lors, comment réfléchir le caractère *démoniaque* (selon Benjamin) de cette collusion entre perméabilité et étanchéité, démoniaque comme la technique et l'argent qui confondus, fluidifient toute solidité et ne laissent pas intacts ce qu'ils agitent ? Si ce n'est justement en empruntant les voies de la vénalité, en faisant crédit à l'œuvre de la technique. Technique qui, non contente d'automatiser les hommes et leurs rapports, par la réalisation dans l'extrême sophistication de rêves millénaires et impossibles, a engendré la finance, plus proche du nihilisme du joueur, que de la thésaurisation bourgeoise. Si son déploiement tient lieu aujourd'hui de liens communautaires, son double, la finance, s'est elle-même technologisée, au point de rendre caduc tout un système de transmission (donc de légitimation) fondé sur les lois de la communauté familiale : les « technologiques » ont porté un coût fatal au régime de la propriété. Et cela d'une manière d'autant plus radicale que, pour colmater les brèches que la puissance de destruction technico-financière a introduites dans le tissu communautaire, on ne peut guère avoir recours qu'à des « valeurs » qui ne rappellent pas par hasard le langage de l'échange des marchandises, ou, plus efficacement, au marché, où l'instabilité des fluctuations de la conjoncture a remplacé les grands idéaux d'une culture qui visait des possessions stables.

C'est que toute violence produit du fragmentaire. Or celle de la technique (que Benjamin problématise dans *Erfahrung und Armut,* Expérience et pauvreté, à partir de la Première Guerre mondiale) a provoqué un morcellement généralisé, dont les seules possibilités de réduction sont contenues dans la technique elle-même. En d'autres termes, et pour employer une terminologie que Benjamin a emprunté à la théorie freudienne du trauma en l'investissant dans les chocs permaments de la vie urbaine, l'agent traumatique lui-même doit servir de recours afin de réunir ces îlots, de donner corps à ces fragments, c'est-à-dire de les lier ou les organiser en réseaux. Thérapeutique paradoxale, on réinjecte du technique, du morcellement, et ainsi le fragmentaire sert lui-même de médiation, de lien, pour recréer artificiellement l'unité. Le moderne vit donc dans un archipel dont la raison est la séparation, l'isolement, avec, en guise de grande machine à relier, les technologiques, c'est-à-dire le puissant facteur de la déliaison.

C'est pourquoi l'art du moderne ne peut être que passage, circulation, liquidation : destruction sans cesse reconstruite dans le précaire d'une technique galopante. Avec au centre, l'argent comme allégorie de cette structure évanouissante dans l'impossibilité d'instaurer une quelconque stabilité — depuis 1929 au moins, l'homme moderne « sait » qu'il ne peut plus posséder, qu'il ne possède rien

211

en disposant de liquidités. Aucune position de maîtrise n'est plus tenable puisqu'à tout moment tout risque de s'inverser, de s'égarer dans et par l'argent, ce dialecte élémentaire de la communauté qui n'a de valeur qu'échangé, converti, traduit. Bref qui n'a d'existence que dans le rapport à l'autre, en communauté : dans une communauté qu'il soude et qui l'exècre, dans une communauté qui le convoite et le déteste, donc le tait ou l'évacue, comme l'excrèment auquel il renvoie. *Pecunia olet...*

UN ART DES FLUCTUATIONS, DES ÉCHANGES, DE LA DISTRACTION...

Aussi ce qui importe, c'est moins de critiquer dans la nostalgie ces techniques traumatisantes et l'instabilité qui en résulte — fonction de la méconnaissance de leurs logiques qui renvoient toutes au pulsionnel, à l'archaïque, à l'insaisissable et à la part maudite de la communauté des hommes — que d'y déceler les nouveaux modes de perception, d'appréhension et surtout de communication (comme de communauté) qui ont ainsi émergé, en interrogeant leurs effets esthétiques et politiques. Et les protestations véhémentes de ceux qui refusent « la livraison de l'art au marché » (*Poésie et Révolution*, p. 135) n'y changeront rien. Le bouleversement des modes perceptifs, expression des transformations sociales, avec une « quantité devenue qualité » (*PR*, p. 205), « au moment où la sécurité des conditions de vie a été réduite par la succession accélérée des crises » (*Charles Baudelaire*, p. 218), n'a pas laissé intact le statut de l'art.

D'abord l'art s'est technicisé au point de donner naissance à certaines formes (photo, cinéma, musiques...), et l'argent, vecteur de la technique instituant la communauté en marché, a parallèlement mis en place le marché des œuvres, donc de la production, de l'élaboration et de la diffusion. Par suite sa fonction s'est trouvée transfigurée : les techniques de reproduction, en particulier la photographie, ont fracturé l'espace de l'art dans la mesure où la multitude des exemplaires, ébranlant considérablement le régime du propre, a entamé l'unité présumée et la prétendue valeur d'authenticité des créations, qui dès lors ne peuvent plus garder secrets le politique et l'économique dans l'art. Les techniques qui émancipent l'art de son « existence parasitaire », qui le libèrent de toute valeur culturelle, le contraignent à se départir de son détachement hautain, au-dessus des marchés, l'empêchent de « soutenir ses dehors d'indépendance » (*Poésie et Révolution*, p. 185).

Assiégé par les foules, la technique et l'argent, l'art quitte sa traditionnelle « réserve », il délaisse sa tour d'ivoire où il avait cru pouvoir échapper au raz-de-marée de cette trilogie, et les phénomènes sociaux qu'il avait cru pouvoir cantonner du seul côté de la réception, l'affectent dans ses structures les plus profondes — ce qui nous offre la chance d'apercevoir l'enracinement de l'art dans le corps communautaire. Car enfin les procédés techniques qui ont permis à l'art de s'adresser à un public de plus en plus vaste, en mettant ses « produits » sur le marché, sous des formes sans cesse plus nombreuses et renouvelées, et cela à un rythme effréné, cette abondance sans retenue ni mesure a impliqué de nouveaux modes de réceptivité comme de participation. Notamment la multiplication des exemplaires, en permettant de transposer les œuvres d'art dans des situations et lieux pour lesquels elles n'avaient pas été prévues, en rapprochant l'art des récepteurs, en lui conférant une « actualité », vient alimenter une perception plus critique, plus experte de la réalité transmise : l'aperception du monde environnant s'approfondit jusqu'à « ouvrir l'expérience de l'inconscient visuel » (*Poésie et Révolution* p. 201), puisque l'investigation peut s'appuyer sur des aspects qui échappent à l'œil nu mais que les appareillages manifestent ostensiblement. Une attention nouvelle offre une sorte de compétence à l'accueil de la collectivité venu se substituer à la contemplation solitaire. Mais cette « collaboration » s'opère dans le divertissement, la distraction, la *Zerstreuung*, c'est-à-dire l'éparpillement, la dissipation et la dissémination, qui correspondent au morcellement (*Zerstückelung*) de la technique. Si Benjamin peut ainsi opposer l'attitude de recueillement *(Sammlung)* à celle de la distraction, par laquelle « l'œuvre d'art pénètre dans la masse », c'est précisément parce que le monde moderne, technicisé et pris dans la mouvance financière, ne peut plus donner prise à aucun mouvement de récollection, à aucun rassemblement, ne peut même plus faire de l'art une valeur-refuge.

LA COMMUNAUTÉ RÉVÉLÉE À ELLE-MÊME

Car finalement ce changement du mode d'existence de l'art dépasse le seul domaine de l'art pour concerner la communauté, modifiée par l'intrusion de la technique dans la transmission de la réalité et l'hégémonie de l'argent au centre des intérêts vitaux. Ce qui se passe dans le domaine artistique n'est que « symptôme », à la fois interprétation et expression singulière qui porte la trace d'un trouble défensif ou d'un conflit caché dans la communauté. Ce qu'on pouvait en effet percevoir en première approximation comme fragilisation de l'art, du fait de l'enchevêtrement inextricable entre la culture et le commerce, est aussi une occasion de révéler la communauté. L'art, intégrant les exigences de la technique et du marché, *dit* la communauté moderne comme instabilité, vacuité, enclave d'un monde à venir. L'art convulsé dessine en creux la figure de l'espace communautaire lui-même. *Nous* sommes cette communauté éclatée qui *doit* reconnaître que la destruction est au centre, que la multiplication des passages s'organise autour d'un vide, s'ordonne non à la capitalisation mais à la perte différée. Et l'art nous donne de réaliser que la destructivité porte et soutient notre communauté. L'épreuve de la dispersion qu'est l'expérience artistique, au lieu de « se déployer glorieusement dans le vide contre lequel elle nous protège en le dissimulant » (M. Blanchot, *Le Livre à venir*, p. 202), permet à la société de regarder en face ses propres forces de destruction — ce qui lui octroie place et public élargis.

Portrait d'une communauté technicisée, l'art, plus que catharsis ou dimension tragique, en serait le père, qui ouvre l'espace du langage. Au passage il capte les multiples éclats de l'immense onde de choc technico-financière et, jetant une lumière aveuglante sur des objets faussement familiers, il affiche la destructivité pour que le monde se présente comme une œuvre fragmentaire (*Stückwerk*), ouverte à l'ailleurs, selon l'analogon des traductions toujours en puissance au sein de toute œuvre d'art.

Est-ce un hasard si ces « thèses ayant valeur de pronostic » ont été exprimées par une pensée de l'art en proie aux soubresauts de la technique qui n'était pas catastrophiste (mais messianique), une pensée de l'ambiguïté, à la fois collectionneuse, attentive aux détails comme aux déchets, et disponible aux enjeux politiques et esthétiques du marché ?...

Réprouvé de l'université, sans traitement, Benjamin le flâneur qui ne s'asseyait sur rien (la possession dans la langue allemande, *Besitz*, signifie ce sur quoi on est assis), ne pouvait que suspecter ceux qui font l'économie du pouvoir de fascination ; connaissant le « prix de l'argent » et souvent à la merci des chalands, il avait appris à marchander dans la grande braderie de la culture.

Il nous lègue pour tâche de ne rien prendre pour argent comptant mais de suivre le rythme.

Il nous transmet la créance de la négociation.

———— *MARTINE MESKEL* ————
Professeur de philosophie

CITOYEN DU MONDE

OU CONSEILLER DU PRINCE ?

CES DEUX FIGURES ONT TRADITIONNELLEMENT POLARISÉ L'ENGAGEMENT POLITIQUE DU PHILOSOPHE. ET S'IL S'AVÉRAIT QUE D'AUTRES ATTITUDES SONT POSSIBLES, QUI INVITENT À « PENSER AUTREMENT », COMME LE SOUHAITAIT MICHEL DE CERTEAU ?

Michel de Certeau évoque dans plusieurs de ses textes cette image d'un personnage de dessin animé, Félix le Chat. « Il marche à vive allure. Soudain, il s'aperçoit, et le spectateur avec lui, que le sol lui manque : depuis un moment, il a quitté le bord de la falaise qu'il suivait. Alors seulement il tombe dans le vide. » Cette scène est rappelée pour rendre perceptible la conjonction de questions portant sur le temps (un laps, un entre-deux qui sépare la marche et la chute) et sur un non-lieu : espace improbable, vide où un langage vient à manquer tandis que se poursuit une fuite en avant. Elle vise ce que nous ne pouvons ni voir ni nommer : le passage d'une configuration sociale à une autre, d'un registre du discours à un autre.

Est-ce que nous ne continuons pas à parler politique et philosophie, comme Félix le Chat poursuit sa marche, dans des termes qui convenaient à un sol qui déjà peut-être s'est dérobé sous nos pieds ? La figure du philosophe en surplomb, dépositaire d'un savoir-audessus-de-la-mêlée, celle de l'intellectuel engagé, militant ou prophète, celle de l'expert en problématisation et en argumentations raisonnablement acceptables se perpétueraient par la seule force d'inertie d'un dessin animé qui passerait en boucle dans un espace déjà déserté par son public au bénéfice d'autres spectacles.

De fait, les représentations de l'activité politique sont entrées dans l'âge de la simultanéité : débats parlementaires et auditions des commissions (sur la communication et les libertés, sur le code de la nationalité) sont retransmis en direct à la télévision. Par ailleurs, les grandes figures de la vie politique sont caricaturées en léger différé (le « Bébête show » de TF1 fait plus d'audience qu'une campagne électorale officielle). Le « paysage » politique est entré dans la quatrième, la cinquième dimension : la « créativité » du spectateur peut le défaire et le recomposer en un kaléidoscope (ainsi font les « chroniques du zappeur » de Serge Daney dans *Libération* qui inventent une nouvelle forme de commentaire, critique esthétique à chaud des mises en représentation de l'action politique). C'est dans ce contexte qu'on assiste au retour d'un acteur qui avait disparu de

215

l'ancienne scénographie rationaliste : le fou du roi. Mais le rôle n'est pas seulement réservé aux professionnels de l'industrie culturelle. Il sied aussi bien au conseiller du prince.

LE PHILOSOPHE
ET SON DOUBLE

Jadis, il y a huit ans déjà, Régis Debray nous aidait à penser la genèse du politique à partir du rôle joué par les clercs, suivant la trace laissée dans l'histoire du scribe d'hier à l'intellectuel d'aujourd'hui[1]. La thèse était justifiée par une généalogie.

Debray pointait, à la suite de Gramsci, le pas de deux que jouent philosophie et politique. « Faire » de la politique c'est avoir à gouverner la pensée des autres (« c'est-à-dire à la fois la diriger et la digérer ») et « penser » (c'est-à-dire produire une pensée, si élevée soit-elle), c'est nécessairement exercer une activité politique. « La pensée est une pratique politique : la politique c'est de la pensée à l'état pratique. » Ce point, bien entendu, n'est pas nécessairement reconnu. Tout un partage social des tâches tend à rendre méconnaissable cette inquiétante proximité.

A cette complexité Debray opposait cependant quelques idées simples qui éclairent le statut de l'intellectuel moderne. Au commencement est la bifurcation qui sépare le clerc du moine. Le premier enseigne, dispute, bref *communique*. L'autre prie, médite. Le clerc c'est moins celui qui pense par lui-même que celui qui fait profession de transmettre ce qu'il pense. À lui l'école. Au prêtre, le cloître. Rivalité et émulation marquent les deux institutions. D'emblée le territoire du clerc est objet de contrôle social. Parce que son rôle est la transmission il est inféodé à une instance extérieure à la pensée (le moine n'a d'autre règle que celle de son ordre). Mais le moment médiéval nous met sur la piste d'une structure plus ancienne : « Dans l'Antiquité comme dans la chrétienté, politique et pédagogie sont jumelées. La pédagogie comme discipline spécifique apparaît en même temps que le centre d'autorité. » Cette clé permet de comprendre pourquoi les philosophes, plus que d'autres intellectuels, ont tenté de refuser le statut de clerc asservi insistant sur leur tâche de penser l'être plutôt que sur celle de communiquer. Dans cette perspective, que les philosophes se soient opposés à la pédagogie comme aujourd'hui ils s'opposent aux médias, cela participe d'une même tradition. « Ce leitmotiv trouve ses refrains-archétypes dans la lutte de Platon contre les sophistes, de Descartes contre l'École, de Rousseau contre les encyclopédistes, de Marx contre "les idéologues vulgaires", de Nietzsche contre "les professeurs". »

Quoi qu'il en soit la vieille polémique doit être relue d'une autre manière. Le sophistique, le pédagogique, le médiatique constituent le double « sarcastique » du philosophique : « Pour le théoricien du communicable, le technicien de la communication est l'ennemi intime... Tout philosophe porte en lui un "nouveau philosophe", qu'il ne peut répudier ni accueillir tout à fait. Ce lutin piaffant, ébouriffé, barométrique, toujours prêt à placer son nom au bas de la dernière nouvelle, souriant à la caméra sa pétition en main, c'est à la fois son reflet et sa grimace. Qu'il lui ouvre grand sa demeure, le philosophe renonce à la pensée. Qu'il lui claque la porte au nez, il sentira le renfermé et finira fruit sec. Une seule issue : l'entrebâiller, histoire de jouer au chat et à la souris. »

LE CLOWN HÉROÏQUE

*L*e *Scribe* se concluait sur la nécessité d'une « médiologie », visant à faire du « triangle État-Média-Intelligentsia » et de la catégorie de l'« entre », des objets de science. Parce que cette science nouvelle reste encore à venir nous sommes renvoyés à Félix le Chat. Le militant révolutionnaire devenu conseiller du prince a parcouru notre histoire récente, de la rue d'Ulm aux geôles de Bolivie puis aux salons de l'Élysée avec cette vitesse accélérée qui caractérise les dessins animés. Passé le bord de la falaise, un instant encore le personnage court dans le vide. De l'ombre des allées du pouvoir il passe aux sunlights du dernier salon littéraire, *Apostrophes*. Une mue accompagne ce parcours : de philosophique, son langage va devenir littéraire. *Masques*, un livre qui retourne la vieille figure du philosophe masqué : confessions, mémoires de vie politique et intime, court-circuit de la géo-stratégie aux tactiques de la vie sentimentale.

Cette publication ne se soutient plus de la distinction entre la sphère privée et l'espace public. Il s'agit bien de littérature : une écriture articule différemment un autre partage de l'intimité et de la publicité. Mais comme elle est l'œuvre d'un conseiller du prince elle bouscule toute une tradition de la réserve en matière politique. *El discreto* était le titre d'un des ouvrages du jésuite B. Gracian[2], qui délivrait de fortes maximes à l'usage des hommes de cour et des héros[3] : « Ne se point ouvrir ni déclarer » : « Ne point laisser connaître ses passions » : « Se rendre impénétrable sur l'étendue de ses capacités ». Debray écrivain rompt spectaculairement avec cette culture du secret attachée aux plus hautes sphères du pouvoir.

Peu importe, après tout, de savoir si le héros est fatigué. Car son propos éclaire singulièrement (c'est-à-dire aussi selon le pinceau nécessairement limité d'un seul projecteur) ce que nous ne savons peut-être plus nommer. Soit une nouvelle configuration des relations entre l'exercice de la pensée et de l'action « rationnelles » et ses mises en formes politiques, médiatiques, « poétiques ». Comment nommer cet art du grand écart, ce savoir de l'équilibriste ? Un dernier pas, et le philosophe s'offre comme marionnette : « Il y a du pantin dans tout héros[4]. » Jouer avec la politique-pédagogie du pouvoir, avec la politique-spectacle des médias ce n'est pas seulement jouer au chat et à la souris. La critique philosophique des médias avait le sens d'une fascination. Arrivé au plus près du pouvoir, à la place jadis dévolue au fou, le philosophe a reconnu l'autre pouvoir, celui de l'ambiguïté de la représentation. « Joie. Tout n'est pas politique[5]... » Le conseiller a joué avec le feu (les feux de la rampe) et se réveille clown.

Le clown, on le sait, porte témoignage d'un savoir railleur et désespéré. Il défie d'autant plus radicalement un pouvoir qu'il sait — et qu'il affiche — qu'il ne le renversera pas. Ce savoir du fou stigmatise les prétentions à la maîtrise et l'absurde superbe des gens sérieux. Ce sont eux les fous, ceux qui veulent nous faire croire qu'ils peuvent assumer ces tâches réputées si difficiles, presque impossibles, par Kant et Freud : gouverner les hommes, les éduquer. C'est dans le rapprochement même de ces deux arts qu'apparaît au mieux le caractère impossible de chacun d'eux. L'éthique, liée à l'irréductibilité du sujet et à l'infini de la tâche éducative, constitue un interminable travail, une entreprise jamais réussie dans le champ du politique[6].

EXERCICES DE STYLE

En restera-t-on à ce face à face entre un idéal de la république des fins, reconnu impossible, et la dérision du clown ? « Il y a de la femme dans l'homme et l'inverse », écrivait récemment Debray. Et de plaider pour ce pari dangereux : « porter l'humour au cœur de l'importance — comme le fer dans la plaie. Cette intrusion de l'ambiguïté dans la communication, cette subversion du féminin dans la société même faite de rôles et de masques, cela s'appelle aussi littérature »[7]. Certes. Mais le monde de la représentation a-t-il encore besoin des philosophes pour exhiber ses travestis en tous genres ? Les médias ne sont-ils pas justement ce pouvoir qui sait, mieux que tout autre, récupérer la force subversive de la dérision pour renforcer encore leur importance[8] ? Masculin, féminin ; humour, importance : la métaphore du fer dans la plaie en fera peut-être rire plus d'un, et sûrement plus d'une. Même parmi ceux et celles qui partagent le refus d'assignation à l'identité et le goût de l'ambiguïté.

À ces derniers appartenait à coup sûr Michel Foucault, par exemple (« Ne me demandez pas qui je suis et ne me dites pas de rester le même : c'est une morale d'état-civil... »), qui marque selon Michel de Certeau le commencement d'une autre hypothèse sur le rôle de l'intellectuel[9]. Ni fonctionnaire de l'universel, ni conseiller technique, le philosophe doit réinventer son rôle. Entre l'idéal d'un espéranto politique (qui redonnerait un sens plus pur aux mots de la tribu) et les mille manières de faire et de prendre la parole pour s'assurer du pouvoir, y a-t-il place pour un *tiers savoir* ? Peut-on éviter ce double écueil : perdre de vue le lien originaire qui unit philosophie et politique ; se perdre dans la politique ? Si complexe est cette affaire qu'elle peut susciter, en effet, le rire — et l'étonnement — ce dont témoigne l'œuvre de Foucault. Retour à la singularité, d'abord, et à la question du style. La pensée du politique doit alors prendre en compte cette figure nouvelle, qui émerge avec les *masses* : l'homme « ordinaire ». Il s'agit de comprendre quelle configuration unit secrètement l'anonyme et l'expert, l'homme sans qualités et le héros.

Prolongeant la réflexion de Foucault, Michel de Certeau propose quelques repères cartographiques pour comprendre le « paysage » où s'effectuent des pratiques intellectuelles et des procédures de pouvoir. Il y a comme un répertoire collectif de procédures et de styles intellectuels, plus stable que les lieux ou les situations où ils s'exercent sans qu'ils constituent des ensembles cohérents (plusieurs styles ou manières peuvent cohabiter dans un même champ chez un même acteur). « Il serait possible de repérer des styles d'opérations intellectuelles indissociables de modes d'exercice du pouvoir : le style tacticien de la procédure juridique qui mue l'épisode en scène de la loi, le style stratégique de l'énonciation professorale ou cléricale qui transforme le particulier en application d'une idéologie générale, le style oral du ''conseil du prince'' qui joue avec virtuosité d'une opaque proximité avec le nom ambigu du Vouloir ou ''bon plaisir'' d'un pouvoir, le style écrit de la manipulation textuelle qui fait de la distance un principe d'autorité, le style ''ingénieur'' qui prétend, par la réconciliation de la théorie et de la pratique, instaurer une neutralité objectivement imposée à toute décision comme sa condition de possibilité, le style technologique et ''clanique'' de la ''recherche'' dans les laboratoires liés à un marché international de la compétition, etc. [10]. »

Le philosophe qui s'interroge aujourd'hui sur les conditions de possibilité de son discours, est obligé de constater qu'il ne réside plus dans la cité idéale que constituaient le royaume des philosophes ou la République des Lettres. Condamné à affronter le local et l'événement, il doit se reconnaître citoyen d'un monde qui ne l'a pas attendu pour être ce qu'il est — monde commun, dont le sens reste toujours à déchiffrer [11]. Il n'a plus d'autre privilège à tirer de sa fréquentation éventuelle des allées du pouvoir que d'avoir à jouer, comme les autres, son rôle de conseiller du Prince comme on joue avec le feu. À la nostalgie de l'époque révolue des « grands » intellectuels, aux vertiges de la scène où se joue la comédie du pouvoir, il lui faudra préférer l'examen patient des conditions de l'exercice de la pensée, *exercice finalement en lui-même politique*. Ce repérage de la diversité des manières de dire et de faire nous reconduit au geste philosophique premier. « Il me semble, écrit de Certeau, qu'à les expliciter, qu'à s'en étonner, nous pouvons les tourner en surprises qui deviennent des manières de "se déprendre de soi-même" et instaurent le geste, rieur et philosophique, d'inventer des façons de "penser autrement"[12]. »

1. RÉGIS DEBRAY : *Le Scribe*, Grasset, 1980.
2. BALTASAR GRACIAN : *L'Homme universel*, Paris, Plasma, 1980.
3. BALTASAR GRACIAN : *L'Homme de Cour*, Paris, Champ Libre, 1980 ; *Le Héros*, Paris, Champ Libre, 1973.
4. RÉGIS DEBRAY : « Ouvrez vos frontières » in *La légende du siècle*, n° 5, Mardi 19 avril 1988 (Rappelons le sous-titre de ce journal : « La conspiration des egos »).
5. *Ibid.*
6. Je suis ici les précieuses indications livrées à propos des rapports entre pédagogie et psychanalyse par Michel de Certeau : « Jouer avec le feu », préface à *Freud pédagogue ?* de Mireille Cifali, Paris, Inter-Éditions, 1982.
7. R. DEBRAY, *ibid.*
8. Comme le montre, à sa manière, le *Journal télévisé des nuls*.
9. MICHEL DE CERTEAU : *Histoire et psychanalyse entre science et fiction*, présenté par L. Giard, Paris, Gallimard, coll. Folio-Essais, 1987.
10. M. DE CERTEAU, *ibid.*
11. Voir sur ce point HANNAH ARENDT : *La crise de la culture*, préface : « La brèche entre le passé et le futur », Paris, Gallimard, coll. Idées, 1972.
12. M. DE CERTEAU, *ibid.*

Éducation d'Alexandre le Grand par Aristote

——— JEAN-CLAUDE POMPOUGNAC ———
Professeur de philosophie

GÉRARD WORMSER

UNE NATION

PHILOSOPHIQUE

« L'AFFAIRE HEIDEGGER » A ATTIRÉ L'ATTENTION SUR LA POSTURE SINGU-
LIÈRE DE LA PHILOSOPHIE EN ALLEMAGNE, ET SUR LA FASCINATION
QU'ELLE EXERCE DEPUIS DEUX CENTS ANS ENVIRON SUR LA PENSÉE FRAN-
ÇAISE. PEUT-ON ÉLUCIDER LE RAPPORT DE LA NATION ALLEMANDE À LA
PHILOSOPHIE ?

> « Dans l'histoire de l'humanité, on ne surmonte
> jamais l'essentiel en lui tournant le dos et en s'en déli-
> vrant apparemment par un simple oubli. Car l'essen-
> tiel revient toujours ; reste seulement à savoir si une
> époque est prête à l'affronter, et si elle est assez forte
> pour cela. » Heidegger, *Schelling* (1936)

Avec ces mots de Heidegger, écrits en 1936 à propos de Schelling, s'affirme la nécessité pour la pensée allemande de méditer sa
propre histoire afin d'accéder à ce qui fait l'essence de l'agir
humain ; Heidegger situe en effet la publication des *Recherches sur
l'essence de la liberté humaine* de Schelling en 1809 dans le contexte
de la réflexion menée par les penseurs allemands aux prises avec
l'oppression napoléonienne (à aucun moment Heidegger ne mentionne
la Révolution dans sa présentation du désarroi allemand sous le joug
français). À Paris, Alexandre Kojève donne de 1933 à 1939 son cours
fameux sur la *Phénoménologie de l'Esprit* de Hegel (1807), centré sur
la lutte du Maître et de l'Esclave ainsi que sur la grandeur historique de Napoléon. Les mêmes années du début du XIXe siècle sont
donc interrogées simultanément en vue de rapporter l'histoire à une
structure originaire et pour y voir le déploiement progressif d'une
explicitation de la conscience de soi.

Avons-nous besoin d'autre chose pour apercevoir l'importance du
débat franco-allemand et de sa dimension philosophique ? Il y a là
cependant une difficulté de principe : l'affirmation d'une quelconque « appartenance » d'une pensée à un esprit national ne peut se
faire qu'au prix de généralisations qui sacrifient ce que chacune peut
avoir d'essentiellement original. Plutôt que d'être tributaire de l'identité nationale, on attendrait de la philosophie qu'elle nous aide à penser ce qu'est une Nation, et les rapports que la pensée peut avoir
avec sa constitution. Nous évoquerons donc ce qui lie une pensée
singulière à des formes dotées d'une plus grande permanence dans
le temps. Dialogues et ignorances forment ici une histoire européenne, dont le destin tragique de la pensée allemande en ce siècle
témoigne particulièrement, condamnée qu'elle fut à l'exil, à la captivité ou à la complicité avec l'une des formes les plus violentes de
la haine de la pensée. Comprendre qu'un tel effondrement ait pu

se produire à l'apogée de la puissance européenne est incontesta-blement devenu la tâche commune des penseurs en cette fin de siècle.

L'ALLEMAGNE, UNE PENSÉE DE L'ESTHÉTIQUE

Afin de situer les termes temporels dans lesquels cette ques-tion se pose, je citerai ces quelques lignes de Thomas Mann. Elles concernent le destin d'un sculpteur, né en 1478, mort en 1531 après plusieurs années de détention et dont les mains furent bri-sées lors de la répression des mouvements insurrectionnels de· la Guerre des Paysans :

> « À cette époque vivait en Allemagne un homme à qui va toute ma sympathie, le pieux maître Tilman Riemenschneider, sculpteur sur pierre et sur bois, très célèbre pour la valeur fidèle et expres-sive de ses œuvres, ces retables riches en figures et ces chastes sculptures, qui, très demandés, ornaient les lieux de culte dans toute l'Allemagne. Le maître jouissait aussi d'une haute considération, comme homme et bourgeois, dans son cercle étroit, la cité de Würz-burg, et il faisait partie de son conseil. Jamais il n'avait songé à s'immiscer dans la haute politique, les affaires du monde, c'était à l'origine tout à fait à l'encontre de sa modestie naturelle, de son amour pour la création libre et paisible. Il n'avait rien d'un déma-gogue. Mais son cœur, qui battait pour les pauvres et les opri-més, le força à prendre parti pour la cause des paysans, à ses yeux juste et agréable à Dieu, contre les seigneurs, les évêques et les princes, dont il eût facilement pu s'assurer la bienveillance huma-niste. Frappé par les grands contrastes fonciers de l'époque, il fut poussé à sortir de sa sphère d'art bourgeois purement intellectuelle et esthétique pour devenir le champion du droit et de la liberté. Il renonça à sa propre liberté, à la digne tranquillité de son exis-tence pour cette cause qui lui importait plus que son art et la paix de son âme[1]. »

Cette vie hautement symbolique appartient à la génération qui con-nut la prédication de Luther, dont le *Manifeste* date de 1517 : Tho-mas Mann marque que ce dernier, en prônant la soumission aux pou-voirs temporels, a livré les paysans à la violence et encouragé la passivité en Allemagne.

Autant dire que cette histoire demeurée dans la mémoire alle-mande doit être comprise sur une durée d'un demi-millénaire au moins, de même qu'en France il est nécessaire de tenir compte des traductions venues d'Italie et des découvertes maritimes d'Amérique, des pensées qu'elles ont suscitées et que synthétise Montaigne. Rap-pelons qu'au début du XVIᵉ siècle l'amitié de More et d'Érasme donne naissance à l'*Éloge de la Folie* et à l'*Utopie*, et que Machia-vel écrit *Le Prince*. Ces trois œuvres sont rédigées au cours de la même décennie 1510-1520, qui voit également Cortez brûler ses vais-seaux en abordant au Mexique. Dans cet espace à la fois morcelé et traversé d'échanges, la communauté de pensée qui construisit l'Europe cède la place aux conflits nationaux, à la guerre civile euro-

222

péenne et à l'opposition des cultures. Pour hasarder une explication, il faut apercevoir une continuité, depuis la Guerre de Trente Ans qui décima la population allemande et lui fit passer le goût de la politique, jusqu'aux massacres contemporains qui manifestèrent le danger inhérent à ce repli de la conscience européenne sur des valeurs privées. Ce morcèlement serait le pendant négatif de l'éthique du travail dont Max Weber a donné la formulation classique afin de rendre compte de l'accumulation rapide du capital.

La référence à Riemenschneider signale le caractère crucial de la vigilance des créateurs à l'égard des pratiques sociales de leur temps : une société dans laquelle la méditation esthétique ne comporterait pas la possibilité d'une responsabilité civique se verrait radicalement privée de tout idéal de communauté. Inversement, il n'est pas d'art qui ne renvoie aux possibles dont une collectivité est porteuse : c'est en ce sens que les artistes révèlent une partie des significations qu'une société ne parvient pas toujours à objectiver. Nous pouvons peut-être saisir là une spécificité de la pensée allemande par rapport à la française. Faute d'un État qui en représente les caractères généraux, et qui fasse place à une conscience directement politique, la réflexion s'est trouvée en Allemagne prendre un tour plus esthétique que rationnel. De Schelling à Adorno, la réflexion sur l'art permet d'accéder aux catégories les plus fondamentales de l'expérience. Réfléchissant sur la catastrophe allemande dans les *Minima Moralia*, Adorno note : « Les débuts de l'impérialisme allemand eurent pour accompagnement *Le Crépuscule des Dieux* de Wagner, cette prophétie enthousiaste du déclin de la nation, dont la composition fut entreprise en même temps que la guerre victorieuse de 1870. » (§ 67, trad. Payot p. 101).

Au paragraphe 35 de ce même texte, Adorno notait qu'il était superficiel d'imputer à Hitler la destruction de la culture allemande : « Ce que Hitler a éliminé en fait de pensée et d'art ne menait plus, depuis longtemps déjà, qu'une existence dissociée et inauthentique : le nazisme s'est contenté de faire le ménage des derniers recoins où elle s'était réfugiée. Celui qui n'entrait pas dans le jeu avait dû choisir l'« émigration intérieure », déjà bien des années avant l'avènement du Troisième Reich : c'est au plus tard depuis le moment de la stabilisation de la monnaie allemande, qui coïncide chronologiquement avec la fin de l'expressionnisme, que la culture allemande s'est elle-même stabilisée, au niveau de la *Berliner Illustrierte*, des grandes autoroutes du Reich et de l'aguichant néo-classicisme des expositions mis à l'honneur par les Nazis » (id., p. 55). Un exemple significatif de cette idée serait fourni par l'émigration en Suède de Kurt Tucholsky en 1929, après la publication de *Deutschland, Deutschland über alles*, pamphlet critiquant violemment la société de Weimar en associant à des textes incisifs des photographies hautement révélatrices de la décadence allemande des années vingt. Tucholsky devait se suicider en 1935.

Ce qui est en question dans l'histoire récente de la pensée allemande, c'est l'incapacité à formuler de manière politiquement pertinente les dimensions de la conscience symbolique et mythique qui s'était développée à l'apogée du romantisme. Cet aspect de la question demeure présent lorsqu'en 1934, Heidegger, ayant quitté ses fonctions rectorales, commence ses cours sur Hölderlin, et lorsqu'il prononce, l'année suivante, sa conférence sur l'*Origine de l'œuvre d'art*... Ce faisant, sans aucun doute, il dit la vérité de la pensée allemande aux prises avec elle-même, devant revenir à l'indétermination première de la volonté créatrice lorsqu'elle se donne pour tâche de penser la possibilité du mal, comme Schelling en donne l'occasion à Heidegger en 1936.

Paru directement en français en 1834, un texte mettait pourtant l'accent sur cette dimension de la métaphysique allemande : Heine fit en effet paraître dans la *Revue des deux-mondes* ses articles à propos de l'histoire de la religion et de la philosophie en Allemagne. Il accorde la plus grande importance à la prédication de Luther, dont l'effet aura été de libérer la pensée, tout en donnant ses cadres littéraires à la langue allemande. Après avoir mis en valeur l'importance de Spinoza (que Heidegger doit précautionneusement déjudaïser pour le nommer dans son cours de 1936[2]) comme de Lessing, Heine introduit brillamment à la révolution kantienne ; il conclura ses articles par des sarcasmes à l'égard de l'idéalisme de Fichte et de la philosophie de la nature de Schelling, non sans avoir évoqué la hauteur de leurs vues et manifesté en Hegel la plus grande figure de la philosophie allemande depuis Leibniz. Heine mettait ainsi l'accent sur la dimension sociale et politique des pensées métaphysiques. Cette question viendra au centre des préoccupations dès la seconde moitié du XIXe siècle, et l'on commence alors à se soucier de comprendre comment s'élaborent les attitudes intellectuelles. Les méthodes d'éducation viennent au premier plan.

LES INSTITUTIONS D'ENSEIGNEMENT

*U*n texte de Durkheim paru en 1887, après que ce dernier eut fait un séjour à Leipzig et ailleurs pour s'informer des structures de l'Université allemande au moment où la troisième République développe ses propres cadres d'enseignement, laisse entrevoir une dimension institutionnelle qui se perpétue encore aujourd'hui. Mettant l'accent sur les redondances qui caractérisent les programmes universitaires, il en remarque la grande généralité : mais c'est que les étudiants n'ont pas été formés à la philosophie antérieurement à leur entrée dans l'enseignement supérieur, en sorte qu'il leur est difficile de choisir entre des lignes philosophiques dont ils ignorent les rudiments.

Durkheim observe qu'en Allemagne « la carrière de l'enseignement secondaire et celle de l'enseignement supérieur sont absolument distinctes et [qu'] il faut choisir entre elles une fois pour toutes »[3], en sorte que si les Instituts de philosophie sont vivants, il n'en reste pas moins vrai que le travail spécialisé n'est l'apanage que d'un petit nombre d'étudiants. Il note avec intérêt que la psychologie fait l'objet d'une discipline séparée de la philosophie, et s'étonne du développement des études portant sur l'utilitarisme anglais : « Il m'est impossible de savoir d'où provient ce mouvement et s'il correspond à quelque modification profonde du génie allemand. S'il est durable, ce serait un fait historique d'une grande importance ». Les conclusions de Durkheim sont doubles : il remarque la faiblesse en France, dans le cadre des études juridiques, de l'attention portée sur « les mœurs, les coutumes, les religions, quel est le rôle des diverses fonctions de l'organisme social », dont « nous avons bien plus besoin encore que les Allemands puisque nous avons entrepris de nous conduire et de nous gouverner nous-mêmes » (p. 486).

Mais il avait noté auparavant « qu'il y a chez nous pour les études philosophiques une *opinion* » au sein des lycées et collèges, où se diffuse plus largement qu'en Allemagne l'action des universitaires. On pourrait dire, en résumé, que la rupture entre les intellectuels et la société est repérée dans l'Allemagne wilhelminienne et dès avant l'affaire Dreyfus, comme une opposition nette entre la France et l'Allemagne. La qualité des cercles philosophiques n'est pas en cause, l'intérêt porté en Allemagne pour « une conception organique » de la société est avéré, mais il manque ici une diffusion large de ces réflexions. Et, finalement, l'université est coupée du pays, au point que la plupart des *Privat-docenten* dont le cours ne se rapporte pas à un sujet d'examen, rétribués qu'ils sont par leurs étudiants, ne pourraient pas poursuivre leur travail sans fortune personnelle. Dans ce contexte, Plessner (*Die verspätete Nation*, « La Nation retardée », 1959, Suhrkamp, non traduit) remarque la déconsidération dont la philosophie fut l'objet au cours de la seconde moitié du XIXᵉ siècle : réduite à une spécialité universitaire, devenue essentiellement une philosophie de la connaissance — Durkheim est frappé du grand nombre de cours de « Logique » —, elle a cessé d'offrir à la communauté une représentation de ses possibles. Hormis cela, sa légitimité est liée à une critique de la rationalité qui n'est pas de nature à lui permettre d'exercer une fonction sociale.

Diverses lignes d'interprétation convergent donc pour montrer que les créateurs et les intellectuels sont demeurés comme extérieurs à l'ordre social allemand : l'exception des quelques années de la fin du XVIIIᵉ siècle ne fait que mettre en lumière la capacité des Princes à endiguer durablement toute « contagion révolutionnaire ». Le trait le plus frappant des expositions commémoratives de la fondation de Berlin en 1987 était bien l'absence de documentation sociale et politique digne de ce nom, surtout si l'on ajoute l'incompréhensible absence de toute information relative à la guerre de 1914-1918, ou le traitement rapide du mouvement spartakiste et de son écrasement, et surtout si l'on y oppose l'abondance des œuvres expressionnistes qui disent la clairvoyance désespérée d'artistes dans l'incapacité de traduire, autrement que par une protestation, la situation d'un pays dont ils se sentent exclus, sinon déjà bannis. La question se pose de savoir comment il se fait que les Français, lorsqu'ils se sont intéressés à la culture et à la philosophie allemandes, n'aient pas éprouvé d'intérêt plus marqué pour cet aspect de la réalité allemande : Aron, à Berlin de 1931 à 1933, Sartre lui succédant en 33-34, apprennent la phénoménologie, mais ne font pas état de leurs réflexions politiques[4].

Une réplique pourrait être trouvée du côté de l'anthropologie : Durkheim signalait dans son texte de 1887 l'importance prise par la question des races dans l'université allemande. Il pensait qu'il s'agissait d'un vestige d'une homogénéité ethnique appelée à diminuer. Mais à sa suite, par l'enseignement de Mauss et l'engagement de Rivet dans le Comité de Vigilance des Intellectuels antifascistes, la création du Musée de l'Homme en 1937 est une réponse institutionnelle forte à la domination de l'université par le racisme. Nous sommes ici dans un milieu qui communique avec Kojève et ceux qui introduisent en France la dialectique hégélienne et la phénoménologie, les traducteurs de Nietzsche, Albert et Vialatte, ainsi que Charles Andler, milieu où les premiers textes de Heidegger, publiés en 1938, trouveront un public. Dans ces mêmes années paraissent en français les livres de Guéroult sur Fichte, celui de Jankélévitch sur Schelling, la traduction par Lévinas des *Méditations cartésiennes* de Husserl, les études de Gurvitch sur la sociologie allemande, etc.

Les travaux permettant de s'approprier la dialectique et la méthode phénoménologique fournissaient de nombreux moyens pour penser l'histoire européenne en cours et mettre en place des modes d'argumentation dégagés des idéologies dévastatrices qui s'en prenaient directement aux entreprises intellectuelles. Plus encore, si nous pensons qu'une activité intellectuelle réduite à la seule langue nationale est en grande partie responsable des incompréhensions européennes, alors l'essor des traductions apparaît comme une réponse appropriée : bientôt viendrait le temps où publier Kant à Paris serait faire acte de résistance à la barbarie. (Les trois *Critiques* furent publiées par les PUF entre 1942 et 1944).

LES TRADUCTIONS

*I*l faut en effet indiquer à quel point l'entreprise des traductions fut importante et suivie depuis le début des années 1930 : outre celles mentionnées ci-dessus, on notera la parution des deux tomes de la *Phénoménologie de l'Esprit* traduite par Hyppolite en 1939 et 1941, aux éditions Aubier, engagées depuis déjà dix ans dans une démarche méthodique de traductions et de collections bilingues, celle du cours de Kojève en 1947, mais aussi dès 1950 la publication des *Idées directrices* de Husserl traduites par Ricœur. Nous pouvons remarquer l'importance de cet effort continu au moment où en Allemagne même l'activité philosophique était anéantie. Il y a là un élément capital : la continuité du travail commencé en Allemagne fut assurée par une relève française, y compris dans le cas de Heidegger, adressant à Beaufret sa *Lettre sur l'Humanisme* de 1946.

Il ne fait pas de doute que la pensée y a trouvé l'occasion d'approfondir son « autoréflexion » par une meilleure connaissance des textes et des conditions de leur production. Les débats en cours autour de la pensée allemande en témoignent. Après qu'on s'est approprié les instruments conceptuels produits par l'idéalisme et la phénoménologie, il est devenu possible en France de recevoir la dimension « esthétique » de la pensée allemande : la place prise par Benjamin et Adorno dans la réflexion contemporaine en fait foi. L'intérêt de leur apport peut être mesuré à la manière dont ils lient le cadre philosophique et esthétique de la pensée allemande à une problématique organiquement théologique : Dans son texte de 1925 intitulé *Ursprung des deutschen Trauerspiels* (Suhrkamp, trad., *L'Origine du drame baroque allemand*, Flammarion, 1985), Benjamin explore la mise en forme, par le langage de la tragédie, de l'irrationnel fond de violence que comportent les mythes du pouvoir et de la mort. Dans la tragédie baroque, Benjamin montre les marques éminentes de la mélancolie liée à la contemplation de l'imperfection native de l'homme, qui motive la pensée de la Réforme ; il manifeste l'importance du luthéranisme, de la Guerre de Trente Ans et de la division politique de l'Allemagne pour comprendre l'émergence de la littérature romantique et de l'expressionnisme. Le tragique allemand est marqué par la méditation de la culpabilité, du poids de l'existence et de la fascination pour le cadavre, dont celui du Christ est l'emblème accompli.

Sur un plan plus politique, le livre de Neumann, *Béhémoth*, publié en 1942, signale clairement les contradictions entre les idéaux humanistes et les exclusives politiques et religieuses qui furent de règle en Allemagne : condamnant à tolérer des infractions aux principes, elles permettaient de dénoncer dans la philosophie une imposture, comme le firent Marx et Nietzsche. Autant dire que ce débat ne permettait pas une action effective... On rencontre là une opposition de même nature que celle mise en évidence par Sartre à propos de la conscience littéraire française à partir de 1848 (*L'Idiot de la famille*, tome 3). Le drame de la pensée allemande serait de se sentir dépossédée du *Heimat* originaire, dont elle ne pourrait que contempler l'absence, face à la réalité envahissante des puissances techniques et politiques. Nous retrouvons ici la thématique de Thomas Mann et de Plessner[5] : si l'on constate que l'Allemagne luthérienne

231

prit au sérieux la religion quand le reste de l'Europe commençait à se laïciser, on s'accordera avec eux pour constater l'opposition de la revendication d'une liberté nationale avec le mouvement européen vers la liberté politique. Elle s'est trouvée en situation d'avoir à refuser le mouvement historique ou à le subir à contrecœur, n'étant jamais parvenue à associer la nation et la liberté.

Peut-on utiliser, à titre de « méthode pour bien conduire sa raison », la médiation sur la chose et la présence, sans thématiser le champ problématique où se déploient ces pensées et la difficulté qu'elles éprouvent pour trouver la place de l'agir et de ses règles implicites au sein des élaborations conceptuelles déjà acquises ? S'il n'est plus temps d'opposer une bonne Allemagne à une mauvaise, il n'est pas non plus possible de poser une essence séparée de la philosophie : la même langue a pu produire presque simultanément les œuvres de Marx et celles de Nietzsche ; ce fait n'est pas sans rapport avec un pays où chaque ville, avec ses traditions de culture et son conformisme moral, tient la politique nationale pour un mal nécessaire dont nul n'est vraiment responsable. La relation de la pensée allemande à l'agir pourrait bien n'être pas sans rapport avec la difficulté à se comprendre et à se parler, dont l'exil récurrent des intellectuels allemands témoigne aussi. C'est peut-être en ce sens que le travail de Habermas porte le plus résolument au cœur de la pensée allemande.

1. TH. MANN, « De l'Allemagne et des Allemands » (1945), in *Les exigences du jour*, Grasset, 1976, p. 320.
2. Heidegger reprend le stratagème utilisé par Schelling en masquant Spinoza sous le nom de Bruno, martyr de la philosophie naturelle.
3. Durkheim, *Textes* 3, Minuit, p. 444.
4. Sur ce point, cf. Aron, *Le spectateur engagé*, Julliard, 1981, p. 44.
5. Un fragment du texte de Th. Mann auquel nous nous sommes référé sert d'épigraphe au livre de Plessner.

——— *GÉRARD WORMSER* ———
Professeur de philosophie

ANDRÉ SCALA ET PHILIPPE COLLIN

CONTREPOINT

LA PHILOSOPHIE
DANS LES MÉDIAS

Les moyens de communication de masse ont en gros six manières de présenter de la philosophie : L'archive, la critique ou la promotion du livre, le débat d'idées, la pédagogie, l'actualité (ces dernières années : la nouvelle philosophie, le silence des intellectuels, la question de l'enseignement de la philosophie, la création du Collège International de Philosophie, le cas Heidegger), l'intervention des intellectuels. Tantôt la philosophie est présentée comme objet spécifique (espèce du genre livre, espèce du genre travail intellectuel, espèce du genre pratique sociale, espèce du genre culture, etc.), tantôt elle est renvoyée à des agents sinon à des acteurs. D'un autre point de vue, la philosophie est présentée comme forme et comme fonction. De telle sorte que ces six manières se divisent en deux : une forme indirecte, la philosophie médiatisée, ce qu'on dit d'elle ; une forme directe où elle trouve un lieu pour se dire elle-même ou pour dire autre chose. Les médias ont alors deux fonctions, médiatrice et productrice ; par la première, ils renvoient à un espace critique, par la seconde à un « espace public de délibération ».

Commençons par une curiosité historique. Alain excepté, et dans une autre mesure Maurice Clavel, aucun philosophe n'a joué, ès qualité, un rôle essentiel dans les médias. Il n'y a pas, en France, de lien durable entre l'activité philosophique et la tradition publiciste. Mais que veut dire « philosophe ès qualité », et quel penseur ne souscrirait pas à ce que Canguilhem écrivait : « La philosophie est une réflexion pour qui toute matière étrangère est bonne, pour qui toute bonne matière doit être étrangère. » Et quel penseur n'ajouterait : « pour qui toute bonne forme doit être étrangère » ? Pourquoi, dès lors, s'étonner de l'absence de rapports entre les médias et une philosophie attribuée, identifiée, autorisée ? C'est que justement les médias obéissent là et partout ailleurs à la nécessité d'identifier, d'attribuer et d'« autoriser ». Et une figure cristallise cette triple nécessité : le critique.

Le premier lieu d'identification médiatique de la philosophie est la critique, une rubrique de la critique littéraire. Le critique est un lecteur à la fois relativement indéterminé et pourtant déterminant. Si l'amplification médiatique a pour effet de multiplier le public possible, elle a aussi pour effet de réduire les possibilités de lecture. Ainsi le jugement critique trace une ligne de partage entre le possible et le réel des livres. Et cette ligne, bien que tracée en dehors de l'écriture, de la pensée philosophique, ne trouve de consistance qu'à partir du moment où la critique la lui renvoie et qu'elle fait naître, au cœur de l'image qu'elle donne de la philosophie, une autre ligne de partage entre deux exercices de la pensée : l'un, scolastique ou technique, la philosophie du concept ; l'autre, cosmique ou « populaire », la philosophie du jugement. Réduite à sa seule dimension technique par l'indétermination de la lecture critique, la philosophie est privée de sa « popularité » possible, c'est-à-dire de l'indétermination de ses usages possibles. Dès lors la question n'est pas celle de l'objectivité de la presse (pourquoi parler de tel ou tel plutôt que d'un autre), mais de son pouvoir d'objectivation. Il est singulier de noter que la critique philosophique de sa propre identité et de sa propre autorité est niée par la forme même de la critique littéraire. Toutefois, cette ligne de partage n'aurait que peu d'effet si elle n'était fortement relayée par un certain nombre de penseurs voyant dans les médias un lieu nommé « espace public ».

PENSÉE
ET COMMUNICATION

Depuis Kant, un lien essentiel est tissé entre la pensée et la communication. L'histoire de ces liens est aussi celle des contresens sur Kant et en particulier celui de faire d'une question critique une sorte d'impératif anthropologique confondant l'élargissement de la pensée avec l'amplification du débat. Les médias se présentent comme un lieu de discours multiples, d'une multiplicité d'agents d'énonciation, multiplicité qu'on peut opposer au discours solitaire ou unique du livre. En vertu de cette multiplicité, les médias seraient le lieu privilégié de l'échange, de la discussion, du dialogue, pris comme signes tangibles de la liberté de penser, de la libre circulation des idées, bref de la santé et de la force d'une démocratie. Tout ceci serait bien s'il n'y avait pas une tyrannie du débat et un contresens gravement pratique sur la nature du dialogue en philosophie. La tyrannie du débat revient à penser qu'une objection de clerc est de même nature que la pensée ou le travail auquel on objecte ; elle s'exprime aussi par le fait que se refuser au débat est interprété comme une atteinte à la liberté de penser, comme si cette liberté était au-delà de la conception, à côté de la pensée. Elle est enfin bouclée par le fait que la grande activité des débatteurs est de produire eux-mêmes les termes du débat.

La possibilité même d'identifier la pensée avec un type de liberté de débat repose sur une troisième ligne de partage opérée par les médias. Pas plus qu'on ne fait de sport dans les pages sportives d'un journal, pas plus on ne fait de la philosophie dans les rubriques qui s'y attachent. Ici comme ailleurs les médias ne sont pas un lieu d'élaboration. Cependant cette « inactivité » n'est pas sans efficace, et elle est plus problématique dans le cadre de la production d'idées que dans celle d'événements. Si, en règle générale, les manières médiatiques tracent une limite entre la production et la présentation de cette production, vouée alors à n'être qu'une présentation ex datis et non ex principiis de la philosophie, il n'en demeure pas moins que dans certains cas cette limite est dépassée (voir par exemple ce que Deleuze dit de Foucault : ses entretiens font partie de son œuvre). Mais la mise en cause de cette ligne de partage trouve sa raison non dans la nature de la forme médiatique, mais dans l'œuvre elle-même. Ainsi le rapport spécifique de Foucault aux médias est-il lié à sa pensée de la relation de la philosophie au présent, à sa question : « Qui sommes-nous? »

LA POLITIQUE
DES FORMES

L'histoire de la philosophie est aussi celle de ses rapports problématiques avec des formes, formes d'expression autant que de contenu ; problématique signifiant aussi polémique et stratégique. Il y a d'autres moments où la relation aux formes est un rapport de forces, une politique de la pensée, lieu d'un conflit avec d'autres formes de savoir ou d'exposition, ou dessinant la menace d'une persécution possible. La forme en philosophie comme ailleurs n'est pas extrinsèque, elle lie la présentation à l'exposition, elle ne reflète pas la pensée, elle est la pensée sous une forme. Ces formes, les philosophes sont parfois allés en chercher des éléments ailleurs que dans les structures d'exposition héritées de la tradition. Pourquoi alors ne pourrait-on pas envisager qu'ils captent aujourd'hui le système dominant de l'opinion ? Mais qu'est-ce qui peut fonder une telle question ? Sinon une double illusion : la première est que la pensée remplace l'opinion, qu'elle la chasse, qu'elles auraient en fin de compte un lieu commun vide, indifférent à être rempli par l'une ou par l'autre. Il suffirait de mettre un peu plus de réflexion dans les articles, un peu plus de lenteur dans les paroles et ainsi, tels quels, les médias se métamorphoseraient pour devenir l'espace d'une communication absolue. La seconde illusion est de croire que la pensée n'est que dans la parole ou dans l'écrit, dans le cours ou dans le livre, que l'image, par exemple, en est dépourvue, et ainsi de faire du monde de l'image le grand autre de la pensée, la tête de mort qu'elle contemple, ou bien encore de déplorer l'opposition entre la philosophie et les médias sur fond du conflit des galaxies Gutenberg et Marconi. Triple rapport des médias, à l'écrit, au son, à l'image, et triple logique de régression de l'écrit, de l'image et du son. Il est d'ailleurs singulier de remarquer à cet égard qu'un medium sans grande tradition comme Libération a fourni une figure qui pervertit la conscience intellectuelle incarnée ailleurs par le critique littéraire, à savoir le critique de cinéma ou de télévision, en l'occurrence Serge Daney.

Les médias sont, en général, une forme de présentation de l'actualité, du présent ; cette forme institue un mode de rapport dominant à l'événement, une identification du récit au fait, ou du moins un amenuisement de la distance qui sépare le récit du fait, à tel point que le monde, à présent, a une bande son et une bande image. Une réalité alors nous apparaît, vide de toute expérience possible, le ouï-dire n'est pas en deçà de l'expérience vague. Et le fait n'est pas un événement, mais un bien, une valeur d'échange ; comme le disait si bien Serge Daney, le problème des médias n'est pas de vendre un produit à un public mais un public à des annonceurs. Rapport de valeurs entre le public et l'actualité. Intervention de l'intellectuel prise dans cette économisation du présent.

Décidément, le problème est pratique. Il n'y a peut-être pas lieu de conclure à une impossibilité radicale de rencontre entre la philosophie et les médias, mais à condition seulement que cette rencontre ne reproduise pas la triple ligne de partage entre le possible et le réel des œuvres, entre le concept et le jugement, entre la forme d'élaboration et la forme de présentation. Ne pas la reproduire implique que médias et philosophie se soustraient à la triple usurpation : du public, de la communication et de l'actualité.

C'est pourquoi nous voudrions savoir, par exemple, ce que veut dire vision dans télévision.

PAR EXEMPLE...
LA TÉLÉVISION

Avant d'être un récepteur, la TV fait fonction de réceptacle lieu de passage, pur contenant, médium de tous les médias, sphère d'universalité. Cependant elle n'est pas un réceptacle neutre, transparent. C'est peut-être dans son opacité qu'il faudrait chercher le caractère spécifique de la TV, plus que dans un hypothétique contenu, plus même que dans le direct, dont on dit qu'il n'appartient qu'à la TV, mais qui n'est en fait qu'un différé annulé. Elle n'établit un rapport qu'entre ce qu'elle voit et une autre perception qu'elle annule.

Les sens ne trompent pas quand ils sont électriques. La TV est un œil, sans être tout à fait la prothèse du nôtre : œil qui témoigne, dénonce, surveille. Œil permanent et spécialisé des quais, des carrefours, des usines. TV du dehors, de la rue, mais aussi TV du dedans, « Troisième fenêtre ». Le poste de TV a quelque chose de la Monade leibnizienne, sphère close, reflet de tous les autres, terminal d'un système central sans porte ni fenêtre, indiscernable toutefois des autres. On semble croire fermement qu'il s'agit là d'un puissant instrument de communication. Mais :

« Demande-toi, veux-tu, si tu conçois l'existence d'une certaine vision qui, les objets des autres visions étant donnés, n'est pas la vision de ces objets, mais la vision d'elle-même et des autres visions, et semblablement de la non-vision ; qui, étant une vision, ne voit aucune couleur, mais se voit elle-même et les autres visions ; conçois-tu qu'il y ait une vision de cette sorte ? » Platon (Charmide).

Luisante, bombée, molle en ses confins, l'image-vidéo (ni « plan », ni « cadre ») s'oppose physiquement, pour qui la regarde, à l'image-film sèche, rigide, aiguë, verticale en son temps. Comment l'image peut-elle mettre en scène son propre principe, se faire image-philosophique ? La suite d'images-vidéo ci-après décrites vise moins à illustrer les textes qui précèdent qu'à s'y substituer :

• Un paquet ficelé (plein-tube). Par une déchirure du papier on aperçoit une image, un fragment d'image-vidéo, un tableau, un bout de tableau célèbre. (La luminosité spécifique de l'image-vidéo « saignant » en quelque sorte de cette « plaie »).

• Un cadran solaire sur lequel est braquée une caméra vidéo « de surveillance ». Il pleut à verse.

• Le tube d'un récepteur de télévision éteint. (Le tube « plein-tube », c'est-à-dire devant se substituer à celui du récepteur du téléspectateur. On entrevoit vaguement (meubles, corps, fenêtre...) un intérieur-jour.

• Le tube présente une image d'un film de la taille exacte qu'a l'écran dans le cinéma ; mais c'est une réduction électronique. Autour de l'image, rien, du noir grisé, du vide TV.

• Image de vide gris-blanc, soudain éclaboussant et coulant de haut en bas sur la vitre bombée jusque-là invisible qui épouse le récepteur du téléspectateur, une coulure glaireuse sanglante, vomissure ?... (En déroulement ininterrompu dans le bas du tube l'inscription : « Ne pas toucher »...).

• Etc.

ANDRÉ SCALA
ET
PHILIPPE COLLIN
Professeur de philosophie. Réalisateur.

237

© JAQUES ROBERT/NRF

YVON BELAVAL

UN AUTODIDACTE
EXEMPLAIRE

entretien avec
YVON BELAVAL

Après un parcours sinueux qu'il évoque ci-après, Yvon Belaval est devenu professeur à l'université de Paris-I. Sa spécialisation universitaire dans la philosophie des xviie et xviiie siècles (Leibniz, Diderot) ne l'a pas empêché de maintenir toujours vivant un contact actif avec la poésie, dont témoignent de nombreux essais. Principaux ouvrages : *Leibniz critique de Descartes* (1960), *Le Souci de sincérité* (1944), *La Revanche avec Max Jacob* (1945), *L'Esthétique sans paradoxes* (1971) publiés chez Gallimard. *Digressions sur la rhétorique*, (Ramsay, 1988).

Autrement. - Yvon Belaval, quelle a été votre formation professionnelle ?

Yvon Belaval. - Parler de moi ! Je ne l'ai jamais fait, je suis comme ça. Quand on songe qu'à l'âge de douze ans j'ai publié des vers ! J'aurais dû les jeter aux orties tout de suite. Mais on trouve toujours plus idiot qui vous admire... C'était la province. À l'époque, la grande poésie, c'était Edmond Rostand, il n'était rien au-dessus. Je voulais être poète, bien entendu. Je ne savais pas ce qu'était vouloir être poète. J'avais une grande facilité à faire des vers de rien du tout. Ça m'amusait beaucoup.

Je ne suis pas né dans la fortune. Ma mère est née à Nevers d'une famille originaire d'Auvergne. Elle m'a raconté la vie d'alors dans le milieu pauvre dont elle était. Par économie, on l'avait expédiée chez un misérable parrain, quai de Grenelle ; elle y vit s'édifier, année après année, la tour Eiffel par un vasistas des cabinets ! On la mit au travail, dès que ce fut possible. Elle commença par faire les courses dans une grande maison de couture, dont le patron était breton (d'où mon prénom Yvon), gentil et assez mondain.

Passait là à l'heure du déjeuner un grand braillard qui s'amusait à tirer les longues nattes de ma mère : c'était Jaurès.

Mon père était de Montpellier, mais commença sa carrière comme commis des Postes, boulevard Saint-Germain. Après leur mariage, ils sont venus à Sète, où je suis né. Je n'ai pas de souvenir de mon père, mort à trente ans, de tuberculose. Ma mère s'est attachée au soleil de Montpellier : elle n'a plus jamais voulu revenir à Paris, identifié à trop de misères. Elle a dû apprendre un métier et gagner sa vie, même après son remariage avec le sous-bibliothécaire de la ville.

Une grande bibliothèque ! J'avais la clé, j'étais chez moi, je m'y promenais. Je trouvais au Fonds Cavalier toutes les éditions de Rabelais, la collection des Fermiers généraux, des reliures étonnantes, par exemple hollandaises, dont les tranches offraient, livre fermé, des coloris non figuratifs, mais laissaient apparaître, dès qu'on pliait l'ensemble des pages à gauche ou à droite, deux paysages différents.

Un jour je choisis au hasard une revue locale dans laquelle je découvre un incroyable poète, dont je n'avais jamais entendu parler. « Mon Dieu, que ces vers sont beaux ! » me dis-je ; « Alors les miens ne valent rien... ».

Arthur Rimbaud, venait d'un coup de m'arrêter. Mais si je n'ai plus écrit de vers j'ai continué à en lire, et beaucoup. C'étaient mes lectures favorites et ça l'est resté. Ainsi ai-je toujours fait : j'ai lu ce qui me tombait sous la main. Quand je fus à l'école de navigation plus tard, sans le sou, je trouvai à Marseille un libraire qui non seulement vendait, mais aussi louait des livres ; je n'avais rien, je louais sans honte (j'ai acheté assez tard, il a fallu que j'aie un traitement). J'ai pu lire ainsi tout Byron dans une traduction qui datait, mais m'apparut si belle !, tout Goethe, de grands historiens. J'avais du temps alors.

C'est très singulier : vous êtes passé de la poésie à la philosophie...

J'avais l'esprit assez méthodique — et puis j'ai fait mille choses. Je changeais de métier comme de chemise. J'ai fait de tout, parce que personne ne m'aidait. J'étais seul, complètement autodidacte. Le premier article que j'ai écrit et qui a été publié dans le *Journal de psychologie* portait sur les visions hypnagogiques. Or je ne savais pas ce que signifiaient le mot « perception » ou d'autres aussi simples ! Je ne savais rien, mais j'observais ! La philosophie... Je fis d'abord de la psychologie surtout. Elle était écoutée, tandis que maintenant... Elle revient, sous forme de diagrammes soi-disant scientifiques. Je n'ai pas vraiment été tenté de faire des études de psychologie. Il y avait beaucoup de psychologues, dont je ne parle pas, mais que je relisais. Mais je n'ai pas voulu continuer, car l'élan qui m'a finalement poussé à faire de la philosophie, malgré moi, ne me pous-

sait pas du côté des psychologues ; en lisant le grand traité de Dumas, je me fis la remarque (si vous me permettez l'expression dont j'usais pour moi-même) : « Ils sont vraiment trop cons. » Il y avait des pionniers, mais qui ne m'ont pas enthousiasmé. Tandis que la philosophie...

Le trajet qui me menait, sans que je le sache, à la philosophie est au fond assez facile à comprendre. Je simplifie à l'extrême : je suis parti de la poésie ; la poésie comprenait surtout en ce temps-là le surréalisme. Le hasard m'a fait tomber — ça venait de paraître depuis deux ou trois ans, je ne le savais pas, personne à Montpellier ne le savait non plus — sur la traduction de *La Science des rêves*, de Freud (mauvaise traduction du titre d'ailleurs, qui veut simplement dire « l'éclaircissement » du rêve, et non la « science » *Traumdentung*).

La poésie me mena au surréalisme, qui me mena au rêve — que j'ai étudié par moi-même. Mais je ne distinguais pas la psychanalyse de la philosophie ! Pour moi, leur but était le même, je cherchais, je cherchais ! Je trouvais des choses, c'était assez amusant.

Pourriez-vous nous parler de vos « débuts » en philosophie ?

Je ne peux vous parler de ma classe de philosophie, puisque je ne l'ai pas faite : je n'ai suivi qu'un seul cours au lycée, le premier, sur la méthode de Claude Bernard. Le professeur, récemment démobilisé (ça se passait vers 1925-1926...), subissait encore le contrecoup des fièvres qu'il avait attrapées au détroit des Dardanelles. Il s'était tourné vers la théosophie. Son cours ne nous intéressait pas. Après différents épisodes, je suis entré pour la première fois en faculté en Algérie. Comme j'avais un métier en même temps, j'avais demandé à mon supérieur de me permettre de sortir pour aller tel jour à cinq heures du soir en cours. Le professeur était Poirier.

Un grand gaillard faisait un exposé au bureau (on dirait que les mêmes sujets vous poursuivent — vous en serez vous-mêmes surpris) sur... l'esprit de la méthode selon Claude Bernard. Cet étudiant ne savait pas où mettre ses jambes. Il s'était reculé pour ne pas être trop près du bureau et avait croisé ses jambes, il tenait la pointe de son soulier et parlait avec éloquence, avec facilité. Un philosophe ! J'écoute, je trouve ça intéressant... Le cours fini, je sors avec Poirier et d'autres. Celui-là me regarde :

— « Que dites-vous de cette conférence ?

— J'en dis que... C'est trop difficile. Jamais je ne ferai des choses comme ça.

— Vous voulez rire ! Ce qu'il a fait était nul ! Au lieu de faire de la philosophie (il voulait dire par là la logique), il lit les auteurs russes. A-t-on idée ? »

J'avais trouvé ce garçon épatant. Avec raison. C'était Camus.

J'ai rencontré là Jean Grenier, qui est devenu mon ami : un homme extraordinaire, très fin — qui n'avait pas beaucoup travaillé la philosophie, mais avait fait une thèse honorable sur Lequier. Il habitait un très bel endroit au-dessus d'Alger, Ydra, le nom grec pour « l'eau », une merveille. Grenier avait été le professeur de la plupart des écrivains de là-bas. Il venait de publier *Les Iles*, un très beau livre. Son meilleur ?

La guerre est arrivée, je suis parti. Alger est une des villes où je suis resté le moins. Je m'étais marié. Ma femme était professeur d'allemand. On l'a nommée à Caen. La philosophie me demandait beaucoup de travail ; il fallait tout apprendre et j'apprenais tout, seul, à partir de rien. Je

finis par bien connaître Platon, spécialement le *Gorgias* ; Nietzsche aussi, dans lequel on retrouve presque les mêmes phrases, le sens général.

J'ai lu Nietzsche dans toutes les éditions parues en France que je pouvais trouver à Oran, à Alger... Je lisais et relisais tout. J'eus ma crise nietzschéenne comme on doit l'avoir quand on est très jeune. L'expérience en valait la peine. Il est des poèmes que je sais par cœur comme *Es ist nacht*, l'un des plus extraordinaires de la poésie internationale, à mon goût. Je n'ai rien publié sur Nietzsche. Quand j'ai vu ce que l'université en faisait, j'ai dit non. Volontairement.

Il ne faut pas subir d'influences, on le paie trop cher : on perd beaucoup de temps à convertir en âneries les bonnes pensées que d'autres ont bien écrites.

À Caen, on m'a nommé pion, mais j'allais aussi d'un établissement à un autre remplacer les professeurs malades. Je surveillais, aussi bien les enfants de septième que les garçons (en uniforme) qui préparaient Polytechnique et que l'on commençait à appeler les « cadavres », tant leur pâleur, due à l'excès de travail, était prononcée. J'ai achevé ma licence à la faculté de Caen.

En philo, j'ai eu le professeur le plus strict, car j'en eus un tout de même (un an, mais j'ai pour lui une reconnaissance éperdue). Bien que docteur, il n'était pas nommé professeur. En cet excellent professeur, très consciencieux, j'ai trouvé un maître d'une sévérité terrible, en même temps que d'une bonté à toute épreuve. C'était un type timide, formidable. Comme il préparait ses cours ! C'était Robert Blanché. « Faites-moi une dissertation, que je vous connaisse », disait-il. Mais je ne savais pas ce qu'était une dissertation. Je ne savais pas ce qu'il fallait faire. Il n'était pas content :

« Vous savez beaucoup de choses, même plus que moi sur le sujet... Ce que vous m'avez remis est très intéressant, intelligent, mais cela n'a pas la forme d'une dissertation universitaire ! Il faut m'apprendre ça ». Il m'a dit alors ce qu'il fallait faire, m'a pris, comme un instituteur vous prend. Blanché était adorable. Je lui dois beaucoup. C'est quelque chose, un professeur qui vous lit ainsi, comme un professeur de piano qui vous indiquerait « il ne faut pas tenir le pouce comme ça » ; c'est énorme.

Il vous a fallu apprendre à vous plier aux exigences universitaires puisque vous avez, à l'université de Caen, achevé vos études de philosophie...

En latin, pas de problème ; je pouvais, à Caen, discuter de *in gurgite vasto*, la scène de la tempête dans Virgile[1]. Pour moi, ce n'était pas du latin, mais ma première langue vivante. Sans faire le malin, je peux dire que cette scène, où les marins sont pris dans les remous et noyés, était comme dans un patois local. On m'avait mis dans un village de trois cents âmes. On n'y parlait pas le français, les vieux ne le savaient pas.

Aujourd'hui, on ne fait plus de grec, ni de latin. C'est assez terrible : comment voulez-vous que les études soient poussées ? Combien de types sont arrêtés parce que leur auteur est écrit en latin, comme Leibniz, dont le latin n'est pas artificiel. Mais je n'ai pas de nostalgie : si on a le goût de la chose intellectuelle on a toujours à faire. Je réussis mes examens, mais je ne savais pas ce que j'avais passé, « ce qu'il fallait faire dans ces examens ».

Après ces aventures de licence, il a fallu que je passe un diplôme, comme cela s'appelait à l'époque. Je le fis sur la poésie et le rêve. Comme j'avais déjà travaillé sur ces problèmes, ce fut sans difficulté, je pris une année scolaire et ce fut fini. Je passai alors l'Agrégation avec un retard sur tous les autres, forcément. C'était en 1939-1940, je suis né en 1908. Un jour, au bas de la rue Saint-Jacques, j'achetai dans une boutique, qui vendait tous les programmes d'agrégation, celui de philosophie. C'était à moi de travailler, dans notre maisonnette de trois sous, au-dessus de Caen. Nous étions fauchés, n'avions rien, mais j'achetais les livres. Je lus tout Platon. Bien entendu je ne travaillais pas tous les dialogues, il y en a trop. Et je lus les autres auteurs dudit programme. Certains lisaient sur les auteurs. J'eus ainsi un voisin qui préparait l'épreuve comme moi, mais pas de la même manière. « Je ne lis pas Kant, c'est trop long ! Un an c'est court ! — Que faites-vous alors ? — J'apprends par cœur des notes de cours. » Il était prêt à tout pour ça ! Cet homme a enseigné une année à Vichy, puis a fait le séminaire et a voulu écrire une thèse sur le thème de l'analogie chez Guillaume de St-Pourçain, qu'il n'a d'ailleurs à ma connaissance jamais présentée. Quoi qu'il en soit, il fut reçu premier.

Quand est venue l'épreuve de grec de l'Agrégation, je tire dans le *Gorgias*, le passage où Calliclès, le type de droite qui défend la force, apostrophe Socrate : « Socrate, tu m'as l'air de lâcher la bride à ton éloquence en véritable orateur politique... »[2]. C'est une très belle page. On pourrait croire du Nietzsche. C'est la force qui prime le droit, et doit le primer, affirme-t-il. Rien n'est affaibli, c'est la grandeur de Platon : il n'affaiblit jamais l'adversaire, il le renforce au contraire. Quand il a fini, Socrate lui répond : « Oui, c'est très bien ce que tu dis, très bien. Mais puis-je te poser des questions ? Mes questions, sais-tu, sont en général très courtes, un

mot, deux mots suffisent. Ce ne sont pas des discours. Je ne serais pas capable de faire de belles envolées comme toi... Mais je n'ai pas compris et je ne comprends toujours pas ce que tu appelles le plus fort. Qu'est-ce que le plus fort ?
« Le plus fort, est-ce le plus robuste ?
— Mais non, je ne parlais pas de ça...
— Alors, est-ce la foule ? »
Dire ça à un homme de droite !
— « Tu veux rire ! Ce n'est pas ça. » Enfin, de définition en définition, il prouve à l'autre qu'il ne sait pas ce que signifie « le plus fort ». Il embobine alors ce pauvre Calliclès jusqu'à la fin, et il le met par terre. Cela est admirable. Ainsi ai-je fait ce jour-là tout mon petit travail ; cela a très bien marché, j'ai été reçu. D'autres non, bien plus forts que moi, et qui le méritaient mille fois, mais qui n'avaient été qu'élèves ; moi non. Je ne l'ai été qu'une fois. Le plus souvent, qui avais-je comme professeur ? Moi-même. Tout de même, cela ne suffit pas. Comme j'ai travaillé !... Mes cahiers de notes... Je faisais presque des cours de professeur. Plus tard, qu'est-ce que cela va devenir ? Quand j'en trouve, je jette toujours, pour qu'il ne reste rien.
J'insiste sur cette question. Il faut lire tout, lire de tout, parce que tout s'enchaîne, l'un vous conduit à l'autre. Par exemple, sans Nietzsche peut-être n'aurais-je pas lu Schopenhauer. Très tôt, je travaillais sérieusement le grec. Je l'étudiais jusqu'à une ou deux heures du matin. Dans la journée, il n'était pas question de lecture, je travaillais à la douane. Le soir, je lisais en mangeant ; je n'arrêtais pas. C'était trop !

Voilà encore une preuve que vous étiez un intellectuel, pas un professeur. Pourtant, il a bien fallu que vous conciliez vos intérêts et la nécessité de gagner votre vie...

Une fois agrégé, on m'a nommé au Lycée du Mans. C'était la première année de guerre. Tout se passait dans une atmosphère nocturne de tunnel, c'était horrible. L'atmosphère était très bizarre, avec ce mélange très curieux qu'introduisaient antipathies ou sympathies politiques (mais surtout patriotiques : on était pour ou contre les Allemands).
Terrible sociologie de la France : à Caen, où je fis un (bref) remplacement de Blanché en mathématique élémentaire, les étudiants étaient d'un patriotisme formidable : un pilote anglais ayant été descendu au-dessus de la ville tout au début de la guerre, on l'a enterré au cimetière le plus proche et ils y sont allés — c'était interdit par les Allemands, ils y sont allés tout de même et se sont battus, armés... de pompes de bicyclettes.

Au Mans, je me suis cru revenu au temps de Balzac ; tout se faisait avec accompagnement d'un curé — c'était une autre planète. Il y avait des types héroïques — mais très peu. Il y avait les instituteurs. La Résistance marchait surtout grâce à eux, à la campagne, pas à la ville.
Que s'est-il passé pendant la guerre ? J'étais dans la Résistance (je ne dis pas cela pour faire le héros — j'ai d'ailleurs toujours refusé qu'on le dise. Pourquoi ? Parce que tous mes amis y sont morts, quelquefois dans des conditions abominables). À cette période, j'étais obligé de venir à Paris assez souvent. J'avais rendez-vous devant le musée de l'Homme ; on m'envoyait chez un grand bonhomme de la Résistance, qui avait été maire de Beyrouth au temps de la paix et à qui je passais des messages. Je prenais donc le train. Le Mans-Paris, Paris-Le Mans. Je n'ai jamais vu les Français lire autant ! Les trains ne comportaient que des lecteurs, et qui ne lisaient pas

d'âneries : on voyait fréquemment des gens, qui ne faisaient pas d'études, lire du Platon dans la collection Budé. On lisait tout ce qu'on pouvait trouver : tant de livres étaient interdits, à commencer par toute la littérature anglaise. Mais on lisait. Les livres se vendaient alors comme des petits pains.

Il n'y avait pas tout ce papillonnage auquel nous convie, aujourd'hui, le progrès : pas la télévision, à peine quelques radios. Je suis pessimiste à cet égard, car la vieille culture est gravement menacée.

Je suis resté professeur au Mans jusqu'en 1948 je crois, puis à Paris, à Lakanal. Mes élèves de Lakanal me suivent encore. Comme la vie change ; l'un est directeur à la RATP, l'autre organisateur dans une chaîne de radio... Dans le supérieur, j'ai été nommé à Strasbourg, avant d'être docteur (je finissais ma thèse), comme chargé d'enseignement. Je remplaçais celui que j'ai toujours suivi ensuite dans ma carrière, un homme charmant auquel je ne ressemble pas, Ricœur. J'occupais son bureau. Il y avait laissé pour un temps tout le fonds Husserl, en photocopie. Plus tard, j'ai remplacé Ricœur à la Sorbonne, quand il est allé à Nanterre.

Il y a chez vous, semble-t-il, intérêt égal pour les livres, les bibliothèques immenses qui permettent toutes les découvertes, et les rencontres d'hommes, parfois déterminantes (Max Jacob, Jean Paulhan, Jean Grenier, Robert Blanché). Ce ne sont pas là deux intérêts rivaux, mais comme l'envers et l'endroit d'une même activité. Pouvez-vous nous relater quelques-uns des hasards de rencontres de cette époque ?

Mon ambiguïté, comme vous l'avez senti, vient d'une autre voie : de la littérature proprement dite. Par conséquent, si je connais du monde à Paris ce sont des écrivains, des poètes, des peintres.

Les philosophes, je ne les cherche pas.

Un des gardes du corps de Trotsky est venu me voir comme mathématicien, après ma thèse, qui l'emballait. C'était Jan Van Heijenhoort. Il avait fait ses études ici, à Henri IV. Il parlait le français mieux que vous et moi. Il savait toutes les sciences, toutes les langues. Il me disait : « on voit bien que vous n'êtes pas mathématicien de formation totale ». Il habitait le Mexique, il s'était marié avec une Mexicaine (quand Trotsky a été tué, il était en vacances ; il revenait de temps en temps en Hollande voir sa vieille mère). Son mariage a été sa faute : toutes les facultés américaines l'achetaient, lui faisaient des ponts d'or pour qu'il vienne faire des cours de mathématiques ; mais sa femme n'était pas contente de voir son mari repartir pour tant de voyages. Elle était jalouse. Elle dit : « il raconte qu'il va faire des mathématiques ; mais savoir s'il en fait ? » (il n'est que les ignorants pour avoir de ces phrases). Il l'emmenait à Mexico, puis il repartait aux États-Unis. Il paraît qu'elle était très belle. Un jour, il revient, il n'en pouvait plus (vie épuisante que ce balancier). Il faisait très chaud. Il se couche pour une sieste sur le lit sans se déshabiller. Alors sa femme s'approche de lui et lui tire trois balles de revolver dans la tempe.

Quelques-unes de mes rencontres sont liées dans le souvenir à une passion. J'ai eu comme élève un fils de Joliot-Curie qui avait les maths et la physique en horreur... À la maison tout le monde en parlait. Que voulait-il faire ? Nous avions en commun cette grande passion... pour les animaux ! Ce fils Joliot-Curie trouva sa voie : il fit des études de sciences biologiques.
Mais l'être le plus extraordinaire

avec lequel je partageais cet intérêt pour les bêtes fut Jacques Trémolin. Il portait un double marquisat ; c'était un noble tout à fait authentique. Il a fait les pires folies, est allé se battre en Espagne. Il était de gauche, il fut au parti communiste, un temps. Il a eu un tas d'histoires ; ensemble nous ne parlions pas des gens mais des animaux.

Dans la rue, les mômes parisiens le suivaient. Il les conduisait au zoo, caressait les fauves. C'était un noble, vraiment, pas seulement de sang, mais de caractère. Il a fait la Résistance dans des conditions inouïes. Exemple : du côté de chez lui, dans l'Ardèche, était un village occupé par les Allemands dont l'accès restait interdit. Il fallait cependant y entrer. Comment ? Dieu fait bien les choses : il y avait un pèlerinage dans ce village pour je ne sais quel saint. Mais les admis à y accéder étaient triés sur le volet ; il n'y avait que des prêtres. Que fait Jacques ? Il prend un affublement de curé, cache des grenades sous sa soutane et suit le convoi. Il repère par un vasistas des Allemands en train de discuter dans un sous-sol et, en braillant comme s'il chantait des hymnes, il balance une grenade, et file comme un zèbre. Mais c'est qu'on ne peut guère courir avec une soutane (et Jacques avait été blessé avant la guerre). Il ne l'avait pas prévu. Il fut arrêté, puis libéré par ses copains. Il aurait été fusillé. Il s'en est sorti. Il en avait vu de toutes les couleurs.

J'ai écrit un poème début janvier. Je ne sais pas pourquoi. Il s'est écrit tout seul en moi, sans moi. C'est la mort... Les morts auxquelles j'avais assisté. Tombeaux. J'ai vu mourir Jean Paulhan. Un ami. Sa mort m'a beaucoup frappé. Elle s'est passée comme celle d'Alexandre Koyré (au chevet de qui j'ai été), à la Clinique de Hartmann. L'attitude de Paulhan immobile, comme une statue de marbre, avec juste cette crispation des paupières... Je ne sais quel éclat (semblait-il) alternatif dans les yeux.

Cela fait tant de vies différentes.

(Propos recueillis par J.M., J.R. et E.T.)

1. *Énéide* I, 118/119.
1. Platon : *Gorgias*, 482 c, trad, A. Croiset, *Les Belles Lettres*, p. 59 et 161.

GENEALOGIE PHILOSOPHIQUE : LES FILIATIONS PRINCIPALES

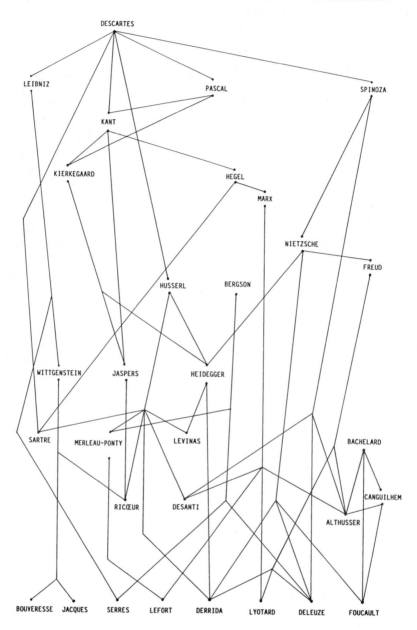

5

REPÈRES

DATES	BIBLIOGRAPHIE PHILOSOPHIQUE ÉLÉMENTAIRE	ÉVÉNEMENTS, HISTOIRES, DÉBATS, REVUES
1941	Jean Hyppolite traduit la Phénoménologie de l'esprit de Hegel.	
1943	Canguilhem, Essai sur quelques problèmes concernant le normal et le pathologique. Sartre, L'Être et le Néant.	
1944	Kant, Critique de la raison pure, trad. Tremesaygues et Pacaud.	
1944	Laporte, Le Rationalisme de Descartes. Bataille, Sur Nietzsche.	Fondation des Temps modernes.
1946	Jaspers, La Culpabilité allemande. Blanché, La Science physique et la réalité.	
1947	Heidegger, Lettres sur l'humanisme. Levinas, De l'existence à l'existant. Kojève, Introduction à la lecture de Hegel. S. Weil, La pesanteur et la grâce. Gramsci, Lettres de prison. Goldschmidt, Dialogues de Platon. Levi-Strauss, Les Structures élémentaires de la parenté. Belaval, La Recherche de la poésie.	
1948	Merleau-Ponty, Sens et non-sens. Gouhier, Les Conversions de Maine de Biran. Ricœur, Karl Jaspers et la philosophie de l'existence.	
1949	Levinas, En découvrant l'existence avec Husserl et Heidegger. Ricœur, Philosophie de la volonté, I. S. Weil, L'Enracinement.	
1950	E. Weil, Logique de la philosophie. F. Alquié, La découverte métaphysique de l'homme chez Descartes. Groethuysen, Jean-Jacques Rousseau.	
1951	Goodman, La structure de l'apparence, (USA). Mounier, Le personnalisme. Arendt, Les origines du totalitarisme, (USA).	
1952	M. de Gandillac, La sagesse de Platon. Gouhier, Le théâtre et l'existence.	
1953	Léo Strauss, Droit naturel et histoire, (USA). Deleuze, Empirisme et Subjectivité. Goldschmidt, Le Système stoïcien et l'idée de temps. Wittgenstein, Investigations philosophiques, (GB). Guéroult, Descartes selon l'ordre des raisons. Groethuysen, Anthropologie philosophique.	Création de Socialisme ou Barbarie (Lefort, Castoriadis).

Année	Œuvres	Événements
	Marcuse, *Éros et civilisation*. Merleau-Ponty, *Les Aventures de la dialectique*. Wahl, *Traité de métaphysique*. Blanché, *L'Axiomatique*. Canguilhem, *Connaissance de la vie*.	
1956	E. Weil, *Philosophie politique*.	
1957	Jankélévitch, *Le je-ne-sais-quoi et le presque-rien*. Koyré, *Du monde clos à l'univers infini*. S. Bachelard, *La Logique de Husserl*. Aron, *La tragédie algérienne*.	Création du réseau Janson. Polémique autour de Revel : *Pourquoi des philosophes ?* Camus à Stockholm pour le Nobel : « *Je crois à la justice mais je défendrais ma mère avant la justice.* »
1958	Arendt, *Condition de l'homme moderne*. Starobinski, *Jean-Jacques Rousseau, la transparence et l'obstacle*. Dumézil, *L'Idéologie tripartite des Indo-Européens*. Lévi-Strauss, *Anthropologie structurale*.	Comité national universitaire de défense de la République : Jankélévitch, Ricœur...
1959	Trad. française de Weber : *Le Savant et le Politique*. Althusser, *Montesquieu, la politique et l'histoire*.	Colloque sur le mot « structure » à la VIe section de l'EPHE : Lévi-Strauss, Benveniste, Merleau-Ponty...
1960	Sartre, *Critique de la raison dialectique*. Merleau-Ponty, *Signes*. Gadamer, *Vérité et méthode*. Quine, *Le mot et la chose*, (USA). Belaval, *Leibniz, critique de Descartes*. Ricœur, *La symbolique du mal*.	Manifeste des 121. Colloque de Bonneval sur l'inconscient.
1961	Levinas, *Totalité et infini*. Weil, *Philosophie morale*. Foucault, *Histoire de la folie à l'âge classique*. M. Alexandre, *Lecture de Kant*.	Début du débat qui conduira Derrida à écrire « Le Cogito et l'Histoire de la folie » et Foucault à lui répondre. Première représentation en France de *Moïse et Aaron* de Schoenberg.
1962	Habermas, *L'Espace public*. Austin, *Quand dire c'est faire*, (GB). Kuhn, *La Structure des révolutions scientifiques*. Derrida, *L'Origine de la géométrie*. Vernant, *Les Origines de la pensée grecque*.	Mac Luhan, *La Galaxie Gutenberg*. *Arguments*, dernier numéro : éloge de l'inconséquence (Kolakowski). *Esprit* : La pensée sauvage et le structuralisme.
1963	Levinas, *Difficile liberté*. Foucault, *Naissance de la clinique*. Henry, *L'Essence de la manifestation*.	
1964	Merleau-Ponty, *Le visible et l'invisible*. Marcuse, *L'Homme unidimensionnel*. Wittgenstein, *Remarques philosophiques*. Lefort et Morin, *Marxisme et Sociologie*. Bruaire, *Logique et Religion chrétienne dans la philosophie de Hegel*. Martin, *Logique contemporaine et formalisation*.	Ouverture du séminaire de Lacan rue d'Ulm. *Esprit* : Faire l'Université. Nietzsche : colloque de Royaumont.

249

1965	Althusser, *Lire le Capital*. S. Bachelard, trad. de Husserl, *Logique formelle et logique transcendantale*. Ricœur, *De l'interprétation*. Leroi-Gourhan, *Le Geste et la Parole*. Vernant, *Mythe et pensée chez les Grecs*.	*Temps modernes* : discussion sur Damisch : la culture de poche. Faye, Sartre à la mutualité : *Que peut la littérature ?* *Socialisme ou barbarie* : dernier numéro.
1966	Foucault, *Les Mots et les Choses*. Benveniste, *Problèmes de linguistique générale*. Adorno, *Dialectique négative*. Aron, *Démocratie et Totalitarisme*. Lacan, *Écrits*. Macherey, *Pour une théorie de la production littéraire*.	*Cahiers pour l'analyse* : premier numéro. *Aletheia* : numéro sur le structuralisme. Agitations situationnistes (*vivre sans temps mort et jouir sans entraves*).
1967	Derrida, *L'Écriture et la Différence*, *De la grammatologie*, *La Voix et le phénomène*. Bourdieu et Passeron, *Les Héritiers*. Blanché, *La Science actuelle et le rationalisme*. Aron, *Les Étapes de la pensée sociologique*. Panofsky, *Architecture gothique et Pensée scolastique*.	Glucksmann : critique d'Althusser dans *Les Temps modernes*. Debray prisonnier en Bolivie. Debord, *La Société du spectacle*.
1968	Desanti, *Les Idéalités mathématiques*. Dufrenne, *Pour l'homme*. Labarrière et Jarczyk, *Structures et Mouvement dialectique dans la Phénoménologie de l'esprit de Hegel*. Habermas, *Connaissance et Intérêt*. Vuillemin, *Leçons sur la première philosophie de Russell*. Granger, *Philosophie du style*. Canguilhem, *Études d'histoire et de philosophie des sciences*. Deleuze, *Différence et Répétition*.	L'Odéon occupé en mai : « Marcuse, Marx, Mao ». Soljénitsyne : *Le Pavillon des cancéreux*.
1969	Ricœur, *Le conflit des interprétations*. Foucault, *L'Archéologie du savoir*. Deleuze, *Logique du sens*. Serres, *Hermès I, La communication*. Gusdorf, *La Révolution galiléenne*.	Sartre et Beauvoir dirigent *La Cause du peuple* et *L'Idiot international*.
1970	Bourgeois, trad. de la *Science de la logique*. Nabert, *Essai sur le mal*. Althusser, « Idéologie et AIE » (*La Pensée*). Jacob, *La Logique du vivant*. Monod, *Le Hasard et la nécessité*. Foucault, *L'Ordre du discours*.	Démission de Ricœur comme doyen de l'Université de Nanterre.
1971	Rawls, *Théorie de la justice*, (USA). Levinas, *Totalité et Infini*. Lefort, *Éléments pour une critique de la bureaucratie*. Bouveresse, *La Parole malheureuse*.	Foucault, Domenach, Vidal-Naquet fondent le groupe d'information sur les prisons. Manifeste de 343 femmes pour le droit à l'avortement. Commission Foucault-Deleuze... dans l'« affaire Jaubert ».

	Deleuze et Guattari, *L'Anti-Œdipe*. Sartre, *L'Idiot de la famille*. Dumont, *Le Scepticisme et le phénomène*. Philonenko, *L'Œuvre de Kant*. Lefort, *Le Travail de l'œuvre, Machiavel*.	Colloque de Royaumont : *l'unité de l'homme*. Sur le fascisme dans la démocratie : Foucault et Glucksmann dans *Les Temps modernes*.
1973	De Certeau, *L'Invention du quotidien*. Foucault, *Surveiller et Punir*. Dumézil, *Mythe et Epopée*. Bouveresse, *Wittgenstein : la rime et la raison*. Pariente, *Le Langage et l'Individuel*. Rancière, *La Leçon d'Althusser*.	Bourdieu contre les sondages d'opinion dans *Les Temps modernes*. *La Cause du peuple* : dernier numéro.
1974	Levinas, *Autrement qu'être ou au-delà de l'essence*. Habermas, *Théorie et Pratique*. Clastres, *Le Grand Parler*. Thom, *Modèles mathématiques de la morphogénèse*.	Sartre : *On a raison de se révolter*. Soljénitsyne : *L'Archipel du Goulag*.
1975	Feyerabend, *Contre la méthode*, (USA). Patoka, *Essais hérétiques sur la philosophie de l'histoire*. Desanti, *La Philosophie silencieuse*. Fodor, *Le langage de la pensée*, (USA). Ricœur, *La Métaphore vive*. Foucault, *Surveiller et Punir*. De Certeau, *L'Écriture de l'histoire*. Glucksmann, *La Cuisinière et le mangeur d'hommes*. Castoriadis, *L'Institution imaginaire de la société*.	*Actes de la recherche en sciences sociales*. *Révoltes logiques*, numéro 1. Bourdieu, *L'ontologie politique de M. Heidegger*. Fondation du Groupe de Recherche sur l'Enseignement Philosophique.
1976	Foucault, *Histoire de la sexualité I, La volonté de savoir*. Aron, *Penser la guerre, Clausewitz*. Eliade, *Histoire des croyances et des idées religieuses*. Bouveresse, *Le Mythe de l'intériorité*.	Apparition médiatique d'une « nouvelle philosophie ». Balibar, *Sur la dictature du prolétariat*. Présentation de la « Théorie des catastrophes » par R. Thom dans *Le Monde*.
1977	Dumont, *Homo Aequalis*.	B.-H. Lévy, *La Barbarie à visage humain*. Aubral/Delcourt contre la nouvelle philosophie. Deleuze, *A propos des nouveaux philosophes*. *Libre*, numéro 1. Greph, *Qui a peur de la philosophie ?* (Champs/Flammarion).
1978	Lyotard, *Instructions païennes*. Machery, *Hegel ou Spinoza*.	Critique, *La philosophie malgré tout* : Bouveresse, Châtelet, Martineau, Descombes, etc. Foucault, « A quoi rêvent les Iraniens » (*Le Nouvel Observateur*). Prise de position publique de R. Faurisson. Réponse de Wellers et O. Wormser-Migot. Les textes de réponses sont devenus de plus en plus nombreux.

1979	Barret-Kriegel, *L'État et les Esclaves*. Descombes, *Le Même et l'Autre*.	Debray, *Le pouvoir intellectuel en France*. Bourdieu, *La distinction*. États généraux de la philosophie (mai). Une délégation d'« un bateau pour le Viêt-nam » (Sartre, Aron, Foucault, Glucksmann) est reçue par VGE.
1980	C. Lefort, *Droits de l'homme et politique* (Libre n° 7). M. Gauchet, *Tocqueville, l'Amérique et nous* (Libre n° 7). Deleuze et Guattari, *Mille plateaux*. Bourdieu, *Questions de sociologie*. P. Jacob, *L'empirisme logique, ses antécédents, ses critiques*.	Entretien Sartre et B. Lévy dans « *Le Nouvel Observateur* ». 20 000 personnes aux obsèques de Sartre à Montparnasse. *Le Débat* : numéro 1.
1981	Lefort, *l'Invention démocratique*. Deleuze, *F. Bacon, Logique de la sensation*. S. de Beauvoir, *La Cérémonie des adieux*.	Campagne de mobilisation en faveur de R. Knobelspiess. Finkielkraut, *L'avenir d'une négation*. Hamon et Rotman, *Les Intellocrates*.
1982	Manent, *Tocqueville et la Nature de la démocratie*. Rosenzweig, *l'Étoile de la rédemption*.	Eco, *Le Nom de la rose*.
1983	Lévi-Strauss, *Le Regard éloigné*. Cahiers de l'Herne, *Martin Heidegger*. Grossmann, *Vie et Destin*. Villey, *Le Droit et les Droits de l'homme*. Deleuze, *L'Image-Mouvement*. Ricoeur, *Temps et Récit I*. L. Ferry, *Philosophie politique I et II*. L. Dumont, *Essais sur l'individualisme*.	Changeux, *L'homme neuronal*. Clair, *Considération sur l'état des beaux-arts*. Colloque Marx au CNRS. Débats sur le « silence » des intellectuels. Création du Collège international de philosophie : Derrida, Châtelet, Lecourt, Faye...
1984	Lyotard, *Le Différend*. Foucault, *L'Usage des plaisirs, Le Souci de soi*.	Claude Lanzmann, *Shoah* (film puis livre).
1985	Beaufret, *Dialogue avec Heidegger IV*. Débat autour de la traduction de *Être et Temps* de Heidegger : Martineau (Authentica) et Vezin (Gallimard). Ferry et Renaut, *La Pensée 68 : essai sur l'anti-humanisme contemporain*.	
1986	Lefort, *Essais sur la politique*. Ricoeur, *Du texte à l'action*. Deleuze, *Foucault*.	J. Testart renonce à la poursuite de ses recherches biologiques *in vitro* pour des raisons d'éthique. Corpus des œuvres de philosophie en langue française.
1987	Henry, *La Barbarie*. Traduction française de Rawls, *Théorie de la justice*. Finkielkraut, *La Défaite de la pensée*. Habermas, *Théorie de l'agir communicationnel*. Dieudonné, *Les Mathématiques aujourd'hui*.	

QUELQUES LIEUX D'ACTIVITÉS...

Où faire de la philosophie (suivre des cours, assister à des conférences, participer à des colloques ou des séminaires, réfléchir en commun...) quand on n'est pas étudiant en philosophie ?

Si l'université est le lieu privilégié de l'enseignement et de la recherche philosophiques, il existe néanmoins, outre le CNRS qui fédère différents laboratoires de recherche spécialisés, des institutions ouvertes au public qui offrent de nombreuses activités philosophiques. Il en existe dans toute la France sous des formes variées. Nous en présentons quelques-unes ici, à titre d'exemples.

LE COLLÈGE INTERNATIONAL DE PHILOSOPHIE

Institution autonome de recherche, le Collège international de Philosophie a été fondé en octobre 1983 à l'initiative de quelques philosophes (F. Châtelet, J. Derrida...) avec l'aide des ministères de la Recherche, de l'Éducation nationale, de la Culture, des Affaires étrangères. Il entend ouvrir un espace public aux nouvelles problématiques, qu'elles soient philosophiques, scientifiques ou artistiques, privilégiant l'esprit de travail en communauté et la rencontre des disciplines et des compétences. Situé aux frontières des disciplines, le Collège développe aussi de nombreux contacts avec les centres et les chercheurs étrangers, les invitant à donner des cycles de conférences, organisant des colloques internationaux (Rencontres franco-allemandes, colloques franco-brésilien, franco-chilien ou franco-italien...), en France ou à l'étranger, et proposant des journées consacrées à la traduction. Aucune qualification particulière ou aucun diplôme universitaire n'est requis pour proposer des séminaires, diriger des programmes ou participer aux activités ouvertes à tous publics. Une Assemblée collégiale, présidée par Éliane Escoubas (à la suite de J. Derrida, J.-F. Lyotard puis M. Abensour) élit des directeurs de programmes chargés d'organiser les séminaires et de proposer des initiatives.

Chaque année, une soixantaine de séminaires ouverts se tiennent régulièrement sur deux semestres (certains en province), offrant un panel très large d'interrogations philosophiques. Par ailleurs, le Collège reconduit tous les ans un Forum public (l'an dernier sur « la communauté », cette année autour du thème : « penser le présent »), auquel participent des invités (C. Lefort, U. Eco, Ch. Taylor...), et multiplie les Rencontres : journées Châtelet, colloques Heidegger, Arendt, Wittgenstein, Kierkegaard, etc.

Le Cahier du Collège (éd. Osiris) rend compte chaque semestre des travaux menés dans l'année, dont certains résultats sont aussi publiés chez Aubier.
Contact : 1, rue Descartes, 75005 Paris.

L'UNIVERSITÉ EUROPÉENNE

A l'heure actuelle en voie d'institution, bien que différents séminaires se soient déjà déroulés sous son égide les années précédentes, l'Université européenne (Association loi de 1901) entend principalement être un lieu d'échange entre enseignants, chercheurs et étudiants venus de toute l'Europe. Sous la tutelle de Jean-Pierre Faye, l'Université se compose de trois collèges : — le Collège de sciences humaines et de philosophie dont le président est Heins Wismann, — le Collège des sciences, dirigé par Gérard Hubert et présidé par Isabelle Steingers, — le Collège des arts, dirigé par Henri Maccheroni et présidé par Michel Butor.

L'Université propose deux types d'activités : une série de séminaires conduits par des chercheurs dont les projets ont été agréés par le Conseil scientifique ; des groupes de recherche réunis en différents centres à vocations multiples qui organisent des rencontres, des colloques, des conférences, etc. La conduite des séminaires ainsi que la participation sont libres et ouvertes à tous, sans conditions de diplômes ou de qualifications particulières. Sont prévus, entre autres et pour exemple, au cours de l'année universitaire 88-89, un colloque scientifique sur le génome, un autre sur la création littéraire et les sciences cognitives, un séminaire sur les Droits de l'Homme, l'État de droit et le droit social, une série de conférences sur le libéralisme politique et économique.

Contact : Université européenne, 1, rue Descartes, 75005 Paris.

LE COLLÈGE DE PHILOSOPHIE

Association (loi de 1901) créée en 1974, le Collège de Philosophie déploie ses activités sous la responsabilité de Luc Ferry et Alain Renaut. C'est à cette équipe qu'on doit notamment la traduction d'ouvrages de l'École de Francfort parus chez Payot dans la collection « Critique de la politique » (dirigée par M. Abensour) : Adorno, *Dialectique négative*, Horkheimer, *Théorie critique* ;

mais aussi un recueil de textes de philosophes allemands sur l'université : *Philosophies de l'université*, ou encore, aux Presses universitaires de Lille, la traduction du livre de Cassirer : *Les systèmes post-kantiens*.

Le Collège de Philosophie organise chaque année des séminaires publics, ouverts à tous librement, centrés autour d'un thème (la pensée politique de Heidegger a fourni en 1988 l'occasion de ces rencontres). Le séminaire qui se tenait auparavant à l'ENS de la rue d'Ulm à Paris, se tient dorénavant à la Sorbonne (amphithéâtre Bachelard) entre décembre et juin.

Contact : Luc Ferry, 31, rue de Poissy, 75005 Paris.

LE CENTRE SÈVRES

Institut d'enseignement et de recherche de la Compagnie de Jésus, le Centre Sèvres a été ouvert en 1974 dans le prolongement de la faculté de philosophie de Chantilly. Outre ses facultés de philosophie et de théologie, le Centre comprend deux départements, l'un de « spiritualité et vie religieuse », l'autre d'« éthique bio-médicale ». On peut s'y inscrire soit comme étudiant, soit comme auditeur (sur la base d'un tarif horaire de 18 F l'heure) pour des enseignements librement choisis. La faculté de philosophie, dont le doyen est Pierre-Jean Labarrière, propose une large gamme d'enseignements, allant de l'étude des auteurs classiques (de Platon à Heidegger) à l'examen des problèmes philosophiques traditionnels ou récents. On y trouvera également des cours d'esthétique, de morale ou de réflexion politique.

Renseignements : Centre Sèvres, 35, rue de Sèvres, 75006 Paris.

PRINCIPALES COLLECTIONS DE PHILOSOPHIE ET REVUES DE LANGUE FRANÇAISE

1. ÉDITEURS ET COLLECTIONS

Il existe un éditeur spécialisé en philosophie : VRIN. Plusieurs collections regroupent ses ouvrages :

Problèmes et controverses, qui rassemble des essais divers, souvent d'actualité.

Bibliothèque des textes philosophiques, dirigée par Henri Gouhier, qui édite les grands textes de la tradition.

Bibliothèque d'histoire de la philosophie, qui rassemble les études sur les auteurs.

Vrin-Reprise, cette ingénieuse collection met à la disposition des étudiants et des chercheurs, pour un prix modique, des ouvrages depuis longtemps épuisés. Elle est animée par un groupe de chercheurs et d'universitaires.

Les PRESSES UNIVERSITAIRES DE FRANCE (PUF) ont repris le fonds prestigieux de la maison Alcan, dont elles prolongent la *Bibliothèque de philosophie contemporaine*.

Parmi les autres collections, on peut citer :

Épiméthée, fondée par Jean Hyppolite, cette collection dirigée aujourd'hui par Jean-Luc Marion est l'une des plus stimulantes de l'édition philosophique française. Elle accueille beaucoup d'ouvrages d'inspiration phénoménologique.

Philosophie d'aujourd'hui, comme son nom l'indique, publie avec un bonheur inégal des penseurs contemporains.

Perspectives critiques est une collection de sciences humaines au sens large.

Recherches Théoriques regroupe des essais ambitieux et des traductions importantes.

Philosophies, dirigée par Françoise Balibar et Pierre Macherey est l'une des meilleures collections d'initiation à la philosophie sur le marché.

Les éditions du SEUIL disposent d'une collection longtemps prestigieuse, *L'ordre philosophique*, et de la collection *Esprit* liée à la revue du même nom, qui n'est pas spécialisée dans la philosophie mais publie régulièrement des essais de philosophie politique.

Les éditions FAYARD accueillent le *Corpus des philosophes de langue française*, vaste projet lancé en 1982 sous l'égide de Michel Serres et qui republie des ouvrages du fonds avec un parti pris de simplicité (pas de notes, ni de préfaces) que nuance la revue *Corpus* qui accompagne cette collection.

GALLIMARD est l'éditeur de prestige de la littérature. Aussi a-t-il tout naturellement accueilli les travaux de philosophes-écrivains comme Sartre, qui fonda la *Bibliothèque de philosophie* avec Merleau-Ponty. Celle-ci, dirigée par Pierre Verstraeten édite aussi Heidegger et Habermas. La *Bibliothèque des Idées*, son aînée, continue de publier des textes philosophiques, ainsi que bien entendu les autres collections non spécialisées de Gallimard : *Les Essais, la Pléiade*, et les collections de poche.

MINUIT, l'éditeur des avant-gardes, a publié nombre de philosophes contemporains dans la collection *Critique*, liée à la revue. La collection *Arguments* regroupe des ouvrages de critique sociale et de phénoménologie, et *Le Sens commun*, dirigée par Pierre Bourdieu, laisse percer la tendresse du sociologue pour la philosophie.

Nombre d'auteurs publiés par le précédent (Derrida, Lyotard) se retrouvent aussi chez GALILÉE, dans les collections *La philosophie en effet* et *Débats*. Les mêmes encore se retrouvent parfois dans les collections de CHRISTIAN BOURGOIS, notamment *Détroits*.

Les éditions AUBIER disposent d'un fonds important avec la collection *Philosophie de l'esprit*, dont certains ouvrages sont périodiquement réédités. À côté, la récente *Bibliothèque du Collège international* se veut plus ouverte sur la modernité.

Dernier venu dans la tribu des grands éditeurs de philosophie, LE CERF dispose de deux collections déjà reconnues : *Passages* et *La nuit surveillée*.

Deux collections importantes exèdent les limites de leur titre : *Epistémologie*, chez MÉRIDIENS-KLINCKSIECK et *Philosophie et langage* que publie un éditeur belge, PIERRE MARDAGA.

Deux collections de philosophie politique : *Critique de la politique*, chez PAYOT, dirigée par Miguel Abensour, qui a notamment publié les auteurs de l'École de Francfort, et *Littérature et politique*, chez BELIN, dirigée par Claude Lefort.

Enfin, trois petits éditeurs, sans pouvoir être exhaustif : OUSIA en Belgique, spécialisé en philosophie, publie d'excellents travaux d'inspiration phénoménologique ; ACTES SUD s'est récemment doté d'une *Bibliothèque philosophique*, dirigée par Michel Guérin, qui publie des traductions ; et JÉRÔME MILLON, près de Grenoble, qui accueille la collection *Krisis* de Marc Richir.

2. REVUES

Les revues représentent en effet l'outil privilégié de la recherche philosophique. Aussi sont-elles aussi nombreuses que diverses. Nous n'en donnons ici qu'un aperçu, en nous excusant auprès de celles que nous aurions injustement négligées.

La *Revue de métaphysique et de morale* (Armand Colin) fait figure d'institution vénérable. C'est oublier qu'à l'origine, cette revue fut, sous l'impulsion de ses fondateurs, Xavier Léon et Elie Halévy, le fer de lance d'une renaissance philosophique en France au tournant du siècle. Dirigée par Paul Ricœur et animée par François Azouvi et Marc B. de Launay, elle tend à renouer avec l'impertinence de ses débuts. Elle reste liée à la Société française de philosophie qui publie par ailleurs un *Bulletin* (chez le même éditeur) exposant les débats auxquels donnent lieu ses séances.

Les *Études philosophiques* (PUF), fondée par Gaston Berger en 1926, est publiée sous l'égide des diverses sociétés régionales de philosophie. Mais la revue ne se limite pas à refléter la production francophone (on trouvera un bilan des études philosophiques en langue française dans le livre édité par l'Association des Sociétés philosophiques de langue française, *Doctrines et concepts, cinquante ans de philosophie de langue française*, Vrin, 1987) et témoigne du souci d'ouverture de ses directeurs, Pierre Aubenque et Jean-François Courtine.

La revue philosophique de la France et de l'étranger (PUF), dirigée par Yvon Brès et animée par Dominique Merllié et Denise Leduc-Fayette, consacre une large place aux comptes rendus, à côté d'articles techniques divers.

Publiée sous l'égide du père Marcel Régnier, les *Archives de philosophie* (Beauchesne) sont la revue du Centre Sèvres et accueille de nombreux travaux tant en philosophie ancienne qu'en philosophie moderne et contemporaine.

La *Revue de synthèse*, fondée en 1900 par Henri Beer, a récemment retrouvé une seconde jeunesse sous l'impulsion de Jacques Roger, Ernest Coumet et Dominique Bourel, et se veut au carrefour des sciences humaines.

Dernière-née des revues techniques et généralistes. *Philosophie* (Minuit), fondée en 1984 par Didier Frank et Pierre Guenancia, s'ouvre particulièrement aux jeunes auteurs et privilégie la philosophie contemporaine, dans les trois champs suivants : philosophie analytique, phénoménologie, et philosophie politique.

Avec la *Revue internationale de philosophie*, publiée à Bruxelles (diffusée en France par les PUF), nous quittons le champ des grandes revues spécialisées. Organisée en numéros thématiques, centrés sur un auteur ou une question, cette revue est particulièrement ouverte aux travaux anglo-saxons et dans une moindre mesure, allemands, mais ne néglige pas les grands auteurs de la tradition.

Très nombreuses sont en revanche les revues spécialisées dans un champ ou sur un thème donné, depuis la *Revue d'histoire des sciences*, jusqu'aux *Recherches sur la philosophie du langage*, publiée par l'Université de Grenoble II. La plupart sont d'ailleurs publiés par une université ou un institut de recherche, comme les *Cahiers de philosophie politique et juridique* de l'Université de Caen, ou les *Cahiers de philosophie politique* du Centre de philosophie politique de l'Université de Reims, publiés aux éditions Ousia. Cette même maison d'édition accueille aussi les *Études de philosophie ancienne* et les *Études phénoménologiques*.

En marge de ces publications, signalons aussi quelques revues publiées à l'initiative d'un petit groupe ou d'un individu, souvent préoccupées de questions contemporaines : si *les Cahiers de philosophie* (Lille, Jean-Marc Besse) et *Exercices de la patience* (Dijon, Alain David, éditions Obsidiane) sont des initiatives provinciales, on en trouve aussi à Paris, comme Les *Cahiers de la nuit surveillés* (Jacques Rolland, Le Cerf).

Enfin, les *Cahiers philosophiques*, publiés par le CNDP à l'initiative de l'Inspection Générale de Philosophie sont une revue à tendance plus pédagogique, mais qui publie aussi des articles de recherche. Sa diffusion souffre de la confidentialité du réseau CNDP.

Mais la philosophie ne se donne pas seulement à lire dans les revues spécifiquement philosophiques. L'un de ses principaux vecteurs de diffusion est au contraire les revues généralistes, dont il serait trop long de faire la liste complète. Mentionnons seulement *Esprit*, qui depuis sa fondation par Emmanuel Mounier jusqu'à aujourd'hui (Paul Thibaud, Olivier Mongin), a toujours fait la part belle à la réflexion philosophique. *Le Débat* (Gallimard), dirigé par Pierre Nora et animé par Marcel Gauchet, a lui aussi consacré des numéros à des philosophes et publie de temps à autre des articles philosophiques, tout comme *Critique* (Minuit). *Raison présente* ne peut pas, sauf à renier son titre, ne pas accorder à la philosophie une place de choix, ce que fait aussi la revue jésuite *Études*. Mais le philosophe trouve aussi son bonheur en glanant dans *L'Air du temps*, *Digraphe*, *Le Genre humain*, *Liberté de l'esprit*, *Lettre internationale*, *Les Temps modernes*, *Le Nouveau Commerce*, *Le Temps de la réflexion*, *Le Messager européen*, *Milieux*, etc.

257

MÉMOIRE DE LIVRES

L'aventure philosophique ne s'accomplit guère sans la patience de lire. Parmi cent ouvrages dignes d'être connus, voici, exception faite des introductions aux œuvres de la tradition et des publications que ce numéro a déjà mentionnées, quelques pistes offertes. Elles furent, pour nous, chacune dans sa singularité, rencontres mémorables. Qu'il y passe le fil ténu d'une reconnaissance et ce sera le signe que ce modeste état, au contraire d'un inventaire raisonné, saura abolir de lui-même son insuffisance, pourvu qu'il soit reçu autrement qu'une énumération au service du mythe de la bibliothèque idéale.

ADORNO (T.W.). *Théorie esthétique,* Klincksieck, 1974. *Minima moralia, Réflexions sur la vie mutilée,* Payot, 1983 (1951).

ALTHUSSER (L.). *Pour Marx,* Maspero, 1965.

BOUVERESSE (J.). *La force de la règle,* Minuit, 1987.

CANGUILHEM (G.). *La connaissance de la vie,* Vrin, 1965.

CASTORIADIS (C.). *Domaines de l'homme, les carrefours du labyrinthe, II,* Seuil, 1986.

CHATELET (F.). *Platon,* Idées/Gallimard, 1965.

DAGOGNET (F.). *Écriture et iconographie,* Vrin, 1973.

DE CERTEAU (M.). *L'invention du quotidien,* 10/18, 1980.

DELEUZE (G.). *Logique du sens,* Minuit, 1969 ; 10/18, 1973. *Mille plateaux* (avec F. Guattari), Minuit, 1980. *Cinéma 1, l'image-mouvement,* Minuit, 1983. *Cinéma 2, l'image-temps,* Minuit, 1985. *Le pli, Leibniz et le baroque,* Minuit, 1988.

FERRY (L.). *Philosophie politique.* PUF, 1. et 2., 1984 ; 3. (avec A. Renaut), 1986.

FINKIELKRAUT (A.) *La sagesse de l'amour,* Gallimard, 1984.

FINLEY (M.I.). *L'invention de la politique,* Flammarion, 1985.

GRANGER (G.). *Pour la connaissance philosophique,* Odile Jacob, 1988.

JANKELEVITCH (V.). *Quelque part dans l'inachevé* (avec B. Berlowitz), Flammarion.

HENRY (M.). *Marx, 1. Une philosophie de la réalité ; 2. Une philosophie de l'économie,* Bibliothèque des Idées, Gallimard, 1976.

LEBRUN (G.). *La patience du concept, essai sur le discours hégélien,* Gallimard, 1972.

LYOTARD (J.-F.). *Discours, figure,* Klincksieck, 1971. *Le différend,* Minuit, 1983. *L'inhumain,* Galilée, 1988.

258

MATHERON (A.). *Individu et communauté chez Spinoza*, Minuit, 1969, réédition 1988.

MARION (J.-L.). *Sur la théologie blanche de Descartes (Analogie, création des vérités éternelles et fondement)*, PUF, 1981.

NEGRI (A.). *L'anomalie sauvage (puissance et pouvoir chez Spinoza)*, PUF, 1982.

PARIENTE (J.-C.). *Le langage et l'individuel*, A. Colin, 1973.

PUTNAM (H.). *Raison, vérité, histoire*, Minuit, 1984 (1981).

PHILONENKO (A.). *La théorie kantienne de l'histoire*, Vrin, 1986.

POPPER (K.R.). *La logique de la découverte scientifique*, Payot, 1973 (1959, 1969).

LES PRESOCRATIQUES. Éd. établie par J.-P. Dumont, avec D. Delattre et J.-L. Poirier, Bibliothèque de la Pléiade, 1988.

PRIGOGINE (I.) ET STENGERS (I.). *La Nouvelle Alliance (Métamorphose de la science)*, Gallimard, 1979.

QUINE (W.V.). *Le mot et la chose*, Flammarion, 1977 (1960).

RANCIERE (J.). *Le maître ignorant*, Fayard, 1987.

RAWLS (Y.). *Théorie de la justice*, Seuil, 1987 (1971).

SERRES (M.). *Hermès, I à V.*, Minuit, 1969 à 1980. *Le système de Leibniz et ses modèles mathématiques*, deux volumes, PUF, 1968, reédité un vol., 1982. *La naissance de la physique dans le texte de Lucrèce. Fleuves et turbulences*, Minuit, 1977. *Esthétiques sur Carpaccio*, Hermann, 1975, éd. de poche, 1983. *Les cinq sens*, Grasset, 1985...

SIMONDON (G.). *L'individu et sa genèse physico-biologique*, PUF, 1964.

STRAUSS (L.). *La cité et l'homme*, Agora, 1987.

VERNANT (J.P.). *Les ruses de l'intelligence (La métis des Grecs)*, (avec M. Détienne) Flammarion, 1974.

VUILLEMIN (J.). *Nécessité ou contingence, l'aporie de Diodore et les systèmes philosophiques*, Minuit, 1984.

© CATHERINE CHEVALLIER

Abonnements au 1er janvier 1996 : la collection « Mutations », complémentaire des collections « Monde », « Morales » et « Mémoires » est vendue à l'unité (120 F par ouvrage) ou par abonnement (France : 650 F ; Étranger : 770 F) de 7 titres par an. L'abonnement peut être souscrit auprès de votre libraire, ou directement aux Éditions Autrement, Service abonnements, 17, rue du Louvre, 75001 Paris. Établir votre paiement (chèque bancaire ou postal, mandat-lettre) à l'ordre de NEXSO (CCP Paris 1-198-50-C). Le montant de l'abonnement doit être joint à la commande. Veuillez prévoir un délai d'un mois pour l'installation de votre abonnement, plus le délai d'acheminement normal. Pour tout changement d'adresse, veuillez nous prévenir avant le 15 du mois et nous joindre la dernière étiquette d'envoi. Un nouvel abonnement débute avec le numéro du mois en cours. Vente en librairie exclusivement. Diffusion : Éditions du Seuil.

Directeur de la publication : Henry Dougier, revue publiée par Autrement.
Comm. par. 55778. Corlet, Imp. S.A., 14110 Condé-sur-Noireau. N° 15324.
Précédent dépôt : janvier 1994. Dépôt légal : janvier 1996.
L'édition originale de cet ouvrage contenait un encart entre les pages 224 et 229.
ISSN : 0751-0144. ISBN : 2-86260-272-8. *Imprimé en France.*